La solitude apprivoisée

L'angoisse de séparation
en psychanalyse

« Qu'est-ce que signifie "apprivoiser" ?

— C'est une chose trop oubliée, dit le renard. Ça signifie "créer des liens..."

— Créer des liens ?

— Bien sûr, dit le renard. Tu n'es encore pour moi qu'un petit garçon semblable à cent mille petits garçons. Et je n'ai pas besoin de toi. Et tu n'as pas besoin de moi non plus. Je ne suis pour toi qu'un renard semblable à cent mille renards. Mais, si tu m'apprivoises, nous aurons besoin l'un de l'autre. Tu seras pour moi unique au monde. Je serai pour toi unique au monde...

— Je commence à comprendre, dit le petit prince. Il y a une fleur... je crois qu'elle m'a apprivoisé... »

Antoine de Saint-Exupéry, Le Petit Prince, p. 68.

Jean-Michel Quinodoz

La solitude apprivoisée

L'angoisse de séparation
en psychanalyse

Préface
de Hanna Segal

QUADRIGE / PUF

Je dédie ce livre à Danielle.

J'exprime aussi ma reconnaissance à :

Hanna Segal, qui sait si bien transmettre son expérience,

Marcelle Spira, qui m'a communiqué sa passion pour la psychanalyse,

Pierre Luquet, qui m'a ouvert sa collection,

André Haynal, Léon et Rebeca Grinberg, ainsi qu'à tous ceux qui m'ont soutenu dans mon projet.

Ce livre est aussi marqué par la présence de Michel Gressot, si tôt disparu.

Jean-Michel   Quinodoz.

Genève, février 1990.

ISBN 2 13 052060 x
ISSN 0291-0489

Dépôt légal — 1re édition : 1991
2e édition « Quadrige » : 2002, juin

© Presses Universitaires de France, 1991
Le fait psychanalytique
6, avenue Reille, 75014 Paris

Sommaire

Préface

Je connais Jean-Michel Quinodoz depuis 1978, il était alors membre d'un groupe de travail postgradué que j'ai animé à Genève jusqu'en 1984. Depuis lors, j'ai eu plusieurs fois l'occasion de discuter avec lui de divers problèmes cliniques et théoriques. Au cours de ces années, j'ai appris à apprécier l'engagement de Quinodoz dans la psychanalyse, ainsi que le sérieux de son travail et sa capacité de développer des idées. Ce livre fait ressortir les qualités que j'ai remarquées chez lui.

Il aborde le thème de l'angoisse de séparation dans la pratique clinique. On trouve une vaste littérature sur l'angoisse de séparation, débutant avec Freud, mais très peu a été écrit sur le rôle crucial que jouent l'angoisse de séparation et les défenses contre celles-ci au cours du processus psychanalytique. Freud parle de la carapace du lundi de l'analyste, mais pas de celle du patient. Quinodoz montre de manière convaincante, à travers un matériel clinique détaillé, la variété des formes et des contenus de l'angoisse de séparation, ainsi que le travail qui doit être effectué sur les défenses pour les dévoiler et permettre au patient de les élaborer.

Dans la deuxième partie de l'ouvrage, il examine les principales théories psychanalytiques existantes sur l'angoisse de séparation, en commençant par Freud et incluant Klein, Fairbairn, Winnicott, Balint, Anna Freud, Spitz et Mahler. Tout au long du livre, il fait également référence à de nombreux autres auteurs.

La dernière partie de l'ouvrage est consacrée à la terminaison de la psychanalyse, et là, il introduit un concept original et personnel, la « portance ». Il relève les définitions données par le dictionnaire pour les *deux significations de ce terme qui ne sont pas identiques. La première correspond à la solidité du matériau nécessaire pour supporter une structure, par exemple les fondations d'une maison ; la seconde, utilisée en physique, correspond à la force verticale qui, combinée avec la vitesse, produit la poussée ascensionnelle, par exemple sur un avion qui décolle. Quinodoz considère qu'une bonne résolution de l'angoisse de séparation résulte pour le patient dans l'acquisition de la « portance », combinaison d'une base solide dans le monde interne et d'une capacité de prendre son essor. Il décrit la constellation des relations d'objets internes qui donne à l'individu une « portance ». Celle-ci procure non seulement une capacité de tenir ferme dans la séparation et la solitude, mais aussi une capacité de prendre de la hauteur et « un élan de vivre »[1].*

Je pense que La solitude apprivoisée est un ouvrage important. Il associe une approche clinique à une connaissance érudite, et apporte des idées nouvelles qui éclairent à la fois la théorie et la pratique clinique[2].

Londres, février 1990.

Hanna SEGAL

---

1. En français dans le texte.
2. Traduit de l'anglais par Arielle Quinodoz.

Première Partie

L'ANGOISSE DE SÉPARATION
DANS LA PRATIQUE PSYCHANALYTIQUE

L'angoisse de séparation
dans les fantasmes de transfert

Les deux visages de la solitude

La solitude a deux visages : elle peut être une mortelle conseillère, mais, lorsqu'on l'apprivoise, la solitude peut devenir une amie infiniment précieuse. Peut-on apprivoiser la solitude ? Peut-on parvenir à ce qu'elle devienne un authentique moyen de communication avec soi-même et avec autrui ?

Dans ce livre, j'aimerais montrer comment l'expérience de la solitude peut être vécue et se transformer, au cours de l'expérience psychanalytique, et comment se développe le passage d'un sentiment parfois hostile et désespérant de solitude vers une solitude apprivoisée, base de la confiance dans la communication avec soi-même et avec autrui.

Ce passage se déroule à travers ce que nous, psychanalystes, appelons l'élaboration des angoisses de séparation et de perte d'objet qui marque le développement psychologique de chaque individu, et, d'une manière analogue, le déroulement de la relation psychanalytique. L'angoisse de séparation, lorsqu'elle est excessive, c'est la crainte tragique de se retrouver seul et abandonné, source première de douleur psychique et d'affect de deuil, comme l'a montré Freud en 1926. Cette solitude peut devenir un gouffre de mort : « Un seul être vous manque, et tout est dépeuplé » (A. de Lamartine, *L'isolement*). Par contre, lorsqu'elle est apprivoisée, l'angoisse de séparation devient source d'élan de vie : apprivoiser la solitude, ce n'est pas supprimer l'angoisse, mais apprendre à y faire face et à l'utiliser pour la mettre au service de la vie. Alors, se sentir seul signifie prendre conscience qu'on est soi-même unique, que l'autre est également unique, et le lien de relation qu'on entretient avec soi-même et avec autrui devient infiniment précieux. C'est ainsi que j'entends le Petit Prince, lorsqu'il dit aux roses : « Vous êtes comme était mon renard. Ce n'était qu'un renard semblable à cent mille autres. Mais j'en ai fait mon ami, et il est maintenant unique au monde » (Antoine de Saint-Exupéry, *Le Petit Prince*, p. 72).

Dans ce chapitre introductif, j'aimerais situer le sentiment de solitude et l'angoisse de séparation dans une perspective psychanalytique. Ce type d'angoisse qui peut être éprouvé par chacun dans la vie de tous les jours, se reproduit en effet dans la relation avec la personne de l'analyste et marque profondément l'évolution du transfert. L'angoisse de séparation possède en effet les caractéristiques essentielles des phénomènes transférables relevant de la psychanalyse. A cause de sa tendance à se reproduire comme un vécu infantile dans la relation actuelle avec le psychanalyste, et du fait de sa nature inconsciente, l'angoisse de séparation qui surgit entre analysant et analyste est susceptible d'être repérée, afin d'être interprétée et élaborée.

L'angoisse de séparation : un phénomène universel

Lorsqu'on parle de séparation dans un contexte de relation entre personnes, l'angoisse de séparation normale correspond au sentiment douloureux de crainte éprouvé par un individu lorsque la relation affective, établie avec une personne importante de son entourage, se trouve menacée d'interruption ou est interrompue. Il peut s'agir d'une interruption par suite de la perte du lien affectif (perte d'amour) ou d'une rupture consécutive à une perte réelle de la personne importante. On parle plutôt de séparation lorsque la perte est provisoire, et de perte lorsque celle-ci a un caractère définitif. Cependant, les fantasmes de séparation tendent à se confondre avec ceux de perte, et la séparation est alors vécue comme une perte.

L'angoisse de séparation est un phénomène universel, et c'est même une émotion si proche et si familière que nous devons presque faire un effort pour nous apercevoir qu'il s'agit d'une préoccupation qui accompagne chaque instant de notre vie de tous les jours. Pensons simplement à ce que nous disons lorsque nous accueillons ou nous quittons des amis ou des proches : « Je me réjouis de te revoir, je te croyais disparu, j'étais inquiet de ne plus recevoir de tes nouvelles... ne me laisse pas seul... »

A travers ces mots nous exprimons dans les circonstances apparemment les plus banales un besoin fondamental de relation affective en même temps qu'une nostalgie à la pensée de quitter une personne chère. L'angoisse de séparation traduit donc l'émotion douloureuse — plus ou moins consciente — qui accompagne la perception du caractère éphémère des relations humaines, de l'existence d'autrui et de notre propre existence. Mais en même temps, c'est une émotion structurante pour le moi, car percevoir la douleur de notre solitude nous fait prendre conscience d'une part que nous existons en tant qu'être seul et unique par rapport à autrui, et que autrui est différent de nous. C'est ainsi que l'angoisse de séparation fonde notre sentiment d'identité aussi bien que notre connaissance de l'autre — cet « autre » que nous, psychanalystes, nous avons l'habitude d'appeler « objet » pour le distinguer du « sujet ».

Comment se manifeste l'angoisse de séparation ?

L'angoisse de séparation s'exprime habituellement à travers des réactions affectives dans lesquelles nous ressentons — et pouvons dire — nos sentiments en relation avec la personne dont nous nous sentons séparés : par exemple sentiment d'être abandonné et seul, triste ou fâché, frustré ou désespéré. La réaction affective à la séparation peut s'exprimer également à travers toute une gamme d'émotions, suivant le degré d'angoisse. Ces réactions peuvent être mineures, comme l'anxiété ou le chagrin, mais elles peuvent aller jusqu'à des manifestations majeures tant psychiques (dépression, délire, suicide) que somatiques fonctionnelles (touchant les fonctions) ou psychosomatiques (entraînant des lésions des organes). L'angoisse de séparation est en effet l'une des causes déclenchantes les plus fréquentes de troubles pathologiques, et se trouve en particulier à l'origine de multiples formes de maladies psychiques ou somatiques, ou d'accidents.

La capacité de contenir l'angoisse — en particulier l'angoisse de séparation — varie d'un individu à l'autre, et ce qu'on appelle « normalité » correspond à la capacité d'une personne donnée de faire face à l'angoisse et de l'élaborer psychiquement. Cependant, cette capacité peut être débordée, et l'angoisse peut surgir pour des raisons aussi bien externes qu'internes, ces deux facteurs étant en étroite relation l'un avec l'autre, comme nous le verrons plus loin. D'un autre point de vue, on peut considérer que les réactions à la séparation ou à la perte de l'objet ont la plupart du temps une origine et une signification inconscientes, échappant à la conscience du sujet concerné. C'est ce que nous allons discuter maintenant.

Entre le conscient et l'inconscient

Examinons maintenant l'angoisse de séparation sous l'angle des phénomènes psychiques suivant qu'ils sont conscients ou inconscients, c'est-à-dire selon la première topique de Freud (1915).

D'une manière générale, nous pouvons dire que lorsque l'angoisse de séparation est relativement bien tolérée, le sujet qui éprouve l'angoisse est en grande partie conscient du fait que la séparation concerne la relation avec une personne de son entourage qu'il a investie, et que les sentiments qu'il éprouve — par exemple tristesse ou abandon — concernent le lien de relation conscient avec la personne investie. Certes, dans toute réaction psychique, il y a toujours une part consciente et une part inconsciente. Cependant, les mécanismes inconscients interviennent de façon prédominante lorsque l'angoisse est excessive : le sujet se défend alors contre l'apparition de l'angoisse en la réprimant dans son inconscient, soit à travers des mécanismes de défense comme le refoulement, le déplacement ou d'autres formes de défenses, soit en niant les affects et en clivant son propre moi, lorsque l'angoisse est trop forte, comme nous aurons l'occasion de le voir ultérieurement. Ces mécanismes de défense contre l'angoisse aboutissent à ce que le sujet qui souffre de la séparation ne sait alors plus à propos de *qui* il souffre, ni même *ce* qu'il éprouve par rapport à la séparation ou à la perte de l'objet investi. Par exemple, lorsque la douleur de la séparation est excessive, le sujet peut déplacer les sentiments de tristesse et d'abandon, et les éprouver par rapport à une autre personne que la personne investie, sans être conscient que sa tristesse est détournée de la personne à l'origine de la tristesse. De tels déplacements des sentiments sont fréquemment à l'origine d'actes manqués.

Ces mécanismes de défense contre la perception de l'angoisse — comme les déplacements ou les actes manqués que je viens de mentionner — sont des phénomènes qui échappent en grande partie à la conscience du sujet concerné. Ils se déroulent au niveau nommé « inconscient » par Freud (1915), pour les distinguer des phénomènes perçus au niveau conscient. Certes, il est souvent relativement aisé pour un observateur extérieur d'établir des liens de causalité entre la séparation et les multiples manifestations inconscientes de ce type d'angoisse. Mais il n'en est pas de même en ce qui concerne la personne concernée : celle-ci se trouve dans l'incapacité d'établir elle-même des liens de causalité entre des phénomènes qui lui échappent, parce que se déroulant en dehors du champ de sa conscience, c'est-à-dire dans l'inconscient. Pour reprendre l'exemple du déplacement cité ci-dessus, la personne concernée ne réalise pas elle-même qu'elle dirige sa tristesse ou sa colère vers une personne qui n'est pas celle à qui ces sentiments sont véritablement adressés.

De plus, nous pouvons observer à propos de l'angoisse de séparation ce que Freud a observé dans de nombreux troubles psychiques, c'est-à-dire que lorsque la personne qui présente des symptômes liés à ce type d'angoisse parvient à prendre conscience de leur origine psychique inconsciente, cette prise de conscience peut, lorsqu'elle est revécue dans la relation transférentielle, contribuer à amener une résolution des symptômes. C'est l'un des principes sur lesquels se fonde le travail psychanalytique.

De ce point de vue nous pouvons établir un rapprochement entre le deuil et l'angoisse de séparation. En effet, dans le deuil normal, la personne qui souffre est consciente du lien qui existe entre sa tristesse, par exemple, et la séparation ou la perte de la personne chère, tandis que dans le deuil pathologique ce lien tend à échapper à la conscience, la personne qui souffre de la séparation ou de la perte ne sachant pas, sinon qui elle a perdu, du moins ce qu'elle a perdu (Freud, 1917e [1915]). Le sujet ne pourra entreprendre le travail du deuil susceptible de l'amener à une résolution des symptômes que lorsqu'il aura pu prendre conscience des liens inconscients qui l'attachent à l'objet, de manière à pouvoir s'en détacher consciemment. C'est cette possibilité de pouvoir élaborer psychiquement les phénomènes inconscients qui donne toute sa valeur à l'investigation psychanalytique, par rapport à d'autres approches de l'angoisse de séparation.

Freud, la séparation et la perte de l'objet

Les réactions inconscientes fondamentales de l'individu à la séparation et à la perte de l'objet ont été décrites par Freud. En effet, Freud s'est interrogé tout au long de sa vie sur l'origine de ce type de réaction psychologique, ainsi que sur le pourquoi de sa diversité : il s'est demandé qu'est-ce qui déclenche seulement la douleur ? qu'est-ce qui déclenche plutôt l'angoisse ? qu'est-ce qui conduit au deuil pathologique ? ou encore, quelle est la nature du deuil normal ? Ses réponses sont contenues dans deux contributions majeures.

Dans « Deuil et mélancolie » (1917e [1915]), Freud découvre que la réaction dépressive à la perte de l'objet vient de ce que le sujet s'est en partie identifié à l'objet perdu, et confondu avec lui, pour se défendre contre le sentiment de l'avoir perdu. Avec « Deuil et mélancolie » Freud commence à accorder une place plus grande aux relations entre le sujet et les objets aussi bien externes qu'internes, et le concept d'objet se précise, de même que celui de moi. Quelques années plus tard, lorsqu'il proposera une seconde topique, c'est-à-dire une autre division du psychisme en termes de moi, surmoi et ça — complémentaire de la première topique divisant le psychisme en conscient, préconscient et inconscient — Freud situera l'angoisse comme étant un affect éprouvé par le moi, et modifiera ses vues antérieures sur l'origine de l'angoisse. Dans « Inhibition, symptôme et angoisse » (1926d), il attribue dorénavant l'origine de l'angoisse à des fantasmes de crainte de séparation et de perte de l'objet. Selon lui, l'angoisse est un état de détresse psychique du moi devant un danger qui le menace, danger qui réveille la détresse psychique et biologique éprouvée par l'enfant en l'absence de sa mère, personne aimée et ardemment désirée. Freud fait donc de la crainte de la séparation le prototype même de l'angoisse.

Ces nouvelles vues de Freud accordant une place prépondérante à la séparation et à la perte de l'objet dans l'origine de l'angoisse et des mécanismes de défense ont mis du temps à être acceptées, et sont encore contestées par un certain nombre de psychanalystes. Je pense que l'un des principaux points d'achoppement vient de la difficulté à situer le rôle joué par les fantasmes par rapport à la réalité lorsqu'on parle de séparation et de perte d'objet. C'est là un point fondamental que nous allons discuter d'emblée, afin de mieux comprendre l'impact de l'approche psychanalytique de ce problème, qui se situe au carrefour entre réalité et fantasme, c'est-à-dire entre réalité extérieure et réalité psychique.

Réalité et fantasme de séparation et de perte d'objet

Le problème des rapports entre réalité extérieure et réalité intérieure ou psychique se pose de manière particulièrement aiguë dans l'angoisse de séparation. Cela vient sans doute du sens donné habituellement à ce terme, car lorsqu'on parle de séparation ou de perte d'une personne, on pense aussitôt à une séparation réelle, ou à une perte réelle, et l'on oublie le rôle joué par les fantasmes, c'est-à-dire par les souhaits inconscients du sujet de faire disparaître l'objet.

La psychanalyse nous apprend en effet que les expériences réelles de séparation ne sont pas à considérer uniquement comme des faits de réalité concrète, mais que ces événements sont toujours interprétés en fonction des fantasmes. Réciproquement, nous pouvons constater que nos fantasmes et les relations que nous entretenons avec les images de nos objets à l'intérieur de nous ont une influence directe sur nos relations avec les personnes réelles de notre entourage, à travers le va-et-vient incessant des mécanismes de projection et d'introjection.

L'importance des fantasmes par rapport à la réalité dans l'angoisse de séparation et la perte d'objet a été soulignée de manière très diverse par les psychanalystes. L'intérêt marqué par certains d'entre eux pour l'étude des conséquences de la séparation et de la perte réelle a sans doute contribué à renforcer l'idée que l'angoisse de séparation était avant tout un problème de relation avec la réalité extérieure, et que l'on s'écartait ainsi du champ spécifique de la psychanalyse. Ce type de remarque a pu être fait à A. Freud, à R. Spitz ou à J. Bowlby, dont les travaux ont surtout mis l'accent sur la séparation avec des personnes réelles, en particulier chez l'enfant, et, dans la relation transférentielle, sur la séparation avec la personne réelle du psychanalyste. C'est ainsi que pour A. Freud, par exemple, les expériences de séparation avec le psychanalyste au cours de la cure réveillent le souvenir des séparations réelles de l'enfance, revécues dans le transfert (J. Sandler et coll., 1985).

Bien que Freud ait explicitement tenu compte des pulsions, c'est-à-dire des souhaits inconscients de faire disparaître l'objet, et pas seulement de la réalité lorsqu'il attribue en 1926 à la séparation un rôle prépondérant dans l'origine de l'angoisse, la même objection de trop faire cas de la réalité lui a été faite, en particulier par des psychanalystes français comme J. Laplanche (1980). Ainsi, quand Freud cherche à distinguer des significations différentes à la séparation, suivant les phases du développement, et qu'il différencie séparation de la naissance, sevrage ou perte de fèces, dans les stades prégénitaux, J. Laplanche considère que Freud est exclusivement à la recherche d'un premier événement réel à l'origine de l'angoisse. Je crois que Laplanche, qui parle d'un « aplatissement du freudisme » à ce sujet (p. 144), va trop loin dans sa critique de certaines ambiguïtés, présentes certes, dans *Inhibition, symptôme et angoisse*. Je pense personnellement — et c'est aussi l'avis de nombreux psychanalystes à l'heure actuelle — que Freud a cherché dans cette nouvelle théorie de l'angoisse à donner des significations distinctes à des fantasmes de séparation et de perte d'objet, significations qui diffèrent suivant les sensations et les expériences corporelles et psychiques qui prédominent au cours du développement infantile et qui sont la source des fantasmes. Même si certaines formulations sont hésitantes chez Freud, il n'en reste pas moins que, pour lui, c'est le besoin et la pulsion qui, en dernière analyse, rendent compte du caractère traumatique ou dangereux de la séparation ou de la perte d'objet. L'étude de *Inhibition, symptôme et angoisse* que nous reprendrons plus loin nous le confirmera.

Pour M. Klein les angoisses de séparation ou de perte sont liées avant tout à des fantasmes agressifs de destruction de l'objet. Selon elle, la crainte de la disparition de l'objet peut être vécue sur un mode paranoïde — c'est alors l'angoisse d'être attaqué par le mauvais objet qui prédomine —, ou sur un mode dépressif — dans ce cas c'est l'angoisse de perdre le bon objet intériorisé qui prévaut plutôt que la crainte d'être attaqué par le mauvais objet. L'importance accordée par M. Klein au monde interne et aux fantasmes a pu donner l'impression qu'elle tenait peu compte de l'influence des objets du monde extérieur, mais il n'en est rien. Développant les hypothèses avancées antérieurement par K. Abraham et S. Freud, elle a décrit en détail les conflits pulsionnels et défensifs qui, dans la manie et la mélancolie par exemple, déterminent les angoisses de destruction et de perte d'objet, aussi bien interne qu'externe. Je pense que la conception kleinienne du rôle joué par les pulsions et les défenses dans les fantasmes de destruction de l'objet procure au psychanalyste les moyens non seulement de mieux comprendre les rapports complexes entre objets internes et objets externes, mais aussi de les interpréter dans la relation transférentielle avec l'analysant de manière plus précise et plus appropriée.

En conséquence, ce qui donne toute sa valeur à l'approche psychanalytique de l'angoisse de séparation, c'est de nous permettre d'aborder et de transformer les réactions psychiques conscientes et inconscientes en rapport avec la séparation et la perte d'objet, que cette perte ait une origine réelle, ou qu'elle soit de nature purement fantasmatique, c'est-à-dire le résultat de nos désirs inconscients réprimés. Ces expériences peuvent être revécues dans la relation transférentielle avec la personne de l'analyste de manière à être interprétées et élaborées.

*L'angoisse de séparation
dans la relation entre analysant¹ et analyste*

  De la même manière qu'elle apparaît dans les relations interpersonnelles de la vie de tous les jours, l'angoisse de séparation surgit dans le creuset de la relation entre analysant et analyste, et imprime sa marque à l'évolution du transfert. Les manifestations de ce type d'angoisse ne sont pas d'une nature différente de celles qui se produisent dans les relations de la vie courante, mais la situation analytique a l'avantage de mettre ces phénomènes en évidence et de les contenir, au même titre que l'ensemble des phénomènes transférentiels qui se déroulent au cours du processus psychanalytique, afin d'être interprétés.

  Dans la cure psychanalytique, l'angoisse de séparation est omniprésente et s'observe tout particulièrement à l'occasion des interruptions de fin de séance, de fin de semaine et des vacances, ou dans la perspective de la terminaison de l'analyse. Les réactions aux discontinuités fantasmées ou réelles de la rencontre analytique sont extrêmement variées, et chacun peut se référer à sa propre expérience clinique quotidienne pour en trouver des exemples. J'y reviendrai dans le second chapitre à propos d'une illustration clinique. Disons pour l'instant que les réactions les plus caractéristiques et les plus fréquentes sont les réactions affectives comme la colère, la tristesse ou le désespoir, les acting-out, les mouvements régressifs momentanés ou plus ou moins durables, les transferts latéraux avec déplacement des affects sur une ou d'autres personnes que la personne concernée ; le déni de l'angoisse de séparation constitue une forme caractéristique de réaction à la crainte de la séparation et de la perte, l'apparente absence de réaction masquant une angoisse excessive.

  Tous les analysants ne réagissent pas de la même façon dans ce contexte. Certains sont capables de tolérer l'absence de l'analyste, fantasmée ou réelle, parce qu'ils sont en mesure de la symboliser. En général, ces analysants parviennent à communiquer directement à l'analyste leurs réactions émotives, lui exprimant sans détour la tristesse ou le sentiment de solitude que leur fait éprouver l'analyste. Par contre

---

1. J'utiliserai le terme d'*analysant* dans cet ouvrage pour souligner la part active de la personne en analyse, plutôt que les termes d' « analysé » (trop passif) ou de « patient » (trop médical). Le terme d'analysant a été introduit en allemand par S. Ferenczi (« Analysan*d* », d'après A. Haynal, 1989, p. 492), source probable du terme d'analysan*t* proposé par J. Lacan.

d'autres analysants sont hypersensibles et tolèrent très mal l'absence de l'analyste, qu'elle soit fantasmée ou réelle. Chez ceux-ci le sentiment d'être abandonné pour toujours par l'analyste peut prendre des proportions parfois catastrophiques, voire compromettre la poursuite de l'analyse. Très fréquemment ces analysants n'expriment pas directement leur intolérance à la séparation, et nous avons alors affaire à des mécanismes de défense primitifs de l'ordre du déni, du clivage, de la projection et de l'introjection, plutôt qu'au refoulement. En effet, lorsque l'angoisse est excessive, le refoulement ne suffit plus, comme l'a montré Freud (1927e, 1940a [1938]), et le moi se défend contre une réalité insupportable aussi bien externe qu'interne en se clivant, une partie du moi niant la réalité, l'autre l'acceptant.

En ce qui me concerne, je pense que lorsque l'angoisse de séparation se manifeste dans la cure psychanalytique, il est essentiel que l'analyste la détecte et l'interprète, afin que l'analysant l'élabore. Mais ici surgit une difficulté majeure, qui vient de ce que ce type d'angoisse réveille de fortes résistances, aussi bien de la part de l'analysant, à cause de la prédominance de défenses narcissiques et primitives, que de la part de l'analyste, ce dernier pouvant se décourager d'interpréter à cause des dénégations répétées de l'analysant face à ce type de manifestation transférentielle. Pour toutes ces raisons, interpréter l'angoisse de séparation n'est pas chose simple, mais demande au contraire beaucoup d'expérience de la part de l'analyste, d'abord pour repérer ces angoisses qui s'expriment souvent de manière très détournée, puis pour trouver l'interprétation appropriée, et la donner au bon moment. C'est tout l'opposé d'une interprétation passe-partout, du type de celle qui consisterait à dire à l'analysant que s'il est triste ou qu'il fait tel acte, c'est peut-être parce que l'analyste lui manque. Une telle interprétation serait formellement exacte, certes, mais du fait de son contenu simpliste et réducteur, elle aurait vite un caractère répétitif, et ne rendrait pas compte de la richesse des réactions à la séparation, qui en font un moment privilégié pour que l'analysant prenne conscience du transfert.

De la clinique aux diverses théories

Au fur et à mesure que le processus psychanalytique évolue, l'angoisse de séparation subit des transformations qui peuvent servir de repères significatifs des changements qui surviennent dans la relation transférentielle entre analysant et analyste.

L'utilisation de l'angoisse de séparation comme critère d'évolution de la cure a débuté en 1950 avec l'étude de J. Rickman, qui a cherché à définir un « point d'irréversibilité » permettant d'estimer que le processus d'intégration de la personnalité a atteint un niveau qui se maintiendra de manière stable. Parmi les six facteurs retenus, J. Rickman a considéré comme un critère transférentiel primordial la façon dont l'analysant fait face aux fins de semaine. Ses travaux ont été à l'origine de recherches ultérieures sur les rapports entre angoisse de séparation et processus psychanalytique, depuis les études sur l'évolution de la cure en fonction des fantasmes ou des rêves de fin de semaine, jusqu'à une conception de l'ensemble du processus psychanalytique vu sous l'angle de l'élaboration des angoisses de séparation (D. Meltzer, 1967).

S'il est relativement aisé pour chaque psychanalyste d'observer ces transformations, notamment une atténuation progressive des manifestations cliniques de l'angoisse de séparation qui devient mieux tolérée et s'intègre dans le contexte œdipien, il s'avère par contre beaucoup plus difficile de passer de la clinique à la théorie, et de rendre compte de ces phénomènes dans un cadre conceptuel élargi. C'est ce que nous confirme l'étude de l'évolution historique de la pensée psychanalytique.

En effet, si l'on étudie le développement des idées psychanalytiques sur ce sujet, on peut constater que l'angoisse de séparation a d'abord été considérée sous un angle clinique et technique, et que c'est tardivement que ces faits cliniques ont été inclus dans des cadres conceptuels théoriques. Ainsi Freud lui-même commence par relever dans ses écrits techniques que « les interruptions même de courte durée troublent toujours un peu le travail ; nous avions accoutumé de parler en plaisantant de "la carapace du lundi", en reprenant le travail après le dimanche » (Freud, 1913c, p. 86). C'est plus tard dans son œuvre, lorsqu'il aura soixante-dix ans, qu'il inclura la séparation et la perte d'objet dans sa révision de la théorie de l'angoisse, en réponse à l'ouvrage de O. Rank *Le traumatisme de la naissance* (1924). D'autres psychanalystes ont également commencé par observer cliniquement les phénomènes de séparation dans la cure, sans chercher à les expliquer sur un plan théorique. S. Ferenczi (1919) note par exemple que « la névrose du dimanche » de ses patients se reproduisait dans l'analyse, observation confirmée par K. Abraham (1919) qui signale chez ses analysants « l'aggravation temporaire de certains états à l'occasion des dimanches, des jours fériés, des vacances » (fr. p. 90).

Par la suite, les psychanalystes ont mieux compris l'angoisse de séparation comme s'inscrivant dans la dimension affective de la relation transférentielle, et se sont mis à étudier de manière de plus en plus détaillée non seulement la nature complexe des liens affectifs dans les relations de personne à personne, mais également la façon dont le moi lui-même était impliqué et modifié par les avatars des relations objectales.

C'est pourquoi, lorsqu'on en aborde l'étude, on considère l'angoisse de séparation comme s'inscrivant toujours dans le cadre d'une théorie psychanalytique de relation d'objet, et nous verrons combien ces théories varient en fonction de leurs auteurs. Pour ces raisons, il n'existe pas de théorie psychanalytique unitaire qui englobe l'ensemble des phénomènes liés à ce type d'angoisse tel que nous l'observons en clinique, et nous aurons toujours besoin de situer la place de l'angoisse de séparation en référence à l'une ou l'autre des principales théories psychanalytiques de relations d'objet.

2

L'angoisse de séparation
vue à travers un exemple clinique

> « Mais les yeux sont aveugles. Il faut
> chercher avec le cœur. »
>> Antoine de Saint-Exupéry,
>> *Le Petit Prince*, p. 81.

A travers l'illustration clinique qui va suivre, j'aimerais montrer la variété des manifestations de l'angoisse de séparation au cours du processus psychanalytique, en relevant la manière dont elles peuvent être interprétées, dans l'intention de mettre en évidence l'évolution de la signification de ces phénomènes transférentiels au fur et à mesure de l'avance de la cure.

Diversité des manifestations de l'angoisse de séparation

L'analysante dont je vais vous parler — nous l'appellerons Olivia — fait partie de ces analysants dont le processus psychanalytique et la relation de transfert sont pour une bonne part dominés par l'angoisse de séparation et par ses transformations. Olivia était venue demander une analyse parce qu'elle était angoissée d'entrer en relation avec autrui, et lorsqu'elle y parvenait, elle tendait à rompre la relation commencée. La cure psychanalytique a duré plusieurs années, à raison de quatre séances par semaine.

Dès le week-end qui suivit la première semaine d'analyse, je fus surpris par la vivacité de la réaction d'Olivia à cette séparation inaugurale, réaction qui se reproduisit par la suite surtout lors des interruptions de fin de séance, de fin de semaine ou des vacances, ainsi qu'à l'approche de la terminaison de l'analyse. D'abord très bruyantes et très spectaculaires — du moins de mon point de vue — les manifestations de l'angoisse de séparation s'atténuèrent avec les progrès de l'analyse. Au commencement, Olivia n'était pas consciente qu'il existait un lien transférentiel entre ces manifestations et l'interruption du rythme des séances, même après que je le lui aie interprétées. Par la suite, elle prit peu à peu conscience de la signification de ses réactions, et fut davantage en mesure de les élaborer et d'accepter les interprétations concernant ce type d'angoisse, sans les ignorer ou les rejeter.

Ces manifestations pouvaient être de tous ordres et de la plus grande diversité. Ce pouvaient être tantôt des réactions affectives comme des crises d'angoisse à l'état pur, indicible, ou des crises de rage au cours desquelles Olivia se déchaînait et m'exprimait vertement des reproches directs ou indirects de l'abandonner. A d'autres moments c'étaient des crises de dépression ou de désespoir. Au début de l'analyse les passages à l'acte étaient fréquents et à mes yeux en relation directe avec l'interruption des séances, ce dont elle ne semblait pas se douter la plupart du temps. Il lui arrivait d'arriver en retard ou de manquer une ou plusieurs séances à l'approche des interruptions. Souvent, durant les fins de semaine ou les vacances, Olivia s'occupait d'amis et d'amies malades, en détresse, ou bien elle s'épuisait dans des activités dont le but était de « s'oublier elle-même », sans qu'elle puisse dire *ce* qu'elle oubliait et *qui* elle oubliait ainsi. Les interruptions étaient parfois pour Olivia l'occasion de rompre une relation sentimentale, ou l'occasion d'une nouvelle rencontre. Enfin l'angoisse de séparation s'exprimait en plus chez elle par des manifestations somatiques tels des maux de tête ou des maux de ventre. Il arrivait aussi à Olivia de ne plus dormir, mais il lui arrivait aussi de trop dormir, troubles du sommeil qui étaient en rapport avec les périodes d'interruption des séances. Je me souviens aussi qu'à plus d'une reprise Olivia était tombée malade le premier jour de mon absence, se faisant soigner par ses proches jusqu'à la veille de nos retrouvailles. Ce jour-là Olivia arrivait « guérie » sans qu'elle relève elle-même cette coïncidence pourtant hautement significative à mes yeux, et il lui a été longtemps impossible d'imaginer que tout cela puisse avoir une signification transférentielle quelconque, jusqu'à ce qu'elle parvienne peu à peu à en prendre conscience.

Cette énumération montre un échantillon de l'infinie variété des réactions d'Olivia aux séparations. C'est pourquoi, lorsqu'il s'agit de les interpréter, nous devons rendre compte le mieux possible de la situation transférentielle du moment qui est sans cesse changeante, et ne pas nous en tenir ni à une généralité, ni à une interprétation passe-partout.

Il est bien entendu hors de question que je passe en revue les interprétations possibles de l'angoisse de séparation, d'une part parce que, étant donné que leur nombre est illimité, chaque interprétation est à créer, ensuite parce que mon but n'est pas de donner des recettes. Pour ces raisons, je me limiterai à présenter quelques séquences particulièrement démonstratives de l'angoisse de séparation manifestée par Olivia au cours de son analyse, et la manière dont je l'ai interprétée.

Significations d'un acting-out

Comme nous venons de le voir, la grande diversité des manifestations de l'angoisse de séparation a pour conséquence de nous confronter toujours à une situation nouvelle et spécifique. Cela est particulièrement vrai dans le cas des acting-out qui se produisent très fréquemment en rapport avec les discontinuités de la rencontre analytique. C'est pourquoi, face à chaque situation particulière, nous avons toujours à nous demander quels sont les différents facteurs qui entrent en jeu.

Prenons par exemple une situation qui s'est fréquemment reproduite dans cette analyse, lorsque Olivia s'intéressait soudain à une personne souffrante et s'épuisait à s'occuper d'autrui, au point de s'oublier elle-même, cela pendant la durée d'un week-end. Que cette activité ait eu une signification transférentielle ressortait du fait qu'Olivia avait soudain déplacé l'intérêt jusque-là centré sur la relation de transfert et l'avait porté sur une personne qu'elle ne connaissait pas la veille. N'était-ce pas là de la part d'Olivia un comportement étrange de s'être intéressée soudain à cette personne, d'avoir trouvé chez cette dernière des sentiments en tous points semblables aux siens, pour s'en être désintéressée tout aussi soudainement dès la reprise des séances avec moi ? En me quittant un vendredi, Olivia m'avait dit très indirectement que je m'occupais mal d'elle et que je ne lui accordais pas assez d'attention. Elle s'était aussi souvenue, « en passant », disait-elle, que sa mère avait l'habitude de la laisser seule lorsqu'elle était petite, et qu'elle devait s'occuper de son frère. Ces associations pouvaient-elles nous faire penser qu'Olivia avait pu dénier sa propre souffrance psychique à l'idée que je l'aie laissée durant la séparation de fin de semaine, et qu'elle avait ensuite déplacé sur cette autre personne sa tristesse ainsi que le souhait inconscient que je prenne soin d'elle durant l'interruption du week-end ?

J'avais donc à me demander ce que signifiait ce déplacement d'investissement effectué par Olivia. Etait-il davantage qu'un simple déplacement momentané d'une personne à une autre ? Je constatai par ailleurs qu'Olivia ne choisissait pas cette personne au hasard, et qu'elle semblait inconsciemment trouver dans la personne en question les sentiments qui l'avaient habitée elle-même lorsque nous nous étions quittés en fin de semaine : aux sentiments dépressifs correspondait une personne dépressive, aux sentiments revendicateurs correspondait une personne revendicatrice. L'état d'âme de la personne — d'après ce que m'en disait Olivia — répondait ainsi en tous points à l'état d'âme qu'elle n'avait pu m'exprimer directement.

Il m'apparut avec évidence qu'Olivia n'avait pas effectué un simple déplacement d'investissement de moi sur une autre personne à travers cet acting-out, mais qu'Olivia avait effectué conjointement une double identification projective pour se défendre contre l'angoisse de se séparer d'avec moi et la dénier. D'une part, Olivia avait projeté sa propre détresse dans l'autre personne dont elle prenait soin durant le week-end : s'occupant de l'autre, c'est cependant d'elle-même et de sa propre douleur dont Olivia s'occupait inconsciemment, par identification projective à la douleur de l'autre (confondue narcissiquement avec Olivia). D'autre part, à travers ce même acting-out, Olivia s'identifiait à moi comme à un soignant idéalisé : elle imaginait alors, dans son idéalisation, que je n'accordais aucune attention à mes propres détresses, pour prendre uniquement soin de la détresse d'autrui (elle s'identifiait ainsi par identification projective à un objet interne omnipotent, c'est-à-dire à un analyste idéalisé, insensible et déniant sa propre détresse). En conséquence, Olivia ne ressentait plus la douleur de la séparation dans sa relation avec moi, elle se sentait au contraire doublement forte et omnipotente, afin de dénier sa détresse : soit en étant identifiée inconsciemment à la personne en qui elle avait projeté sa douleur, soit en étant identifiée à un objet idéalisé insensible à la douleur psychique, parce que tout-puissant.

C'est ainsi que l'identification projective sur un objet externe s'alliait à l'identification projective sur un objet interne pour dénier toute souffrance liée à la séparation dans le registre transférentiel, au prix d'une perte d'une partie du moi d'Olivia et d'une perte de ses bons objets internes.

Il devenait urgent d'interpréter ces deux formes de défenses sous leurs différentes facettes. Dans un premier temps, il s'agissait d'interpréter à Olivia pourquoi elle faisait usage de l'aspect contenant-contenu de l'identification projective, pour ensuite interpréter dans un second temps les contenus fantasmatiques proprement dits. Une interprétation en deux temps était nécessaire dans ce cas, afin de permettre à Olivia de récupérer en premier lieu sa propre capacité de contenir l'angoisse. En second lieu seulement, une fois cette capacité retrouvée, il devenait alors possible de relever et d'interpréter les contenus fantasmatiques sur un plan symbolique tels que nous les livrait le matériel des associations et des rêves. Par exemple, dans la situation de l'acting-out que je viens de décrire, il devint possible pour Olivia de saisir que le sentiment tellement vif d'être laissée seule était la reviviscence des moments où sa mère la laissait seule avec son petit frère, et de réaliser que s'occuper d'une autre personne avait de multiples significations, entre autres celle de me reprocher implicitement de ne pas savoir m'occuper d'elle.

Je pourrais poursuivre ainsi mes interrogations qui ne sont autres que les questions que se pose chaque analyste face à un tel matériel clinique, afin de repérer ce qui va déterminer le choix soit de s'abstenir soit d'interpréter ou si l'on se décide à interpréter, et dans ce cas, quel est le point d'urgence déterminé par le niveau d'angoisse, de manière à proposer une interprétation qui « touche » ce qui est véritablement en train de se passer, compte tenu du contexte de la séance et de la situation momentanée du processus psychanalytique.

Répétition d'un traumatisme psychique infantile

Les discontinuités de la rencontre analytique réveillent souvent le souvenir de séparations ou de pertes d'objet plus ou moins précoces, qui sont revécues dans la relation transférentielle et qui peuvent alors être élaborées. Pour montrer cet aspect de l'angoisse de séparation, j'aimerais prendre comme exemple un symptôme caractéristique d'Olivia, celui de son endormissement qui survenait fréquemment en rapport avec les interruptions de fin de séance ou de fin de semaine, surtout lorsqu'elles étaient imprévues, ce qui était exceptionnel. J'avais observé dès le début de l'analyse qu'Olivia s'endormait fréquemment durant la séance du vendredi, la veille de la séparation du week-end. A certaines occasions, elle avait été saisie d'un besoin irrépressible de dormir, non seulement durant la séance précédant le week-end, mais durant tout le week-end, et ce besoin de dormir s'était évaporé au moment où elle s'était souvenue qu'elle devait venir à sa séance, comme si le simple fait de penser à moi entraînait la disparition des symptômes.

Durant les premiers temps de son analyse, Olivia ne réalisait pas qu'elle s'était endormie pendant la séance, ni combien de temps cela avait duré, ni qu'elle avait tendance à s'endormir pendant la dernière séance de la semaine, c'est-à-dire la veille de notre séparation dans le cadre de sa relation avec moi. Ce n'est que peu à peu, grâce au matériel apporté dans ses associations, ses souvenirs et ses rêves, que nous avons pu faire l'hypothèse que les séparations de fin de semaine réveillaient chez elle le souvenir jusque-là resté inconscient d'une séparation très précoce d'avec sa mère — encore plus précoce que celle que j'ai déjà évoquée — qu'Olivia reproduisait avec moi. En effet, avant qu'Olivia eût atteint l'âge de six mois, sa mère avait dû la confier à une autre personne durant quelques jours. Au retour de sa mère, Olivia n'avait plus été la même, ne reconnaissant plus sa mère, et restant dorénavant souvent endormie chaque fois qu'on la laissait seule. Sans doute Olivia répétait-elle avec moi, représentant sa mère dans le transfert, la situation d'abandon déjà vécue dans sa première enfance, mais sans l'exprimer verbalement, la reproduisant sur un plan non verbal et agi dans son corps. Olivia « répétait » avec moi le sommeil défensif de son enfance au lieu de « se souvenir », comme l'a montré Freud dans « Répétition, remémoration, élaboration » (1914g).

Si, sur un plan général, nous pouvions considérer ce symptôme d'endormissement comme la reproduction d'une situation représentant un « traumatisme psychique » infantile insuffisamment élaboré, par contre, sur le plan particulier, nous pouvions constater que le contenu fantasmatique de chaque endormissement se modifiait et se transformait au fur et à mesure de l'évolution d'Olivia. Olivia, qui considérait au début cette réaction comme étrangère à ce qui se passait avec moi, devint peu à peu consciente du lien entre l'apparition de son endormissement et la proximité de notre séparation, du contenu infantile de cette expérience, et des fantasmes et des affects qui s'y rattachaient.

On pouvait interpréter cet endormissement de diverses manières, par exemple comme une régression passagère, et prendre le parti de lui laisser vivre cette régression en ma présence, le temps nécessaire pour qu'elle en émerge. Je penchais pour un autre type d'interprétation qui mette en évidence l'endormissement d'Olivia comme le résultat de défenses actives et agressives inconscientes, dirigées simultanément contre la perception de la *séparation* d'avec moi et contre la perception de ma *présence*. En effet, c'est souvent l'imminence d'une séparation ou d'une perte qui nous fait percevoir et apprécier la présence d'une personne chère. En s'endormant à la veille de me quitter, Olivia parvenait donc à dénier l'importance du lien de relation avec moi, aussi bien sous l'aspect de dénier la séparation imminente, que la perception de ma présence. De plus, l'endormissement d'Olivia était un moyen de supprimer non seulement l'objet qui est perçu, mais aussi de supprimer la fonction des organes des sens qui permettent de percevoir l'objet, de le voir, de l'entendre et d'entrer en contact avec lui, comme l'a montré H. Segal (1988).

D'un autre point de vue, nous retrouvions avec l'endormissement d'Olivia un mode de défense que nous connaissions déjà, c'est-à-dire l'introjection d'un objet idéalisé et persécuteur dans une partie clivée de son moi, auquel Olivia s'identifiait partiellement. Cette introjection lui procurait le sentiment omnipotent de me posséder à l'intérieur d'elle et de me contrôler, d'une manière narcissique, afin de dénier toute séparation. Mais en même temps, cette défense renforçait le clivage entre les objets idéalisés et persécuteurs, ainsi que le clivage des affects, l'empêchant simultanément d'accéder à la conscience de ses pulsions libidinales et agressives envers moi. Olivia ne parvenait ni à me les exprimer verbalement, ni à les projeter sur moi dans le transfert. La tendance d'Olivia à s'endormir diminua lorsqu'elle se montra capable de verbaliser directement son agressivité à mon égard et à la lier avec l'attachement qu'elle éprouvait pour moi. Au lieu de s'endormir, Olivia eut alors suffisamment confiance en moi pour pouvoir m'attaquer directement et me critiquer de la laisser tomber lors des fins de séance ou lors des week-ends, sentiment que l'une de mes analysantes avait fort bien exprimé en ces termes : « Vous n'êtes qu'une succession d'absences, vous êtes comme un fromage dont je n'ai que les trous... »

Vers l'élaboration de la situation œdipienne

L'étude du symptôme d'endormissement d'Olivia nous permet aussi de constater qu'au fur et à mesure du déroulement de l'analyse, la signification des fantasmes de séparation se transformait, et que l'on passait progressivement d'un niveau d'organisation prégénital à un niveau d'organisation génital, proche de l'élaboration de la situation œdipienne.

Au début de l'analyse, le symptôme d'endormissement était utilisé surtout comme défense contre la douleur de me percevoir comme différent, puis séparé d'elle. Par la suite, les contenus fantasmatiques réveillés par les interruptions du rythme des séances ont laissé apparaître des souvenirs de situations infantiles d'abandons, certains plus précoces que d'autres, situations qui ont d'abord été répétées telles quelles, à l'état brut en quelque sorte. Plus avant dans l'analyse, les contenus affectifs et fantasmatiques inclus dans le fait de s'endormir se sont précisés et élargis, Olivia commença à les exprimer verbalement dans la relation avec moi, ce qui relégua le symptôme au second plan et mit en avant l'élaboration de la dimension affective du transfert. Olivia se montra davantage capable de tolérer la frustration, l'angoisse, ainsi que les sentiments persécutoires ou dépressifs. Peu à peu mes absences changèrent de signification aux yeux d'Olivia, et prirent une coloration plus sexualisée et plus proche de la génitalité, à mesure que j'apparaissais comme une personne mieux différenciée et sexuée. La séparation, qui était ressentie au début de l'analyse surtout comme un abandon dans le contexte d'une relation maternelle, devint peu à peu ressentie comme se déroulant dans un registre œdipien dans lequel l'envie, puis la jalousie étaient exprimées envers un couple formé par son père et sa mère. Je pouvais alors interpréter le symptôme d'endormissement différemment, suivant qu'il me paraissait plutôt exprimer le sentiment d'exclusion d'Olivia par rapport à l'union intime entre ses parents, ou plutôt réaliser son désir inconscient de dormir avec moi en tant que père, dans un contexte d'identification introjective post-œdipienne à sa mère.

Bien entendu, cette évolution n'eut rien de linéaire, mais au contraire fut une suite de progrès et de reculs, d'aller en avant et de retour en arrière. Cependant, nous pouvions déceler dans l'ensemble une évolution en direction d'une diminution des manifestations de l'angoisse de séparation et des défenses contre celle-ci, en même temps qu'une approche progressive de l'élaboration du complexe d'Œdipe, dans la mesure où, pendant l'absence de l'analyste, Olivia souffrait moins de l'absence de l'objet satisfaisant le désir que de l'absence de l'objet permettant l'hallucination du désir.

Liaison de l'amour et de la haine dans l'ambivalence

Les mouvements de liaison et de déliaison de l'amour et de la haine sont profondément impliqués dans l'angoisse de séparation, et je trouve important de les repérer afin d'effectuer leur reliaison à travers nos interprétations. Lorsque l'analyse d'Olivia fut mieux établie, la tendance à utiliser les défenses primitives comme le clivage du moi et des objets, l'identification projective et l'idéalisation, diminua, de sorte que put s'instaurer une relation dominée par l'ambivalence amour-haine, avec un sens accru de la réalité et des angoisses en rapport avec les séparations. Olivia était mieux en mesure de faire face à ses affects de rage et d'hostilité envers moi, ainsi qu'à sa culpabilité. Les discontinuités de notre rencontre commencèrent à faire naître chez elle des sentiments authentiques de reconnaissance et de gratitude, malgré sa tristesse et sa douleur. Peu avant mon départ en vacances, Olivia m'avait littéralement hurlé sa haine et son désespoir au cours d'une série de séances orageuses, mais un jour, sa colère tomba soudain, et elle manifesta en ces termes la conscience aiguë de ma présence et de mon importance pour elle : « Je suis venue aujourd'hui, bien que j'aie été très tentée de ne pas venir. D'habitude, je pense que ça ne sert à rien que je vienne, puisque je ne peux ni vous retenir, ni rien faire pour vous garder. D'abord j'ai pensé que vous partiez parce que vous vous fichez de moi, puis j'ai senti quelque chose d'inassimilable dans votre départ... je ne supporte pas que vous partiez : le jour où je supporterai cela, je n'aurai plus besoin de venir. Et puis, en arrivant aujourd'hui, je vous ai regardé en face, j'ai senti dans votre regard l'importance que j'ai pour vous, et que c'était authentique. J'ai tellement le désir de vous garder au moment où je vous quitte, et quand vous êtes absent, non seulement le monde est vide, mais moi aussi je me vide. Parfois cependant, comme aujourd'hui, je vous regarde et je me dis que la vie vaut d'être vécue. »

Olivia exprimait alors des sentiments caractéristiques de la position dépressive dans laquelle l'amour et la haine se liaient dans une ambivalence. Nous verrons plus loin pourquoi l'ambivalence de l'amour et de la haine est liée à la génitalité.

Retour de l'angoisse de séparation avec l'approche de la fin de l'analyse

A l'approche de la terminaison de l'analyse, Olivia connut des moments de recrudescence d'angoisse, qui entraînèrent à nouveau un recours massif à l'identification projective contre l'angoisse de séparation, cette fois liée surtout à la fin de l'analyse. En voici un exemple et comment je l'ai interprété.

Au cours d'une période où je constatais qu'elle faisait de rapides progrès, j'observai chez Olivia un brusque revirement de son attitude envers moi : Olivia commença à m'accuser non seulement de mal m'occuper d'elle, mais pis, d'utiliser mes interprétations pour lui faire des reproches, l'accuser et la condamner. Olivia ajouta que je me fourvoyais, que je ne savais plus faire mon métier et que j'étais en train de faire des fautes professionnelles. Après un moment de doute où je m'interrogeais pour savoir quelles fautes professionnelles j'avais bien pu faire, je parvins à me dégager de cette atmosphère persécutoire et je pensais que les récents progrès d'Olivia étaient peut-être la véritable source de cette recrudescence d'angoisse, tout progrès réveillant chez elle l'angoisse de terminer l'analyse, comme j'avais déjà pu l'observer à d'autres occasions. En m'accusant ainsi de faire une faute professionnelle, pensais-je, Olivia ne me reprochait-elle pas de la conduire vers une meilleure différenciation annonçant une séparation définitive avec moi ?

Je le lui interprétais sous différents angles en m'adressant à elle comme à une personne susceptible de m'entendre, mais rien n'y fit. Au contraire, Olivia devenait de plus en plus virulente et m'invectivait littéralement durant les séances. La situation devenait insoutenable et je sentais que je ne parvenais plus à atteindre le moi sain d'Olivia devenue folle d'angoisse. Réalisant qu'Olivia ne m'entendait plus je changeais de tactique. Je décidais de mettre en mots comme venant directement d'elle les sentiments qu'elle avait projetés en moi par identification projective et je lui dis : « Je change tellement et je perçois mon analyste si différent, que j'ai peur qu'il ne fasse une faute professionnelle... »

Je n'avais pas terminé ma phrase qu'Olivia retrouva ses esprits. Elle eut un cours moment de confusion, ne sachant pas si c'était elle qui m'avait parlé, ou moi qui avait parlé pour elle. Olivia se ressaisit et me dit qu'elle ne savait pas pourquoi elle me couvrait de reproches, mais qu'elle avait eu très peur ces dernières semaines de ne pas pouvoir continuer son analyse : elle avait fait une erreur professionnelle qui aurait pu lui coûter sa place et l'empêcher de payer son analyse... Olivia confirmait ainsi que ses progrès avaient déclenché chez elle une forte angoisse à l'idée de terminer l'analyse, et cette angoisse de séparation avait entraîné l'usage excessif de l'identification projective. Celle-ci a pu être renversée grâce à l'usage de « l'interprétation dans la projection », décrite en détail par Danielle Quinodoz (1989).

Etre soi et tolérer la solitude

A un stade plus avancé de son analyse Olivia prit peu à peu conscience de toute la complexité des sentiments qu'elle éprouvait dans sa relation avec moi. C'est dans les termes suivants qu'elle exprima un jour avec nuances ce qu'elle éprouvait au moment où elle utilisait de manière excessive l'identification projective pour lutter contre l'angoisse de séparation, et cela au moment même où elle parvenait à s'en dégager : « J'ai réalisé que si je perds des parties de moi, ce n'est pas seulement *moi* qui me perds, mais c'est *vous* aussi que je perds... tandis que si je reprends une partie de moi que j'ai déposée en vous, je me sens séparée de vous car nous ne sommes plus "emboîtés", mais alors j'ai peur de vous perdre... » On ne saurait mieux résumer la transition entre l'impression que procure le narcissisme et celle que procure la relation d'objet.

Lorsqu'elle se sent entière, Olivia éprouve un sentiment d'être unique et seule, distincte des autres et de moi en particulier, et ressentant un sentiment nouveau de responsabilité. « Plus on est soi, plus on se sent seul », disait Marcelle Spira. Mais la douleur de se sentir « seul » est bien différente du sentiment angoissant de se sentir « abandonné ».

Olivia perçut les conséquences de ce sentiment nouveau et me communiqua ce vécu en ces termes : « Maintenant c'est moi qui décide de venir aux séances, avant je n'avais aucun sentiment de responsabilité, parce que je n'avais pas à décider de revenir aux séances : je revenais parce que j'avais besoin de retrouver les parties de moi que j'avais laissées chez vous. Par contre lorsque je me sens entière comme maintenant je reviens à ma séance parce que c'est vous que j'ai quitté, et je vous retrouve comme vous êtes, c'est-à-dire une personne qui m'attend et à laquelle je tiens beaucoup... »

Olivia apprivoisait la solitude. Dans sa solitude, elle ne se sentait plus comme au début de l'analyse abandonnée dans un monde hostile, mais responsable de conduire sa vie, ayant tissé des liens avec des personnes qu'elle estimait précieuses, malgré leurs insuffisances, l'analyste en particulier. L'absence de l'analyste n'était plus ressentie par Olivia comme la présence de l'objet hostile, mais comme l'absence d'un objet important, dont le souvenir précieux modifiait sa perception du monde environnant, et dont l'identification permettait de retrouver en elle-même la capacité de supporter l'attente.

J'ai donné ces différents extraits non pas pour résumer l'analyse d'Olivia, mais pour mettre en relief quelques aspects des interprétations possibles des manifestations de l'angoisse de séparation dans la clinique. Cela nous permet de constater que les discontinuités de la rencontre analytique déclenchent une multiplicité de phénomènes transférentiels désignés sous le terme général d'angoisse de séparation, et ces circonstances constituent un moment privilégié pour interpréter des aspects cruciaux de la relation entre analysant et analyste.

3

Perspectives pour interpréter l'angoisse de séparation

> « Vous êtes comme était mon renard. Ce n'était qu'un renard semblable à cent mille autres. Mais j'en ai fait mon ami, et il est maintenant unique au monde. »
>
> Antoine de Saint-Exupéry,
> *Le Petit Prince*, p. 68.

Se séparer et se différencier

Avant d'aller plus loin, j'aimerais commencer par clarifier ce que veut dire « se séparer » en psychanalyse, lorsqu'on parle d'angoisse de séparation. En effet, la notion psychanalytique de séparation connaît actuellement deux acceptions différentes qu'il importe de bien distinguer autant sur le plan théorique que clinique.

Dans la première acception du terme, « se séparer » signifie qu'une personne en quitte une autre avec laquelle elle a établi une relation de confiance. On peut dire que l'individu concerné sait *qui* il a investi, *qui* lui manque, *qui* il est lui-même et *ce* que lui fait éprouver la personne temporairement absente : sentiment de solitude, de tristesse, de colère ou de douleur, mais aussi parfois de soulagement et de liberté, l'un n'excluant pas l'autre. La séparation s'inscrit dans le contexte d'une relation où l'autre personne est ressentie comme libre d'aller et venir, libre de choisir ses relations ou d'y renoncer, et où la séparation spatio-temporelle ne veut pas dire obligatoirement rupture des liens affectifs avec l'objet ou perte de l'amour de l'objet, car l'objet considéré comme fiable ne va pas en profiter pour abandonner le sujet. Les relations interpersonnelles n'ont pas alors un besoin nécessaire de la présence constante de l'objet, même lorsque cette présence amène de la satisfaction dans la relation et l'absence de l'insatisfaction. Le caractère provisoire de la séparation implique l'espoir d'un retour, même si toute séparation réveille la crainte toujours possible d'une perte définitive réelle ou d'une perte d'amour. En d'autres termes, l'absence de la personne investie touche l'individu dans ses affects, sans porter atteinte à la structure psychique de son moi. Dans de telles conditions, en cas de perte — c'est-à-dire de séparation définitive —, il y a douleur psychique liée au travail du deuil, mais la perte de l'objet n'entraîne pas la perte du moi.

Lorsque par contre un individu donne des signes d'angoisse qui manifestent avant tout que son moi se sent menacé par la perspective du danger de la séparation avec une personne estimée importante, c'est que « se séparer » prend une tout autre signification pour lui : l'absence de la personne importante ranime une angoisse éprouvée par le moi de l'individu concerné contraint de percevoir qu'il n'est pas lui-même cet objet, que cet objet est distinct de son moi et qu'il n'a pas confiance dans les intentions de l'objet. L'absence de l'autre déclenche la perception douloureuse de la présence de l'autre comme non-moi, comme le fait observer Freud à propos du nourrisson qui « ne différencie pas encore son moi d'un monde extérieur... il n'apprend à le faire que peu à peu... » (1930a). Dans un tel cas, lorsqu'un individu ressent que « se séparer » d'une personne signifie inconsciemment une menace pour l'intégrité de son propre moi, c'est que persiste entre le moi et l'objet un lien d'attachement bien particulier, caractérisé entre autres à mon avis par la persistance de parties du moi insuffisamment différenciées de parties de l'objet. L'angoisse apparaît parce que la séparation est vécue non seulement comme une perte de l'objet, mais aussi comme une perte d'une partie du moi lui-même qui, pour ainsi dire, s'en va avec l'objet, afin de continuer à faire un avec lui.

« Se séparer » prend donc deux significations bien différentes, en psychanalyse, selon le niveau où la séparation est vécue par l'individu : la séparation peut être vécue dans le cadre d'une relation où l'une des personnes quitte l'autre, avec les réactions affectives spécifiques qui l'accompagnent, ou bien la séparation peut être vécue comme une perte d'une partie du moi entraînée par le sentiment d'avoir perdu l'objet.

Pour exprimer ce processus dans lequel le moi, au cours du développement infantile, tend à devenir distinct de l'objet, on devrait à mon avis parler de « se différencier » ou de « différenciation ». Cela avait été suggéré par W. R. D. Fairbairn (1941) qui fut l'un des premiers analystes à mettre l'accent sur les modes de dépendance du sujet par rapport à l'objet, la dépendance infantile étant basée d'après lui sur la non-discrimination sujet-objet, la dépendance mature sur la reconnaissance d'autrui comme une personne séparée, différente et sexuée, investie dans un contexte de relation objectale triangulaire caractéristique de la situation œdipienne. On devrait à mon avis réserver le terme de « se séparer » ou de « séparation » à la séparation vécue dans le contexte d'une relation où l'une des personnes reconnaît la présence de l'autre investie au niveau objectal, et utiliser le terme de « se différencier » ou de « différenciation » pour le processus précoce de discrimination moi-objet. La notion de « séparation-individuation » introduite par les travaux de M. Mahler (M. Mahler, F. Pine et A. Bergman, 1975) a beaucoup enrichi notre connaissance de ces processus précoces et a eu un large écho, mais l'introduction du terme de « séparation » en ce qui concerne la phase de différenciation moi-objet entraîne des malentendus persis- tants que les précisions apportées par M. Mahler n'ont pas entièrement dissipés. Selon elle, le terme de « séparation » tel qu'elle l'utilise se réfère exclusivement à un processus intrapsychique, et non à une séparation réelle comme l'ont étudié R. Spitz ou J. Bowlby (F. Pine, 1979). Hanna Segal m'a fait observer que la langue anglaise permet de distinguer *separation* de *separateness, separation* signifiant qu'une personne en quitte une autre, tandis que *separateness* se réfère au processus de différenciation moi-objet. Cette distinction ne peut être faite en français, c'est pourquoi j'utiliserai deux termes, « se séparer » et « se différencier » pour qualifier deux processus distincts. A ce sujet M. Valcarce et L. Grinberg m'ont déclaré que le terme anglais de *separateness* est un néologisme qui a été traduit en espagnol par *separatividad.*

Distinguer pour unir

Processus de séparation et processus de différenciation sont étroitement liés et leur élaboration s'effectue simultanément dans la cure psychanalytique. Si l'on peut distinguer en théorie ces processus en les opposant pour des raisons didactiques, et si l'on peut considérer qu'ils se déroulent par étapes successives, il n'en reste pas moins que leur élaboration se fait conjointement au cours du processus psychanalytique et qu'il est bien difficile de les démêler dans la clinique.

En effet le moi est sans cesse en évolution, se fait et se refait sans cesse. Dans sa recherche incessante d'identité je conçois volontiers le moi comme recréant du nouveau de manière ininterrompue à partir d'éléments dispersés, comme se le représente M. Spira (1985), selon un processus analogue à la création artistique. Je crois toutefois qu'au sein de ces mouvements ininterrompus de projections et d'introjections, d'avance et de recul, on peut tout de même considérer qu'une ligne d'évolution se dessine au sein des relations entre le moi et ses objets, sans pour autant vouloir dire que le progrès suive une pente ascendante continue, et qu'il est fondamental d'avoir vécu certaines expériences pour pouvoir y revenir. Cette ligne de développement je la vois par exemple dans le fait qu'il est indispensable que le processus de différenciation soit installé pour que se produire le processus de séparation : l'analysant perçoit progressivement la présence de l'analyste, distinguant peu à peu ce qui appartient à l'analyste de ce qui appartient à soi, et il découvre ainsi sa propre identité et la différencie de celle de l'analyste.

La répétition des séparations et des retrouvailles permet que s'effectue dans le détail l'élaboration aussi bien de la différenciation au niveau narcissique que l'élaboration au niveau objectal de la rencontre avec l'analyste. Le progrès dans l'analyse peut se mesurer, entre autres critères, à la capacité de l'analysant de rencontrer l'analyste en tant qu'une personne peu à peu investie de manière objectale, à laquelle il pourra renoncer en fin d'analyse en conservant l'intégrité de son moi, et s'en séparer véritablement, au plein sens du terme. Là non plus nous n'avons jamais fini de nous trouver nous-même, et pas davantage nous n'en avons terminé avec la connaissance d'autrui, mystère qui contribue au charme dynamique de la vie.

Angoisse de séparation et travail du deuil

Les processus de différenciation et ceux de séparation sont en rapport étroit avec le travail du deuil, car parvenir à accepter de se séparer d'une autre personne implique non seulement la capacité d'effectuer un travail du deuil au niveau de la relation entre deux personnes — l'une acceptant de se séparer de l'autre — mais aussi la capacité d'effectuer le travail du deuil au niveau du moi qu'implique renoncer à faire un avec l'objet dont on se sépare — l'une acceptant de se différencier de l'autre.

Le travail du deuil est impliqué dans la plupart des processus psychiques où il fonctionne comme un facteur de dégagement aussi bien dans le développement normal que dans la liquidation de troubles psychopathologiques. En premier lieu, le travail du deuil joue un rôle central au cours du développement du moi de l'individu, et les différentes étapes de l'évolution normale peuvent être considérées comme une succession de deuils, liés aux changements, tout au long de la vie (A. Haynal, 1977, 1987). C'est ainsi qu'il est un facteur déterminant de la résolution du complexe d'Œdipe, organisateur central de la vie psychique. Par ailleurs, l'élaboration de nombreuses conditions psychopathologiques est étroitement liée à la capacité d'effectuer un travail du deuil, dont l'élaboration des angoisses de différenciation et de séparation constitue l'un des passages obligés. Nous allons en donner quelques exemples.

Ainsi, commençons par examiner le développement infantile sous l'angle des identifications qui mènent à la résolution du complexe d'Œdipe. Nous pouvons considérer qu'il s'agit d'abord que l'individu se différencie et distingue son moi de l'objet, pour que s'effectue le passage significatif des identifications narcissiques aux identifications introjectives, caractéristiques de la liquidation du complexe d'Œdipe. Ces dernières sont basées sur la reconnaissance de la discrimination entre sujet et objet, et de la différence des sexes et des générations (W. R. D. Fairbairn, 1941). La tendance à s'identifier aux premiers objets et à se confondre avec eux constitue la forme la plus primitive de relation d'objet — « être » l'objet, au lieu de l' « avoir », avait dit Freud (1921c, 1938) — et, lorsqu'elle prédomine, cette tendance à s'identifier à l'objet non encore investi et à se confondre avec lui renforce l'inversion de la situation œdipienne. J'ai étudié cet aspect des identifications chez des analysantes homosexuelles (J.-M. Quinodoz, 1986, 1989). Par contre, la capacité de renoncer au père et à la mère lors du déclin du complexe d'Œdipe *via* les processus d'identification « aux objets auxquels on a renoncé » (*aufgegebene Objekte*, Freud, 1923b)[1] — mécanismes proches de l'introjection mélancolique — mène aux processus d'identification normaux, appelés identifications assimilatrices par P. Luquet (1962) ou identifications introjectives postœdipiennes par J. Bégoin (1984). Pour ce dernier l'angoisse de séparation excessive constitue l'un des obstacles qui s'oppose au renoncement à l'identi-

1. Traduit en français par objets « abandonnés ». Je préfère dire objets « auxquels on a renoncé », terme qui rend plus fidèlement l'opposition, claire en allemand, faite par Freud entre l'introjection de l'objet *perdu (verloren)* et l'identification au père et à la mère, objets *auxquels on a renoncé (aufgegeben)*, ce dernier terme soulignant le renoncement actif propre au travail du deuil normal par rapport au deuil pathologique où l'objet est dit « perdu » (*GW* 13, p. 257-259). Albrecht Kuchenbuch m'a fait remarquer que *aufgegeben* est un terme ancien utilisé en Autriche signifiant aussi « désaffecté » : une maison ou une usine désaffectée.

fication narcissique en faveur de l'identification introjective, passage considéré par lui comme « le problème économique principal de l'analyse ».

Le travail du deuil n'est pas uniquement impliqué dans le développement normal, comme nous venons de le voir, il est également au cœur de l'élaboration des relations d'objet dans de nombreuses conditions psychopathologiques. Dans la relation d'objet mélancolique, par exemple, on observe des introjections pathologiques — appelées aussi « identifications endocryptiques » (N. Abraham et M. Torok, 1975) — dont le dégagement passe entre autres par un processus de différenciation et de séparation moi-objet. Ces introjections mélancoliques, si elles ne sont pas élaborées, ont une fâcheuse tendance à se transmettre de génération en génération à travers des mécanismes d'identification projective et introjective, comme l'a montré H. Faimberg (1987). Freud avait expliqué en 1917 que le phénomène du deuil pathologique caractéristique de la mélancolie apparaissait chez des individus prédisposés, c'est-à-dire chez des personnes qui avaient une tendance préalable à établir des relations narcissiques avec leurs objets : cette tendance à la confusion moi-objet favorise l'introjection de l'objet perdu dans une partie clivée du moi, et « l'identification avec celui-ci ». Notons ici qu'à partir de 1921 Freud utilisera le terme d'introjection et non plus celui d'identification pour désigner le mécanisme mélancolique.

Le besoin de faire un avec l'objet et l'angoisse de s'en séparer est également présent dans de nombreuses autres conditions psychopathologiques, rendant le travail du deuil difficile, voire même parfois impossible, comme dans certaines formes de perversion, les états psychotiques ou l'autisme. Au cours du processus psychanalytique, la réaction thérapeutique négative, par exemple, peut être également vue sous l'angle d'une tendance à la confusion sujet-objet.

Les étapes qui mènent à l'intégration de la vie psychique et à la découverte du sentiment d'identité impliquent elles aussi un travail du deuil non seulement par rapport à l'objet, mais aussi par rapport aux parties du self restées attachées à l'objet, comme l'a souligné L. Grinberg (1964), toute perte de l'objet ou tout changement signifiant pour l'inconscient la perte de parties du self restées liées à l'objet. Cela explique qu'un long et douloureux travail du deuil soit nécessaire pour récupérer peu à peu les aspects propres du moi constituant l'identité. Je crois que le travail de création est également long et douloureux parce qu'il implique un travail du deuil pour découvrir notre propre originalité, c'est-à-dire les aspects de soi constituants de notre identité restés confondus avec nos premiers objets et dont nous n'avons jamais fini de nous différencier.

Ce qu'on perd et ce qu'on gagne

La dialectique entre narcissisme et relation d'objet est au centre de l'élaboration de l'angoisse de séparation.

Freud l'a souligné dans *Inhibition, symptôme et angoisse* (1926*d*), en distinguant désormais deux niveaux fondamentaux d'angoisse : une angoisse de séparation qui se développe dans les stades prégénitaux et correspond à une relation entre deux personnes, l'objet étant surtout la mère, et une angoisse de castration correspondant à une relation triangulaire caractéristique du complexe d'Œdipe. Cette opposition est schématique, et mérite d'être nuancée. En effet, pour la plupart des analystes actuels, la relation duelle n'existe pas en tant que telle, la troisième personne (le père) étant présente dès l'origine, ne serait-ce que dans le fantasme de la mère. Par ailleurs, à propos de la castration, je tiens à relever qu'avec l'introduction de ses nouvelles vues sur l'origine de l'angoisse Freud a établi une distinction entre castration et séparation. Afin d'éviter d'appeler castration la perte du sein maternel, la perte des fèces, ou la séparation de la naissance, comme certains psychanalystes commençaient à le faire, Freud réservera dorénavant explicitement l'usage du terme de castration à la perte du pénis : « Tout en reconnaissant l'existence de toutes ces racines du complexe, j'ai considéré qu'il convenait de restreindre le terme de complexe de castration aux excitations et effets en relation avec la perte du pénis » (p. 96, 1909*b* [note ajoutée en 1923]).

Je pense que l'alternative entre narcissisme et relation d'objet correspond aux deux niveaux d'angoisse distingués par Freud — angoisse de séparation, angoisse de castration. Dans cette alternative, l'un des buts de l'interprétation est de permettre à l'analysant de prendre conscience de ce qu'il perd et de ce qu'il gagne dans la tendance qui le pousse vers le pôle narcissique, et également de ce qu'il perd et de ce qu'il gagne dans la direction opposée, celle du pôle objectal. La reconnaissance de soi et de l'objet passe par l'élaboration des différentes défenses narcissiques dirigées dans deux directions opposées : une partie des défenses vise à ne pas percevoir la différenciation et à la nier — pôle narcissique —, tandis que d'autres défenses s'élèvent contre la découverte de l'objet — pôle objectal.

Les défenses qui visent à ne pas percevoir la différenciation et à la nier renforcent les tendances à la confusion moi-objet. Le pôle narcissique consiste dans la fascination de rester en partie uni à l'objet et confondu avec lui et pour cela le posséder « concrètement » pour ne pas le perdre. Concret ne veut pas dire réel : lorsque le moi n'est pas encore suffisamment différencié de l'objet, une partie du moi s'identifie narcissiquement à l'objet et les symboles précoces ne sont pas ressentis par le moi comme des symboles ou des substituts, mais comme l'objet originel lui-même ; il en résulte la formation d' « équations symboliques » (H. Segal, 1957). Le concept d'absence existe à peine, pas plus que celui d'espace et de temps. C'est pourquoi nombre d'analysants réagissent aux séparations en recherchant des relations substitutives concrètes avec des objets dans lesquels ils projettent des parties de leur moi ou de leurs objets internes et s'identifient à eux, ces projections s'effectuant soit dans des objets externes (acting-out), soit dans des objets internes ou des parties du corps prises comme objet (dépression, hypochondrie ou somatisations). Toute différence entre le moi et l'objet perçue au sein de ces projections et introjections transférentielles — qu'on l'appelle émergence du narcissisme primaire ou rupture du lien symbiotique, ou encore perte de la fusion, comme nous le verrons plus loin — est alors vécue avec angoisse comme une perte totale, le sujet ne pouvant imaginer une autre forme de relation que la possession concrète de l'objet. « Je ne vais quand même pas lâcher la proie pour l'ombre », me disait un analysant angoissé devant la perception inéluctable de devoir laisser partir l'objet.

D'autres défenses s'élèvent contre la découverte de l'objet. Le pôle objectal implique la relation d'un sujet qui reconnaît l'objet et a confiance en lui. Bien que l'objet soit connu, celui-ci garde sa part de mystère parce que le sujet a renoncé à le posséder de manière concrète. De même le sujet accepte de ne plus faire un avec l'autre et de s'en différencier, il tolère le caractère insondable et énigmatique de l'objet parce que les relations se situent à un niveau psychique symbolique qui confère à l'objet une réalité intérieure. Au moment de quitter une relation narcissique pour une relation objectale, l'analysant commence par ressentir ce qu'il va perdre au niveau de l'objet concret : il est difficile pour l'analysant qui a établi des relations de possession et de contrôle omnipotent avec l'objet, d'imaginer, avant d'en avoir vécu l'expérience, ce qu'il va gagner en termes de confiance et de continuité dans la présence symbolique de l'objet intériorisé (H. Segal, 1957), en termes de capacité de communiquer avec une personne reconnue comme différente, en termes de désirer sexuellement l'objet reconnu hétérosexuel, ou en termes affectifs d'aimer l'objet. En effet, on ne peut véritablement aimer un objet que si l'on a renoncé à le posséder et accepté de lui laisser sa liberté.

En résumé, on parvient à connaître un objet dans la mesure où l'on a réussi à se différencier de lui, et l'on ne peut vraiment s'en séparer sans angoisse excessive que lorsqu'on l'a véritablement rencontré. Ce processus constitue le cœur de l'élaboration de l'angoisse de séparation et a besoin d'être interprété sous toutes ses facettes qui sont multiples et sans cesse changeantes.

A la charnière entre relation narcissique et relation d'objet

L'expérience clinique montre qu'à ces deux niveaux de relation, objectal et narcissique, correspondent deux niveaux distincts de réactions chez les analysants en fonction de l'angoisse de séparation. Les analysants qui se situent à un niveau de relation objectal réagissent de manière généralement modérée aux interruptions de fin de séance, lors des fins de semaine ou des vacances, leurs manifestations étant proches de la conscience. Lorsqu'elles sont refoulées et que l'analyste les interprète dans le contexte transférentiel, ces analysants réalisent sans trop de résistance que leurs réactions à la séparation s'inscrivent dans le contexte de la relation avec l'analyste et l'acceptent. Par contre, les analysants qui se situent à un niveau de relation narcissique réagissent fréquemment et avec beaucoup d'angoisse lors des discontinuités de la rencontre entre analysant et analyste tout en restant inconscients le plus souvent du lien entre leurs manifestations d'angoisse et les aléas de la relation transférentielle. En effet, souvent ceux-ci ne perçoivent pas que les troubles très divers qui peuvent se manifester sont liés à une séparation qu'ils banalisent ou dont ils n'ont aucune conscience de l'importance pour eux. Non seulement la séparation entraîne l'usage de mécanismes de défense qui altèrent leur moi — comme le déni, le clivage, la projection ou l'introjection — mais l'existence de l'objet lui-même tend à être méconnue par ces analysants. Dans cette situation, il est essentiel dans un premier temps de rétablir l'intégrité du moi à travers nos interprétations, avant de communiquer des interprétations qui s'adressent d'une personne à une autre personne. Ce n'est que lorsque l'analysant aura été ramené dans la séance, pour ainsi dire, qu'il pourra retrouver son identité et ressentira ce qu'il éprouve vraiment « ici et maintenant » et mettre ses réactions en relation avec la séparation dans un contexte transférentiel. J'illustrerai cela plus loin par un exemple clinique.

Avec les analysants qui se situent à un niveau de relation objectale, dont j'ai parlé en premier lieu, l'angoisse de séparation s'inscrit dans une relation d'objet entre personnes distinctes l'une de l'autre, qui se rencontrent et se séparent ; tandis qu'avec les analysants qui se situent à un niveau de relation narcissique, l'angoisse de séparation tend à être vécue avant tout comme une perte du moi parce que le besoin de rester uni avec l'objet a entraîné des conséquences dommageables pour le moi, entre autres un manque de différenciation entre moi et objet.

L'un des problèmes centraux du processus psychanalytique est de favoriser chez l'analysant le passage d'un niveau de fonctionnement psychique à un autre, c'est-à-dire passer d'un niveau de relation narcissique où se situent les analysants qui manifestent de vives réactions aux séparations et méconnaissent le lien de relation avec l'analyste, à un niveau de relation objectal qui est celui des analysants qui vivent la séparation dans le contexte d'une relation interpersonnelle, le lien avec l'analyste étant reconnu. Quelle que soit la théorie des relations d'objet à laquelle on se réfère, l'élaboration de l'angoisse de séparation constitue un tournant capital dans le processus psychanalytique et un moment charnière. Les diverses caractéristiques de ces transformations ont été décrites sous des angles différents et étudiées en fonction de l'évolution du processus psychanalytique lui-même, en fonction de l'évaluation de la terminaison de l'analyse, ou selon leurs effets sur les contenus fantasmatiques, par exemple dans les rêves du lundi (L. Grinberg, 1981). Ce qui m'a personnellement le plus frappé, c'est l'apparition du sentiment de « portance » qui est progressivement intériorisé par l'analysant ressentant peu à peu qu'il va pouvoir se passer de l'analyste et « voler de ses propres ailes ». J'y reviendrai dans ma conclusion.

Angoisse de séparation et troubles narcissiques

Jusqu'à présent, c'est à dessein que j'ai abordé en termes cliniques les problèmes posés par l'angoisse de séparation dans la cure psychanalytique, et que je les ai discutés ensuite en termes généraux, sans me référer explicitement à des théories psychanalytiques précises. Le moment est venu d'examiner ces problèmes à la lumière de diverses théories psychanalytiques, c'est ce que nous allons aborder dans la deuxième partie de cet ouvrage.

Si les faits cliniques qui nous ont servi de point de départ peuvent être observés et décrits globalement, de manière à être compris par tous les psychanalystes, les mêmes faits cliniques sont perçus et interprétés très différemment par chaque psychanalyste suivant son propre point de vue théorique. Plus que jamais, nous constatons que les théories psychanalytiques personnelles de l'analyste ont une influence directe sur son attitude contre-transférentielle, et, dans le cas qui nous intéresse, sur sa manière d'interpréter l'angoisse de séparation lorsqu'elle surgit dans sa relation avec son analysant, ou de renoncer à l'interpréter. Ces choix techniques, nous allons le voir maintenant, sont fondés sur des positions théoriques diverses.

Pour illustrer mon point de vue, nous allons prendre l'exemple du problème posé par les différentes conceptions du narcissisme lorsqu'on l'applique à l'angoisse de séparation, étant donné que nous savons le rôle charnière joué par ce type d'angoisse dans le passage entre narcissisme et relation objectale. En effet, sur le plan théorique, deux conceptions fondamentales du narcissisme s'opposent parmi les psychanalystes, suivant que l'objet est perçu ou non dès la naissance, conceptions qui ont chacune des conséquences très différentes pour la technique de l'interprétation.

Si l'on accepte la théorie du narcissisme primaire, le moi n'est à l'origine pas différencié de l'objet, il s'agit en quelque sorte d'un état naturel dont l'individu se dégage progressivement au cours de son développement infantile. C'est la position exprimée par Freud à propos du sentiment océanique (1930*a*). C'est aussi celle de A. Freud, de W. R. D. Fairbairn, de M. Mahler, de H. Kohut ou de B. Grunberger, parmi de nombreux autres auteurs. Pour ces psychanalystes, à partir du moment où l'enfant se mettrait à percevoir la différence moi-objet, il émergerait par étapes successives d'un état de narcissisme primaire. Ce processus constituerait une étape fondamentale du développement libidinal au cours duquel l'angoisse de séparation jouerait un rôle central. Dans la situation analytique, l'analysant régresserait au niveau des phases infantiles de développement auxquelles il était resté fixé, ce qui permettrait ainsi une reprise des processus naturels de maturation.

Par contre, pour les analystes qui suivent M. Klein, le moi et l'objet sont perçus dès la naissance, et la phase de narcissisme primaire n'existerait pas. Cependant, la confusion moi-objet n'est pas absente des conceptions kleiniennes, et la notion de narcissisme réapparaît avec l'introduction du concept d'identification projective (M. Klein, 1946). Ce concept permet d'inclure à la fois une relation d'objet (puisque le sujet a besoin d'un objet pour projeter) et une confusion d'identité entre sujet et objet (H. Segal, 1979). Par la suite, des psychanalystes postkleiniens tels que H. Rosenfeld, H. Segal, W. R. Bion et D. Meltzer ont développé les conséquences de l'implication de l'identification projective et de l'envie dans les structures narcissiques, et les ont appliquées aux phénomènes transférentiels ainsi qu'au déroulement du processus psychanalytique lui-même.

Ainsi, par des voies très différentes de celles empruntées par les analystes qui soutiennent l'existence du narcissisme primaire, les analystes dont je viens de parler, tout en conservant un cadre conceptuel qui suit le modèle de M. Klein, concluent à leur tour à l'importance des phénomènes narcissiques dans les relations d'objets, d'où découle le rôle joué par l'élaboration de l'angoisse de séparation au cours du processus psychanalytique.

Entre ces deux conceptions opposées du narcissisme se situent d'autres approches, comme celle de O. Kernberg (1984) qui a souligné le rôle de l'agressivité dans les troubles narcissiques, de la personnalité, ou celle de A. Green (1983) qui oppose un narcissisme de vie à un narcissisme de mort ou négatif.

La diversité des points de vue psychanalytiques sur les phénomènes narcissiques qui tentent de rendre compte des problèmes posés par la différenciation et la séparation m'amène à souligner qu'au-delà des divergences et des oppositions les recherches récentes montrent également des convergences. Aussi, selon moi, le dilemme d'accepter ou non le postulat du narcissisme primaire passe actuellement au second plan. Personnellement, je pense qu'il existe une relation d'objet dès la naissance et même avant, mais ce qui nous importe le plus en tant qu'analystes, c'est de pouvoir conceptualiser de manière claire ce que nous observons dans la clinique de tous les jours, de manière à parvenir à l'interpréter de manière précise.

Deuxième Partie

LA PLACE DE L'ANGOISSE
DE SÉPARATION
DANS LES THÉORIES PSYCHANALYTIQUES

> « En espérant que l'image ne s'applique pas trop à l'analyste derrière son divan, reconnaissons que dans tout savoir expérimental la croissance exponentielle de la masse d'informations risque de s'accompagner d'une ignorance relative également croissante. »
>
> Michel Gressot, 1963 (1979).

4

Freud, l'angoisse de séparation et de perte d'objet

Les contributions théoriques majeures de Freud sur ce thème sont contenues dans deux publications, « Deuil et mélancolie » et *Inhibition, symptôme et angoisse.* Dans « Deuil et mélancolie » paru en 1917, Freud décrit le mécanisme de défense fondamental contre la perte de l'objet, en mettant en évidence l'introjection de l'objet perdu dans une partie clivée du moi, à l'origine de la dépression. Quelques années plus tard en 1926, dans *Inhibition, symptôme et angoisse,* il attribue la source de l'angoisse à la crainte de la séparation et de la perte d'objet, révisant ainsi radicalement ses vues antérieures sur l'origine de l'angoisse. Ces deux travaux marquants dans l'œuvre freudienne ne sauraient être compris isolément, et nous aurons à tenir compte d'autres textes importants qui les annoncent, les éclairent ou les complètent.

Bien que Freud ait avancé des hypothèses fondamentales sur la dynamique psychanalytique de la relation de l'individu face à la séparation et à la perte d'une personne aimée, on trouve dans son œuvre peu ou pas de référence clinique explicite par rapport à la séparation dans un registre transférentiel. Dans ses contributions majeures sur ce sujet, Freud se base essentiellement sur la psychopathologie générale et sur l'observation de la vie quotidienne, sans se référer explicitement à l'expérience analytique avec ses patients : en 1905, par exemple, c'est l'enfant qui a peur dans l'obscurité, en 1920 c'est l'enfant qui joue à la bobine, et en 1926 le nourrisson qui redoute la perte de sa mère, qui servent successivement de modèle à l'angoisse. Cependant, tout au long de ses écrits et de sa correspondance, Freud s'est montré particulièrement sensible aux sentiments de nostalgie, de solitude et de deuil qu'il éprouve lui-même ou ressent chez autrui en rapport avec la séparation et la perte de personnes aimées.

1 / LA SÉPARATION ET LA PERTE D'OBJET
   DANS LES PREMIERS ÉCRITS DE FREUD

Dépendance et détresse infantiles

Très tôt dans les écrits de Freud on trouve déjà esquissée l'importance du rôle des relations d'objet précoces, indispensables pour que le nourrisson émerge de l'état de détresse et de dépendance biologique et psychologique dans lequel il se trouve au début de son existence.

On peut considérer que les premières références au problème de l'angoisse de séparation dans l'œuvre de Freud sont contenues dans ses lettres à Fliess — en particulier dans le manuscrit E consacré à l'origine de l'angoisse — et dans l' « Esquisse pour une psychologie scientifique » (1950*a* [1892-1899]). On y trouve mentionné à plusieurs reprises le besoin de l'être humain, dès le début de la vie, de trouver dans son entourage une personne (généralement la mère) qui lui permette de décharger la tension née des besoins internes physiques et psychiques. Il nomme cette rencontre entre le besoin de décharge et la personne qui le satisfait : « l'expérience de la satisfaction ». Si l'action spécifique nécessaire — apport de nourriture par exemple — provenant de la « personne secourable » ne permet pas ce processus du « fait de la satisfaction », il s'ensuit des perturbations du développement des fonctions physiques et psychiques du nourrisson du fait de son immaturité et des états de détresse *(Hilflosigkeit)*. Avec une autre notion, celle de la « compréhension mutuelle » qui s'instaure entre le nourrisson et sa mère (1950*a* [1895], p. 336), Freud esquisse la première ébauche d'une conception psychanalytique du rôle joué par la relation précoce mère-enfant telle qu'elle sera développée plus tard dans la théorie du « holding » de D. W. Winnicott (1955) ou dans celle de contenant-contenu (W. R. Bion, 1962*b*).

La perte d'objet qui a lieu dans l'expérience de la satisfaction — réelle et hallucinatoire — va aussi constituer selon Freud le fondement de l'apparition du désir et de la recherche ultérieure des objets : c'est en effet en l'absence de l'objet de satisfaction que l'image de l'objet satisfaisant va être réinvestie comme représentation symbolique (satisfaction hallucinatoire du désir). Par la suite, lorsque l'individu se met à la recherche de nouveaux objets, il cherche non seulement à trouver un objet, selon Freud, mais à *retrouver* l'objet originel perdu, qui autrefois avait apporté une satisfaction réelle (« La négation », 1925*h*).

A la même époque des Lettres à Fliess, Freud remarque que l'objet est d'abord perçu par le moi à cause de la souffrance produite par sa perception : « Il y a en premier lieu des objets (des perceptions) qui font crier parce qu'ils produisent une souffrance » (« Esquisse », 1950*a* [1895], fr. p. 377). Ultérieurement, dans « Pulsions et destin des pulsions » (1915*c*), Freud reliera l'apparition de la haine à la douleur psychique, associée à la perception des différents aspects de l'objet : celui-ci sera dit « aimé » s'il est source de plaisir, détesté et haï s'il est source de déplaisir. Freud apporte ainsi un fondement à l'apparition de la haine envers l'objet qui survient dans les situations douloureuses traumatiques, vécues comme menaçant la vie psychique et la survie de l'individu, sentiments à la base de l'hostilité et du transfert négatif qui jouent un rôle si important dans l'interprétation de l'angoisse de séparation.

La crainte de la séparation, source de l'angoisse chez l'enfant

En 1905 déjà Freud avait établi un lien direct entre l'apparition de l'angoisse chez l'enfant et le sentiment de l'absence d'une personne aimée : « L'angoisse chez les enfants n'est à l'origine pas autre chose qu'un sentiment d'absence de la personne aimée » (1905*d*, fr. p. 135). Freud se fonde sur l'observation d'un petit garçon de trois ans qui a peur dans l'obscurité, et il conclut que « l'enfant n'a pas peur de l'obscurité, mais qu'il était angoissé par l'absence d'une personne aimée, et il pouvait promettre d'être tranquille dès le moment où cette personne faisait sentir sa présence » (p. 186, n. 79). Bien que Freud attribue explicitement l'angoisse de cet enfant à l'absence de la personne aimée, néanmoins dans l'explication théorique qu'il en donne il reste fidèle à l'explication de l'origine de l'angoisse, selon laquelle l'angoisse naît de la transformation directe de la libido insatisfaite. Il faudra attendre 1926 pour qu'il revienne définitivement à l'idée que l'angoisse a pour origine la crainte de la séparation et de la perte de l'objet, cela non seulement chez l'enfant mais aussi chez l'adulte.

Dans le même ordre d'idées, rappelons les réflexions ultérieures de Freud (1920*g*) sur l'enfant qui joue à la bobine dans le but de reproduire la disparition et la réapparition de sa mère absente. Ce texte a été largement commenté dans la littérature psychanalytique. Je voudrais seulement relever ici une note de Freud à ce sujet, mentionnant l'identification de cet enfant à sa mère et jouant devant le miroir à disparaître et réapparaître. Il s'agit de la défense caractéristique par identification à l'objet perdu, telle qu'il l'a décrite en 1917, qui peut être aussi regardée comme une « identification à l'objet frustrant » (R. A. Spitz, 1957), ou comme un moyen de transformer la passivité en activité (M. Valcarce-Avello, 1987).

La question du narcissisme primaire

La question se pose de savoir si, au début de la vie, il existe ou non chez le nourrisson ou l'enfant une phase de son existence au cours de laquelle celui-ci ne parvient pas encore à se différencier d'autrui (phase narcissique), et si l'on peut situer à un moment ultérieur du développement infantile le début de la perception d'autrui comme différent de soi-même (phase objectale).

Freud a attribué successivement plusieurs significations à la notion de narcissisme, commençant par utiliser le terme de narcissisme pour décrire une relation dans laquelle une personne prend son propre corps comme objet sexuel (« Pour introduire le narcissisme », 1914*c*). Plus tard, après avoir conçu la seconde topique, Freud va opposer un état narcissique primordial anobjectal aux relations d'objet. Il nomme cet état primitif « narcissisme primaire » et le caractérise comme une phase précoce du développement qui dure assez longtemps, dans laquelle « le moi et les objets ne peuvent être distingués » et dont le prototype serait la vie intra-utérine (1916-1917, fr. p. 444-445). Il conserve l'idée d'un narcissisme par identification aux objets, et le nomme « narcissisme secondaire ».

Cependant, Freud relève qu'il n'a jamais eu de matériel clinique qui démontre le narcissisme primaire, et que ses idées sont basées sur l'observation des peuples primitifs et sur des raisons d'ordre théorique. Comme nous l'avons déjà vu au chapitre précédent, la question de l'existence ou non d'une phase narcissique primaire reste controversée, et continue d'influencer les principales théories psychanalytiques de relation d'objet.

2 / « DEUIL ET MÉLANCOLIE » (1917e [1915])

L'introjection de l'objet perdu

Dans « Deuil et mélancolie » écrit en 1915 en même temps que la « Métapsychologie », mais publié en 1917, Freud s'interroge sur les réactions de l'individu consécutives à une perte réelle ou à une déception de la part d'une personne aimée, ou à la perte d'un idéal : pourquoi certaines personnes réagissent-elles par un affect de deuil qui sera surmonté après un certain temps, tandis que d'autres sombrent dans un état *dépressif* (appelé *mélancolie* à l'époque [Strachey, 1957 ; Laplanche, 1980]) ?

Freud constate qu'à la différence du deuil normal qui se situe principalement au niveau conscient, le deuil pathologique se déroule au niveau inconscient. Il souligne l'inhibition du mélancolique qu'il attribue à une perte du moi entraînée par la perte de l'objet. La mélancolie s'accompagne en outre d'auto-accusations pouvant aller jusqu'à l'attente délirante du châtiment.

En ayant l'intuition que les auto-accusations du mélancolique sont en vérité des hétéro-accusations, dirigées contre la personne importante de l'entourage « qui a amené la perturbation dans les sentiments du malade » (*Œuvres complètes*, fr. p. 270), Freud découvre la clé du mécanisme de la mélancolie. Ce retournement des reproches contre le sujet lui-même est rendu possible du fait que l'objet perdu, à l'origine de la déception, est à nouveau érigé dans le moi qui se clive, une partie du moi renfermant le fantasme de l'objet perdu, l'autre devenant la partie critique : « L'ombre de l'objet tomba ainsi sur le moi qui put alors être jugé par une instance particulière comme un objet, comme l'objet délaissé. De cette façon, la perte d'objet s'était transformée en une perte de moi, le conflit entre le moi et la personne aimée en une scission *(Zwiegespalt)* entre la critique du moi et le moi modifié par l'identification » (p. 268).

Ce mécanisme de l'introjection de l'objet perdu et du clivage du moi comme défense contre la perte d'objet implique une série de conditions décrites par Freud et que nous pouvons résumer ainsi : 1 / Pour que le choix d'objet régresse vers l'identification narcissique, il s'agit que l'investissement objectal soit fragile, et qu'il soit préalablement établi sur une base narcissique. 2 / Pour que l'introjection de l'objet perdu puisse se produire, il faut que la libido régresse au stade oral ou cannibalique : à ce stade, par suite de l'ambivalence, l'amour pour l'objet se transforme en identification, et la haine se retourne contre cet objet substitutif. Ainsi les tendances sadiques visant un objet subissent un retournement sur le sujet lui-même. Mais Freud relève que le sadisme retourné contre soi reste simultanément dirigé inconsciemment contre la personne de l'entourage visée : « Les malades, habituellement, parviennent encore, par le détour de l'autopunition, à exercer leur vengeance sur les objets originels et à tourmenter ceux qui leur sont chers par l'intermédiaire de l'état de maladie, après qu'ils se sont livrés à la maladie afin de ne pas être obligés de leur manifester directement leur hostilité » (p. 270). C'est le sadisme retourné contre soi qui explique le suicide du mélancolique. Quant à la manie, Freud constate qu'elle lutte contre le même complexe que la mélancolie, auquel le moi a succombé dans la mélancolie, tandis que dans la manie il l'a écarté ou maîtrisé (p. 273).

Des ambiguïtés chez Freud

En découvrant que lorsqu'un dépressif déclare : « je me déteste », il exprime en vérité un : « je te déteste » chargé de haine destinée inconsciemment à l'objet aimé, Freud eut une intuition de génie. Mais cette intuition clinique fondamentale reste encore en partie incomprise, à mon avis, et certainement encore insuffisamment exploitée par les psychanalystes dans la pratique de l'interprétation de transfert.

Cela vient sans doute de certaines ambiguïtés dans les formulations successives utilisées par Freud, comme l'ont relevé divers auteurs. En effet, à la lecture des textes successifs, si certaines formulations sont sans ambiguïté, comme lorsqu'il situe l'identification à l'objet perdu dans une partie clivée du moi qui s'oppose à l'autre, par contre d'autres formulations sont ambiguës. Ainsi, on peut se demander à juste titre dans quelle partie du moi Freud situe-t-il le moi-sujet (« je ») ? De même, dans quelle partie du moi situe-t-il le « moi critique », l'« instance critique », ou, plus tard, l'« idéal du moi » et le « surmoi » ?

La réponse à ces questions est cruciale, car de la manière dont nous saisissons les rapports réciproques entre le moi et les objets va dépendre la manière dont nous allons interpréter les mouvements transférentiels de projection et d'introjection de l'objet perdu lorsqu'ils se produisent au cours de la cure, ce dont je donnerai un exemple plus loin.

Ces imprécisions chez Freud ont été mentionnées à plusieurs reprises. Ainsi, J. Laplanche se demande « qui persécute qui dans la topique du dépressif ? » (1980, p. 329), et il s'interroge pour savoir « où se situe le discours ? », « d'où vient la parole du déprimé ? ». Selon lui, il est préférable de ne pas trop chercher à situer le moi-sujet, afin d'éviter « la fascination qui voudrait nous faire situer *définitivement* quelque part le sujet » ou le loger dans une instance. Mieux vaut être plus pragmatique en cherchant plutôt « d'où provient le discours ? (...), d'où est-ce que ça parle ? » (p. 331). Quant à D. Meltzer (1979), il relève la même hésitation chez Freud : « Il semble que Freud lui-même devient très incertain, ne sachant décider si c'est le moi qui accuse, ou si c'est l'idéal du moi qui se retourne contre le moi. Cependant, le fait essentiel est qu'il est venu à se concevoir la question "Qui éprouve la souffrance ?" "Est-ce le moi ou son objet qui souffre ?" "Et qui est attaqué" » (p. 111).

Je pense toutefois qu'une lecture très attentive des textes permet de lever ces ambiguïtés, et fournit au psychanalyste tous les éléments dont il a besoin pour repérer le conflit spécifique de la mélancolie dans la relation transférentielle, pour l'interpréter et l'élaborer.

C'est le moi-sujet qui critique l'objet, et non l'inverse

En examinant l'une après l'autre les formulations utilisées par Freud en 1917e [1915], 1921c et 1923b, décrivant le conflit intrapsychique dans la mélancolie, nous pouvons constater qu'il a régulièrement distingué deux parties du moi, séparées par clivage, s'opposant l'une à l'autre : l'une correspond régulièrement au moi-sujet (« je »), l'autre correspond régulièrement à la partie du moi identifiée à l'objet perdu introjecté. La première dirige sa « critique » contre la seconde confondue avec l'objet.

Cela apparaît déjà dans « Deuil et mélancolie » (1917e [1915]) : « Nous voyons chez lui une partie du moi se confronter à l'autre, l'évaluer de façon critique, la prendre pour ainsi dire pour objet » (p. 266). Plus loin, dans le même texte : « ... le conflit entre le moi et la personne aimée [s'est transformé] en une scission entre la critique du moi et le moi modifié par identification » (p. 268). Ou encore : « ... la haine exerce son activité sur cet objet substitutif en l'injuriant, le rabaissant, le faisant souffrir et en tirant de cette souffrance le bénéfice d'une satisfaction sadique » (p. 270). Même propos en 1921c : dans la mélancolie les reproches « figurent la vengeance exercée par le moi sur cet objet » (p. 172), ou « ... une des parties du moi se déchaînant contre l'autre. Cette autre est la partie modifiée par introjection, celle qui inclut l'objet perdu » (p. 173).

R. H. Etchegoyen confirme ma lecture de Freud en affirmant nettement que, dans « Deuil et mélancolie », « le Moi critique correspond au sujet et *non pas* à l'objet incorporé ». Selon lui, c'est un « fait qui passe inaperçu pour Freud lui-même et dont ses continuateurs tiennent peu compte. A mon avis, cette ambiguïté est sous-jacente dans de nombreuses discussions théoriques » (*Les destins de l'identification*, 1984, p. 874).

Si, dans le conflit mélancolique, il n'y avait que cette opposition entre la partie du moi-sujet et la partie renfermant l'objet perdu, le problème ne serait déjà pas simple. Mais ce qui vient compliquer le tout, c'est que le moi-sujet du mélancolique n'est pas un moi-sujet exerçant sa fonction normale de protection, c'est-à-dire son rôle de « conscience, instance critique dans le moi, qui même dans les périodes normales s'est imposé au moi par sa critique » (1921*c*, p. 173), c'est au contraire un moi qui critique « inexorablement et injustement », et qui a perdu sa fonction protectrice. Cette instance sévère à l'extrême qui se développe dans le moi, c'est du moi-sujet qu'elle se détache, dit Freud, pour former ce qu'il appellera d'abord l' « idéal du moi » (1921*c*), puis le « surmoi » (1923*b*). Dans la mélancolie, « ce surmoi excessivement fort, qui s'est annexé la conscience » fait maintenant rage contre le moi avec une violence impitoyable (1923*b*, p. 268).

Ces questions ne sont pas des questions byzantines, mais des interrogations cruciales pour le psychanalyste qui souhaite appliquer dans la technique de l'interprétation les intuitions de Freud. En effet, le psychanalyste a besoin de savoir *qui* est le moi-sujet, et *qui* est l'objet, car, faute de savoir qui fait quoi à qui, il peut être amené à faire des confusions ou à renoncer à interpréter ce type de conflit lorsqu'il surgit dans la relation transférentielle.

D'après mon expérience, la réponse positive de mes analysants aux interprétations portant sur l'introjection de l'objet-analyste traité comme objet perdu — auquel le sujet est attaché et sur lequel il dirige sa haine en la retournant contre lui-même — confirme à mes yeux l'importance du fait que, dans la réaction mélancolique, c'est bien le moi-sujet qui hait l'objet introjecté, et non l'inverse. Je montrerai plus loin deux exemples cliniques de ce phénomène transférentiel fréquent, et la manière dont je l'ai interprété.

D'où vient le sadisme du surmoi ?

Il est également difficile, parmi les identifications, de déterminer celles qui seraient spécifiquement en jeu dans la constitution du surmoi, de l'idéal du moi, du moi idéal et même du moi, comme l'ont relevé J. Laplanche et J.-B. Pontalis (1967, p. 473). C'est pourquoi il est malaisé de repérer les identifications au sein du conflit intrapsychique du mélancolique. En ce qui concerne le moi critique, Freud en fera le surmoi dans la deuxième topique (« Le moi et le ça », 1923*b*), et il considérera le sadisme du surmoi chez le mélancolique comme « une culture pure de la pulsion de mort », qui « réussit assez souvent à mener le moi à la mort, si ce dernier ne se défend pas à temps dans son tyran en virant dans la manie » (p. 268).

En 1930 Freud envisagera le sadisme du surmoi mélancolique sous un nouvel aspect, qui n'exclut pas les précédents, et se déclarera d'accord avec M. Klein pour dire que la haine du surmoi envers le moi n'est autre que le résultat de la projection de la haine du moi envers l'objet, attribuée au surmoi et retournée contre le moi-sujet. Pour M. Klein en effet, la sévérité du surmoi, telle qu'on l'observe chez l'enfant, est sans rapport avec la sévérité des parents : ce qui est intériorisé par l'enfant, c'est une image de parents sur laquelle l'enfant a projeté ses propres pulsions destructrices. Freud adopte ce point de vue en se référant explicitement à Melanie Klein et aux auteurs anglais : « La rigueur originelle du surmoi n'est point, ou pas tellement, celle qu'on a éprouvée de sa part, et qu'on lui attribuait en propre, mais bien notre propre agressivité tournée contre ce surmoi » (*Malaise dans la civilisation*, 1930*a*, p. 87).

Ce dernier point est capital pour la technique, car l'analyste peut interpréter l'autodestructivité de l'analysant envers lui-même comme le résultat de la projection de son agressivité envers l'analyste, retournée contre le moi de l'analysant confondu avec l'objet-analyste introjecté. Ainsi, conformément à l'intuition de Freud, le conflit entre le moi et l'objet (dans ce cas, l'analyste) s'est transformé en un conflit intrapsychique entre deux parties du moi, le moi-sujet attaquant l'objet introjecté et dirigeant sur lui-même l'agressivité destinée à l'objet.

Clivage du moi et déni de la réalité
comme défenses contre la perte d'objet

Dans « Deuil et mélancolie », la notion de clivage du moi est introduite comme mécanisme de défense spécifique contre la perte de l'objet, suite à l'introjection de l'objet perdu. Le conflit entre le moi et l'objet externe se transforme en un conflit entre deux parties du moi, affectant la structure même du moi : « De cette façon la perte d'objet s'était transformée en une perte de moi, le conflit entre le moi et la personne aimée en une scission (*Zwiespalt, GW*, p. 435) entre la critique du moi et le moi modifié par identification » (p. 268). Dans ce passage, la traduction en français parle de scission, ce qui évacue le concept de clivage contenu dans le terme allemand de *Zwiespalt,* terme qui renferme celui de *Spalt* proche de *Spaltung* (clivage). A traduire littéralement *Zwiespalt,* on devrait dire à mon avis « clivage en deux » pour conserver le concept psychanalytique de clivage. La notion de clivage est d'ailleurs explicite dans un autre passage de « Deuil et mélancolie » : « ... l'instance critique, ici séparée du moi par clivage... » (p. 266).

Ultérieurement la notion de clivage du moi, telle qu'elle est introduite dans « Deuil et mélancolie » par rapport à la perte d'objet, a été complétée par la notion de déni de la réalité. Le déni de la réalité est d'abord présenté par Freud comme un mécanisme de défense spécifique de la psychose. Mais, par la suite, il nuance ce concept en introduisant la notion d'un déni partiel de la réalité, qui n'affecte qu'une partie du moi — correspondant à la partie psychotique —, tandis que l'autre partie du moi conserve son rapport avec la réalité.

Quant à la notion de déni de la réalité comme défense contre la perte d'objet, elle apparaît en 1924, lorsque Freud différencie le refoulement du déni de la réalité, faisant de ce dernier un mécanisme de défense spécifique de la psychose. Donnant l'exemple d'une jeune fille amoureuse du mari de sa sœur, qui, devant sa sœur morte, refoule son sentiment, Freud relève : « La réaction psychotique [de la jeune fille] aurait été de dénier le fait de la mort de sa sœur » (« La perte de la réalité dans la névrose et la psychose », 1924*b*, p. 300).

Dans « Le fétichisme » (1927*e*), Freud précise que le déni de la réalité peut n'être que partiel, n'affectant que la partie du moi pour laquelle la perte de l'objet est niée dans la réalité. Il revient sur l'opposition tranchée qu'il faisait antérieurement entre névrose et psychose, et reconnaît dorénavant qu'il peut exister chez un même individu un clivage du moi, une partie du moi niant la réalité, l'autre l'acceptant. Il en donne comme exemple l'analyse de deux jeunes gens qui avaient « scotomisé » la mort de leur père dans leur enfance, sans être pour autant devenus psychotiques. Cette scotomisation, selon Freud, est basée sur le déni de la réalité de la mort du père, du moins pour une partie du moi. En effet, le moi de ces jeunes gens était divisé en deux courants par « clivage » : « Il n'y avait qu'un courant de leur vie psychique qui ne reconnaissait pas cette mort ; un autre courant en tenait parfaitement compte ; les deux positions, celle fondée sur le désir et celle fondée sur la réalité, coexistaient » (p. 137).

Ainsi Freud, à partir de « Deuil et mélancolie », aura-t-il peu à peu dégagé l'idée que le moi se défend contre la perte d'objet en se clivant, une partie du moi s'identifiant à l'objet perdu tout en niant la réalité de la perte, l'autre partie du moi reconnaissant la réalité de la perte. Il précisera davantage cette notion de clivage du moi en deux parties dans l'*Abrégé de psychanalyse* (1940a [1938]) et dans « Le clivage du moi dans le processus de défense » (1940e [1938]). W. R. Bion (1957) donnera un nouveau développement à ces idées à travers la différenciation qu'il établit entre la partie psychotique et la partie non psychotique de la personnalité, concept qui s'applique particulièrement bien aux phénomènes de clivage dans le transfert qu'on observe en clinique dans le deuil pathologique.

Un exemple transférentiel d'introjection de l'objet perdu et de retournement de la haine contre soi

J'aimerais montrer à travers deux brefs exemples cliniques des mouvements transférentiels d'introjection de l'objet perdu — l'analyste — liés à une recrudescence de l'ambivalence amour-haine à laquelle nous sommes si souvent confrontés lors des interruptions entre séances, lors des fins de semaine ou des vacances. L'interprétation vise à ne pas laisser s'installer durablement ces mécanismes de défense caractéristiques des réactions dépressives. Elle vise aussi à rendre conscients l'attachement inconscient pour l'analyste — remplacé par une introjection avec confusion entre analysant en analyste — et le retournement sur le sujet lui-même de la haine destinée à l'objet, au lieu d'être projetée dans le transfert.

Le premier exemple concerne un patient légèrement dépressif et ambivalent, chez qui j'ai pu observer à plusieurs reprises qu'il réagissait aux interruptions du week-end d'une manière qui m'avait surpris. Par exemple, un vendredi, avant une séparation de fin de semaine, je remarquais qu'il était en plein travail d'élaboration, d'humeur enjouée et active ; mais à la séance du lundi qui suivit l'interruption de fin de semaine, il arriva avec une mine assombrie, l'air renfermé et mécontent, semblant venir à contrecœur. Un changement radical s'était produit dans la relation à mon égard : il semblait avoir perdu tout intérêt vis-à-vis de moi, paraissait ignorer ma présence, et ne manifestait aucun intérêt pour ce qu'il avait élaboré durant la semaine précédente, et moins encore pour ce qu'il éprouvait en ce moment. Je ne comprenais pas ce qui se passait, me demandant si quelque chose de grave était survenu dans sa vie, s'il avait fait une bêtise dont il n'osait pas me parler, je me sentais inquiet. Ses seules paroles étaient les suivantes : « *Je suis nul, je suis incapable, je ne vaux rien* », me disait-il d'un air sombre. Il ne me vint pas tout de suite à l'esprit qu'en s'accusant lui-même c'est moi qu'il accusait. Les associations qui suivirent ayant trait aux prochaines vacances me permirent de lui interpréter qu'en se disant apparemment à lui-même : « Je suis nul, je suis incapable » c'est à moi qu'il s'adressait implicitement, me disant que j'étais un analyste nul, incapable. J'ajoutais qu'au lieu de m'exprimer verbalement sa colère envers moi qui l'avais laissé seul dans un moment si important, il ne disait mot mais se transformait en un reproche vivant, me faisant entendre combien j'étais un analyste nul et incapable.

La réaction de mon patient à mon interprétation fut immédiate : à peine avais-je fini ma phrase qu'il retrouvait toute sa vivacité et sa vigueur, sa dépression s'était évanouie comme par enchantement et je l'entendis me dire fortement combien en effet il avait été fâché contre moi, et il ne le réalisait que maintenant. D'une part je crois que mon interprétation n'avait pas seulement rendu conscients son attachement et sa haine envers moi, mais avait aussi souligné le retournement sur lui-même de l'agressivité qui m'était destinée — dirigée contre moi confondu avec lui dans une partie de son moi (introjection de l'objet perdu). D'autre part, je pense que ce patient pouvait réagir rapidement à mon interprétation et me critiquer ouvertement parce qu'il n'avait pas peur de me perdre en m'agressant. Il réagissait ainsi contrairement aux patients qui n'osent exprimer leur haine envers l'analyste que de manière inconsciente, car, tant que dans leur esprit la haine n'est pas suffisamment liée au mouvement libidinal envers l'objet — l'analyste dans le transfert — dans le sens de l'intrication pulsionnelle (Freud,

1920*g*, 1923*b*), ils s'imaginent que leur haine contre l'analyste a pour effet de détruire l'objet. A un autre niveau mon analysant s'était senti vidé et appauvri durant le week-end, mais il récupéra ses richesses avec l'interprétation.

Mon second exemple concerne un patient dépressif et obsessionnel qui a réagi à une situation transférentielle de perte de l'objet en cours d'analyse — l'approche de vacances — par une tendance à se saboter, exprimant ainsi de manière inconsciente une rage qui m'était destinée dans le transfert, mais retournée contre lui-même sous une forme sadique et masochiste autodestructrice. Cet homme avait souffert d'abandons précoces, il était renfermé et méfiant envers autrui. Toutefois ses relations avec moi et son entourage s'étaient améliorées lentement en cours d'analyse, il avait obtenu une position professionnelle davantage en rapport avec ses possibilités, et il se faisait moins maltraiter par les hommes et les femmes de son entourage. A un moment donné il fit une rechute inexplicable, au point qu'il ne pouvait plus travailler correctement et je craignais fort qu'il ne perde sa place. J'avais l'impression de n'avoir plus le contact avec lui comme auparavant, il ne me parlait pas de ce qu'il éprouvait mais seulement de son activité à son travail où il rencontrait des difficultés croissantes malgré ses efforts, et les menaces de son patron de le licencier devenaient plus précises. « *Je me crève et je me fais mettre à la porte* », me répétait-il.

Cette formulation me rappela que les vacances d'été approchaient et je pensais qu'en cherchant à se faire mettre à la porte par son patron, c'est inconsciemment moi qu'il cherchait à mettre à la porte car, faute d'emploi, il ne pourrait plus financer son analyse. Ainsi il s'attaquait lui-même en se sabotant dans son travail, mais il m'attaquait moi aussi. L'interprétation rendant conscient le fait que la haine dirigée contre lui-même me visait inconsciemment permit, non sans difficulté, de stopper le processus d'autodestruction, de détourner la haine retournée contre soi et de rétablir le mouvement de haine envers l'objet — ce qui était rendu possible grâce à la liaison de l'amour à la haine effectuée dans mon interprétation.

Ce type d'interprétation se base sur le conflit intrapsychique amour-haine du mélancolique décrit par Freud (1917*e* [1915]), dans lequel l'amour s'est dissocié de la haine : l'investissement d'amour s'est réfugié dans l'identification narcissique, et « la haine exerce son activité sur cet objet substitutif... » (fr. p. 270). Freud ajoute que le sadisme inconscient, retourné contre la personne propre, suite à l'introjection *reste simultanément dirigé contre la personne de l'entourage visée*

(p. 270). Cette remarque est de toute importance pour l'interprétation, car Freud souligne ainsi que le courant pulsionnel libidinal et agressif est toujours double dans sa direction, toujours dirigé simultanément contre un objet introjecté « dedans », correspondant à l'objet externe « dehors » préalablement investi. En démontrant en 1924 que le moi ne parvient à se dégager de l'ambivalence « qu'en prenant à son compte l'hostilité concernant l'objet », K. Abraham fit franchir un pas décisif à la possibilité de rendre le dépressif conscient de son sadisme et de son attachement oral inconscient envers l'objet. Pour K. Abraham, en effet, *l'objet est perdu parce que le sadisme veut le détruire*, et non par un effet collatéral et fortuit de l'incorporation libidinale, comme l'a fait judicieusement remarquer Etchegoyen (1984).

3 / « INHIBITION, SYMPTÔME ET ANGOISSE » (1926*d*)

L'angoisse de séparation telle que nous la rencontrons en clinique au cours du processus psychanalytique a été décrite par Freud en 1926 dans *Inhibition, symptôme et angoisse*, contribution dans laquelle il avance de nouvelles hypothèses sur l'origine de l'angoisse, et abandonne les anciennes. Dorénavant l'angoisse est considérée par lui comme un affect éprouvé par le moi devant un danger qui, en dernière analyse, a toujours la signification de la crainte de la séparation et de la perte de l'objet. De plus, il examine le problème des défenses sous un jour nouveau en le distinguant du refoulement, et il avance l'idée que le moi forme des symptômes et érige des défenses avant tout pour éviter de percevoir l'angoisse, signifiant la crainte de la séparation et la perte de l'objet.

Cette nouvelle théorie de l'angoisse remplaçait celle à laquelle Freud avait tenu durant plus de trente ans, selon laquelle l'angoisse provenait directement de la libido insatisfaite qui tournait en angoisse « comme le vin tourne au vinaigre » (Freud, 1905*d*, note ajoutée en 1920). En effet, jusqu'en 1926, Freud avait considéré que le mécanisme d'apparition de l'angoisse était un phénomène purement physique, le trop-plein d'excitation (ou de libido) trouvant une voie de décharge en se transformant directement en angoisse. Si, dans les névroses, le refoulement intervenait comme cause de l'accumulation de l'excitation, il n'était pas nécessaire de faire appel à un facteur psychologique pour expliquer la transformation de la libido en angoisse, selon lui. A partir de 1926, Freud renonce définitivement à son explication antérieure et considère désormais que l'angoisse a une double origine : « ... tantôt comme conséquence directe du facteur traumatique, tantôt comme signal indiquant qu'il y a menace de réapparition d'un tel facteur » (1933*a*).

La lecture de *Inhibition, symptôme et angoisse* est ardue, car Freud touche à de nombreux sujets et il éprouve une difficulté inhabituelle à donner une unité à son ouvrage, comme le fait observer Strachey (1959). Par ailleurs, il aborde les mêmes sujets à plusieurs reprises, en des termes très semblables, et ce n'est parfois qu'à la fin de l'ouvrage, dans les Addenda, qu'on trouve les formulations les plus fondamentales. On trouvera dans la XXXII⁰ *Nouvelle conférence sur la psychanalyse* (1933*a*) une reprise des hypothèses avancées par Freud en 1926 sur l'origine de l'angoisse, mais dans une rédaction plus claire et plus synthétique.

Après avoir rappelé les circonstances qui ont conduit Freud à publier *Inhibition, symptôme et angoisse*, j'en livrerai une clé de lecture qui a été la mienne, résumée à grands traits par souci de concision.

Freud et « Le traumatisme de la naissance » de O. Rank

Freud publia sa révision de sa théorie sur l'angoisse en réponse à la publication de *Le traumatisme de la naissance* de O. Rank (1924) qui avait lui aussi cherché à rendre compte de l'angoisse de séparation observée chez ses analysants. Pour ce dernier toutes les crises d'angoisse pouvaient être considérées comme des tentatives d' « abréagir » le premier traumatisme, celui de la naissance. Il expliquait toutes les névroses sur la base de cette angoisse initiale, d'une manière réductrice et simplificatrice, proposant une modification de la technique psychanalytique qui aurait permis de surmonter le traumatisme de la naissance, et reléguant à l'arrière-plan le rôle joué par le complexe d'Œdipe dans les conflits névrotiques.

Freud eut à l'égard des théories de Rank une attitude hésitante, semblant tout d'abord favorable, car il avait été le premier à affirmer que la naissance était la première expérience d'angoisse chez l'enfant (1900*a*) ou « le premier grand état d'angoisse » (1923*b*). Ensuite, stimulé par sa critique des vues de Rank, il livra le résultat de ses propres réflexions dans *Inhibition, symptôme et angoisse*. L'une des objections majeures faites par Freud à Rank a été que ce dernier mettait trop l'accent sur la naissance comme danger externe, et pas assez sur l'immaturité et la faiblesse de l'individu (p. 78). Par ailleurs Freud pensait que la naissance était un phénomène purement biologique, pas psychologique, et que le nourrisson ne pouvait éprouver le type d'angoisse postulé par Rank, car il ne percevait pas encore d'objet. Sur ce point, nous pensons actuellement que le nouveau-né et le nourrisson ont une perception partielle certes, mais très précoce de la mère, dès la naissance et même avant. De nos jours de nombreux psychanalystes incluent la naissance dans la constitution des fantasmes inconscients.

L'angoisse, réaction du moi au danger que comporte la perte de l'objet

La nouvelle thèse centrale de Freud concernant l'angoisse s'articule autour de la distinction qu'il établit entre la « situation traumatique » qui submerge le moi et déclenche l'*angoisse automatique*, et la « situation de danger » qui peut être prévue par le moi qui déclenche le *signal d'angoisse,* lorsque le moi de l'individu est devenu capable de prévenir le danger (Addendum B, fr. p. 94-98).

La cause déclenchante de l'angoisse automatique est la survenue d'une situation traumatique, et la situation traumatique par excellence est constituée par la détresse biologique et psychique du moi immature *(hilflosigkeit)*, incapable de faire face à l'accumulation d'excitation, d'origine externe ou interne, et de la maîtriser. Comme il le formulera ultérieurement (1933*a*) : « Ce qui est redouté, l'objet de l'angoisse, est, à chaque fois, l'apparition d'un facteur traumatique qui ne peut être liquidé selon les normes du principe de plaisir » (p. 127). La notion de situation traumatique s'inscrit dans la droite ligne de ses premiers écrits sur l'origine de l'angoisse, vue comme l'accumulation d'un état de tension qui n'arrive pas à la décharge, mais l'accent est mis dorénavant sur la faiblesse du moi de l'individu.

Au cours du développement, lorsque le moi est devenu capable de passer de la passivité à l'activité, il parvient à reconnaître le danger, à le prévenir par le signal d'angoisse : « L'angoisse, réaction originaire à la détresse dans le traumatisme, est reproduite ensuite dans la situation de danger comme signal d'alarme » (p. 96). Ce premier déplacement de la réaction d'angoisse permet qu'on passe de la situation de détresse à l'attente de celle-ci, c'est-à-dire à la situation de danger, puis « viennent ensuite d'autres déplacements, du danger à la condition déterminant le

danger, la perte de l'objet sous les différentes formes qu'elle prend... »
(p. 96). En effet, si la situation traumatique ou la situation de danger à
l'origine de l'angoisse varient avec l'âge, elles ont toutes la même
caractéristique de signifier une séparation ou une perte d'un objet aimé
ou la perte de l'amour de cet objet, selon Freud.

Pour aboutir à cette conclusion, il part également de l'apparition de
l'angoisse chez l'enfant et de déductions sur le déclenchement de
l'angoisse chez le névrosé. L'angoisse chez l'enfant peut être ramenée à
une condition unique, l'absence de la personne aimée (ardemment
désirée) ou de son substitut (p. 61). Par ailleurs, réexaminant le rôle joué
par la formation des symptômes et des défenses dans l'apparition de
l'angoisse chez les névrosés, Freud aboutit à une conclusion identique : il
considère qu'au-delà du danger de castration dans la névrose, et du
danger de mort dans la névrose traumatique, c'est la perte et la
séparation qui constituent le véritable danger qui déclenche la névrose
(p. 52). Pour lui, la situation de danger à laquelle le moi réagit dans la
névrose traumatique n'est pas l'angoisse de mort — puisque l'expérience
de la mort n'a jamais été vécue et « n'a laissé aucune trace assignable »
dans le psychisme (p. 53) — mais l'abandon par le surmoi protecteur.
Quant à l'angoisse de castration qui joue un rôle majeur dans l'étiologie
des névroses, elle a été précédée par d'autres expériences antérieures qui
font que « le moi a été préparé à la castration par des pertes de l'objet
régulièrement répétées », comme la séparation du contenu intestinal ou
la perte du sein maternel lors du sevrage (p. 53-54).

Les dangers varient avec les périodes de la vie

Les dangers susceptibles de déclencher une situation traumatique
varient suivant les différentes périodes de la vie, d'après Freud, et ils ont
en commun la caractéristique d'impliquer la séparation ou la perte d'un
objet aimé, ou une perte d'amour de la part de l'objet. Cette perte ou
cette séparation peut conduire par diverses voies à une accumulation de
désirs insatisfaits et ainsi à une situation de détresse (J. Strachey, 1959,
p. 81). Ces dangers sont successivement, selon Freud : la naissance, la
perte de la mère comme objet, la perte du pénis, la perte de l'amour de
l'objet, la perte de l'amour du surmoi.

a / Le danger de la naissance. — Pour Freud, le processus de la
naissance est la première situation de « danger », et le bouleversement

économique qu'il produit devient le prototype de la situation d'angoisse (p. 78). La situation éprouvée par le nouveau-né et le nourrisson comme un danger est celle de l'insatisfaction, celle de « *l'accroissement de la tension du besoin*, en face duquel il est impuissant » (souligné par Freud, p. 61). Dans la situation d'insatisfaction, « des quantités d'excitation atteignent un niveau déplaisant sans maîtrise possible par utilisation psychique et décharge », et cette perturbation économique constitue « le véritable noyau du "danger" selon lui » (p. 62). A ce stade, l'angoisse serait uniquement le résultat d'un état de détresse, sans qu'il soit nécessaire de faire intervenir la séparation d'avec la mère — qu'elle soit séparation du corps de la mère ou séparation psychologique — car, de l'avis de Freud, ni le nouveau-né ni le nourrisson au début de la vie ne connaissent l'objet maternel. Seul serait perçu le danger de la détresse, et l'angoisse en réaction à ce danger aboutirait à la décharge musculaire et phonatoire appelant la mère. « Nous n'avons pas besoin de supposer que l'enfant ait conservé de sa naissance d'autre indice caractérisant le danger » (p. 62).

Ainsi la première angoisse décrite par Freud semble correspondre à une peur de l'anéantissement, et pas à la peur de la séparation proprement dite. Freud la voit comme le résultat de l'immaturité et de la faiblesse du nouveau-né et du nourrisson, et il reprendra plus tard l'idée que, d'une manière analogue, le moi se sert de l'angoisse comme d'un signal d'alarme « qui lui annonce tout danger menaçant son intégrité » (1938, p. 74). Le point de vue de Freud, selon lequel le premier danger est constitué par « l'accroissement de la tension du besoin » et l'accumulation de quantités d'excitation atteignant « un niveau déplaisant sans maîtrise possible par utilisation psychique et décharge » (p. 61), semble rejoindre le point de vue de M. Klein, pour qui la première angoisse est la peur du moi d'être anéanti par la pulsion de mort. Mais Freud ne relie pas la détresse du nouveau-né à la pulsion de mort. L'accent mis sur le danger d'anéantissement et de débordement qui menace le moi est important, parce que cela signifie que la réaction la plus régressive et la plus psychotique à la séparation, c'est probablement que la peur de la séparation soit une peur de l'anéantissement.

Pour Freud, c'est à une phase ultérieure du développement infantile seulement que la situation de danger se déplace de la détresse à la peur de la séparation et de la perte d'objet, lorsque le nourrisson est capable de percevoir sa mère comme objet : « Avec l'expérience qu'un objet extérieur, perceptible, est susceptible de mettre fin à la situation dangereuse qui évoque celle de la naissance, le contenu du danger se déplace de la situation économique à ce qui en est la condition déterminante : la perte de l'objet. L'absence de la mère est désormais le danger à l'occasion duquel le nourrisson donne le signal d'angoisse, avant même que la situation économique redoutée ne soit instaurée » (p. 62).

b / La perte de la mère comme objet. — La perte de la mère comme objet survient donc à une époque plus tardive, selon Freud. « Les situations de satisfaction répétées ont créé cet objet, la mère, qui subit, dans le cas du besoin, un investissement intense et qu'on pourrait nommer "nostalgique" » (p. 100). Lorsque le nourrisson commence à percevoir la présence de sa mère, il « ne peut encore distinguer l'absence temporaire de la perte durable ; dès l'instant où il perd de vue sa mère, il se comporte comme s'il ne devait plus la revoir » (p. 99).

Freud décrit les angoisses successives qui apparaissent par rapport au danger de perdre l'objet maternel, et l'enfant passant progressivement de la crainte de perdre l'objet à la crainte de perdre l'amour de l'objet (p. 99-100).

c / L'angoisse de castration en tant que danger de perte d'objet. — Le danger suivant est constitué par la peur de la castration, qui survient au cours de la phase phallique. Freud précise que l'angoisse de castration « est elle aussi une angoisse de séparation soumise à la même condition déterminante de perte de l'objet », mais la détresse est causée par un « besoin spécialisé », la libido génitale (p. 63).

d / Le danger de perdre l'amour du surmoi. — Avec les progrès du développement, l'enfant qui attribuait d'abord l'angoisse de castration à une instance parentale introjectée l'attribue peu à peu à une instance plus impersonnelle, et le danger devient lui-même plus indéterminé : « L'angoisse de castration évolue en angoisse morale » et c'est à la peur de perdre l'amour du surmoi que le moi donne alors la valeur de danger et répond par un signal d'angoisse. Et Freud ajoute : « La forme ultime que prend cette angoisse devant le surmoi est, m'a-t-il semblé, l'angoisse de mort (angoisse pour la vie), l'angoisse devant le surmoi projeté dans les puissances du destin » (p. 64).

Rappelons que Freud insiste sur le lien génétique qui relie ces différents dangers se succédant au cours du développement (p. 91). Lors de l'évolution normale, à chaque stade répond telle condition déclenchant l'angoisse (p. 66) et les progrès contribuent à éliminer la situation de danger précédente. Cependant Freud relève que toutes ces situations de danger peuvent coexister ultérieurement chez un même individu, et entrent en jeu simultanément. Je pense qu'en rédigeant *Inhibition, symptôme et angoisse* Freud a été sans doute influencé par les travaux de K. Abraham (1924) sur les stades dans le développement libidinal, car on décèle une préoccupation analogue chez Freud lorsqu'il décrit des étapes successives dans la perception de l'objet, dans les réactions face à sa disparition, dans l'évolution des contenus fantasmatiques de la séparation et de la perte en fonction des périodes de la vie, ou encore dans la capacité du moi de faire face à l'angoisse.

En résumé, on peut dire qu'en introduisant différents niveaux d'angoisse au cours du développement infantile Freud apporte en 1926 un éclairage important sur l'articulation entre les deux principaux types d'angoisse qu'on rencontre en clinique, au cours de la cure psychanalytique : d'une part *l'angoisse de séparation*, caractéristique des stades prégénitaux et liée à une relation entre deux personnes ou duelle, et d'autre part *l'angoisse de castration*, caractéristique du complexe d'Œdipe et reliée à la relation entre trois personnes ou triangulaire. En effet, nous pouvons constater en clinique que l'élaboration de l'angoisse de séparation au niveau prégénital conduit progressivement l'analysant à affronter l'élaboration des angoisses du niveau génital propres au complexe d'Œdipe.

La situation traumatique répétée, remémorée, attendue

Pour Freud, non seulement le moi forme des symptômes et des défenses dans le but d'éviter l'apparition de l'angoisse et de la lier, mais le moi devenu plus fort se montre aussi capable de prévoir, d'attendre et de reproduire de manière atténuée le traumatisme afin de l'élaborer. Les expériences répétées de satisfaction modifient également l'angoisse et l'on ne peut éviter de penser à l'alternance des séparations, et des retrouvailles dans l'analyse en citant le passage suivant : « Il faut la répétition d'expériences rassurantes pour qu'il [l'enfant] apprenne qu'une telle disparition de la mère est habituellement suivie de sa réapparition. La mère favorise le développement de cette connaissance, de tant d'importance pour le nourrisson, en jouant avec lui le jeu bien connu de cacher son visage devant lui, puis de le découvrir pour sa plus grande joie. Il peut alors ressentir quelque chose comme de la nostalgie, sans que celle-ci s'accompagne d'angoisse » (p. 99).

Relation entre danger externe et danger interne

En mettant l'accent sur le rôle primordial du danger de la séparation et de la perte de l'objet, de même que sur le danger de la castration à l'origine de l'angoisse dans la névrose, Freud ne met-il pas ainsi l'accent sur le danger extérieur plutôt que sur le danger intérieur dans l'apparition de l'angoisse ? Il répond lui-même à cette objection : « On peut objecter que la perte de l'objet (la perte de l'amour de la part de l'objet) et la menace de castration sont des dangers qui menacent de l'extérieur au même titre qu'une bête féroce par exemple, et qu'ils ne sont donc pas des dangers pulsionnels. Mais le cas n'est pourtant pas le même. Il est vraisemblable que le loup nous attaquerait quelle que soit la façon dont nous nous comportons envers lui, alors que la personne aimée ne nous retirerait pas son amour et nous ne nous verrions pas menacés de castration, si nous ne nourrissions, en notre for intérieur, certains sentiments et certaines intentions. Ainsi ces motions pulsionnelles deviennent des conditions déterminant le danger extérieur et de ce fait deviennent elles-mêmes dangereuses ; nous pouvons maintenant combattre le danger extérieur par des mesures prises contre les dangers intérieurs » (p. 71). Mais l'inverse est aussi valable et Freud ajoute que « souvent la revendication pulsionnelle ne devient un danger (intérieur) que parce que sa satisfaction entraînerait un danger extérieur, donc parce que ce danger intérieur représente un danger extérieur » (p. 97). C'est en définitive le besoin (pulsion) qui rend compte du caractère traumatique, ou au contraire dangereux, de la situation de perte de l'objet selon lui (p. 99).

Contrairement à J. Laplanche (1980) qui juge « horrible » la place accordée par Freud au « réel » à partir de 1926, je crois que la nouvelle position de Freud apporte une réponse valable aux questions posées en clinique par l'interaction entre réalité et fantasme.

Les affects d'angoisse, de douleur et de deuil

En terminant son ouvrage, Freud se demande quand la séparation de l'objet produit-elle l'angoisse, quand produit-elle le deuil et quand produit-elle seulement la douleur (p. 98-99) ? La douleur apparaît dès le moment où l'objet est connu et à condition que le sujet ait besoin de l'objet (investissement « nostalgique »). En effet, d'après Freud, « la douleur est la réaction propre à la perte de l'objet, l'angoisse la réaction au danger que comporte cette perte et, au terme d'un déplacement supplémentaire, la réaction au danger de la perte de l'objet elle-même » (p. 100). Quant à l'affect de deuil (normal), il s'explique comme une autre réaction affective à la perte de l'objet « sous l'influence de l'épreuve de réalité, qui exige d'une manière impérative qu'on se sépare de l'objet qui n'est plus » (p. 102).

Le clivage du moi, troisième théorie de l'angoisse chez Freud

A vrai dire, il n'existe pas seulement deux théories de l'angoisse chez Freud, mais il en existe une troisième qui apparaît plus tard dans son œuvre, et qu'on n'a pas l'habitude de considérer comme telle. On connaît sa première théorie selon laquelle l'angoisse provient de la transformation directe de la libido insatisfaite, et je viens de mentionner la seconde selon laquelle l'angoisse vient de la perception par le moi du danger, danger qui a la signification de la séparation ou de la perte de l'objet. Il existe à mon avis une troisième théorie de l'angoisse chez Freud lorsqu'il déclare en 1938 que *l'angoisse apparaît lorsque le moi se sent menacé dans son intégrité*. Voici ce que Freud avance dans l'*Abrégé de psychanalyse* (1940*a* [1938]) : « Le moi se sert des sensations d'angoisse comme d'un signal d'alarme qui lui annonce tout danger menaçant son intégrité » (fr. p. 76). Autrement dit ce n'est plus seulement le sujet qui, devant le danger, éprouve une crainte équivalant à perdre la protection de sa mère, cette fois-ci c'est le moi qui, devant le danger, craint de perdre sa propre intégrité. Cette intuition de Freud est insérée dans un passage où il reprend une fois de plus la problématique de la réponse du moi face au danger, qu'il soit d'origine externe ou interne, et dans cette ultime formulation il ajoute que, devant une réalité insoutenable aussi bien externe qu'interne, le moi tend à se cliver, une partie du moi tenant compte de la réalité, l'autre la niant.

Je pense que la deuxième théorie freudienne de l'angoisse présentée dans *Inhibition, symptôme et angoisse* n'est en rien contradictoire avec la troisième que je viens d'évoquer concernant le déni et le clivage du moi. Bien au contraire, cette troisième théorie de l'angoisse complète non seulement les hypothèses de 1926, mais elle établit un lien entre les hypothèses contenues dans *Inhibition, symptôme et angoisse* avec celles présentées dans « Deuil et mélancolie ». En effet, l'angoisse dont il est question en 1926 peut être considérée comme l'angoisse éprouvée par le moi total pour une personne totale — c'est-à-dire la crainte qu'éprouve le sujet de se séparer d'une personne reconnue importante — tandis qu'en 1938 il est question d'un moi faisant usage du déni et du clivage face au danger menaçant sa propre intégrité. Dans cette dernière éventualité, on reconnaît le clivage du moi déjà décrit en 1917 dans l'introjection de l'objet perdu, comme défense contre la perte d'objet, et le clivage du moi décrit en 1927 dans le fétichisme. Mais Freud y ajoute quelque chose en 1938, dans l'*Abrégé de psychanalyse* » (1940*a* [1938]), en attribuant l'angoisse à la crainte du moi de perdre sa propre intégrité. Comme je l'ai mentionné plus haut, cela signifierait que la réaction la plus psychotique à la séparation serait la peur de l'anéantissement, c'est-à-dire la peur du moi de perdre son intégrité.

L'influence de « Inhibition, symptôme et angoisse »

Les vues que Freud exprima dans *Inhibition, symptôme et angoisse* en 1926 furent en partie acceptées, en partie rejetées et en partie passées sous silence (E. Kris, 1956 ; J. Bowlby, 1973). Certains apports de Freud ont été largement développés et ont donné naissance au mouvement psychanalytique représenté par la psychologie du moi. D'autres aspects ont été contestés. Ainsi J. Bowlby (1973) propose une hypothèse concernant la nature du lien de l'enfant à sa mère basée exclusivement sur une théorie biologique du comportement instinctif d'attachement, contrairement à Freud qui fait référence aux « besoins » et aux « pulsions ». Pour J. Laplanche (1980) par contre, Freud paraît renoncer au pulsionnel en voulant modifier à partir de 1926 ses vues antérieures sur l'origine de l'angoisse. Quant au rapport entre angoisse et séparation, il a pratiquement disparu des travaux de Anna Freud sur le moi et les mécanismes de défense (1936) ; en tout cas, elle ne lui attribue pas l'importance que lui avait donnée Freud. Les analystes qui suivent M. Klein accordent une grande place à l'interprétation de l'angoisse de séparation en clinique et sont d'accord sur ce point avec les vues de Freud, mais l'angoisse est pour eux une réponse directe au travail de la pulsion de mort. D'une manière générale, il ne fait aucun doute que le contenu de *Inhibition, symptôme et angoisse* a été considéré par beaucoup avant tout comme une spéculation théorique, alors que personnellement je pense qu'il s'agit là de l'élaboration de phénomènes cliniques observables quotidiennement dans la cure analytique, qui n'ont pu manquer d'intriguer Freud.

5

Le point de vue de Melanie Klein et de ses continuateurs sur l'angoisse de séparation et de perte d'objet

Les phénomènes liés à l'angoisse de séparation tiennent une grande place dans la théorie et la pratique de Melanie Klein et de ses continuateurs. On sait que les travaux de M. Klein s'inscrivent dans le prolongement des premières recherches psychanalytiques entreprises par K. Abraham dès 1911 sur la dépression et les états maniaco-dépressifs. Les recherches de K. Abraham, antérieures à celles de Freud, avaient stimulé ce dernier dans sa rédaction de « Deuil et mélancolie » (1917e [1915]).

Grâce à son expérience de l'analyse avec de très jeunes enfants, et aussi grâce à l'auto-analyse de ses propres deuils, Melanie Klein découvrit les racines précoces de la dépression dans l'enfance, et attribua au deuil un rôle central, non seulement dans la psychopathologie, mais aussi dans le développement normal.

Nous allons exposer brièvement la place de l'angoisse de séparation et de perte de l'objet chez M. Klein à la lumière des notions fondamentales apportées par elle, telles que celles de complexe d'Œdipe précoce, de positions paranoïde-schizoïde et dépressive par rapport à l'angoisse, d'identification projective ou d'envie. Ensuite nous discuterons les apports de ses principaux continuateurs, en particulier ceux de H. Rosenfeld, H. Segal, W. R. Bion et D. Meltzer.

1 / L'ANGOISSE DE SÉPARATION
ET DE PERTE D'OBJET CHEZ MELANIE KLEIN

Chez Melanie Klein, l'angoisse de séparation et de perte d'objet s'inscrit dans le cadre de sa conception des relations objectales et de sa propre théorie de l'angoisse.

Pour elle, au départ de la vie, il n'y a pas d'indifférenciation moi-objet comme pour Freud (narcissisme primaire), car selon Melanie Klein la perception du moi et celle de l'objet existent depuis la naissance, et l'angoisse est une réponse directe au travail interne de la pulsion de mort. Cette angoisse prend deux formes d'après elle : une angoisse persécutrice qui appartient à la position paranoïde-schizoïde, et une angoisse dépressive qui appartient à la position dépressive. Comme le relève H. Segal (1979) : « L'angoisse fondamentale postulée par Freud concernant la perte de l'objet pouvait être vécue selon Melanie Klein sur l'un ou l'autre mode ou encore bien entendu selon une quelconque combinaison des deux. On peut la vivre soit sur un mode paranoïaque, dans la mesure où l'objet devient méchant et attaque, soit sur un mode dépressif où l'objet reste bon et il y a angoisse de perdre le bon objet plutôt qu'angoisse d'être attaqué par le mauvais objet » (p. 126).

Sans vouloir reprendre ici la conception des relations d'objet précoces sur laquelle se fonde M. Klein pour décrire la position paranoïde-schizoïde et la position dépressive au cours du développement infantile, situons cependant brièvement les angoisses de séparation et de perte d'objet telles qu'elles s'inscrivent dans le contexte de ces deux types fondamentaux d'angoisse définis par elle.

Séparation et perte d'objet
dans la position paranoïde-schizoïde et la position dépressive

La première angoisse chez l'enfant décrite par M. Klein est la peur d'être anéanti par la pulsion de mort. C'est pourquoi cette pulsion doit être projetée à l'extérieur, et, à partir de cette projection primordiale, va se former le fantasme du mauvais objet qui menace le moi du dehors. La haine se dirige alors vers ce mauvais objet externe, mais la totalité de la pulsion de mort ne peut être projetée, une partie reste toujours à l'intérieur. Par ailleurs, du fait de la projection et de l'introjection simultanées, l'objet persécuteur devient menaçant à l'intérieur, à côté du bon objet protecteur introjecté. La peur de l'anéantissement décrite par M. Klein comme la première angoisse, ainsi que je l'ai relevé plus haut, n'est pas sans analogie avec la première situation de danger pour le moi décrite par Freud en 1926, c'est-à-dire la peur d'être submergé par une excitation excessive et non maîtrisable.

Dans la position paranoïde-schizoïde, l'angoisse qui prédomine à ce stade est que le persécuteur ne détruise à la fois le moi (self) et l'objet idéalisé. Aussi, pour se protéger de cette angoisse, le moi utilise-t-il des mécanismes schizoïdes tels que le renforcement du clivage entre l'objet idéalisé et le mauvais objet, ainsi que l'idéalisation excessive et le déni omnipotent utilisés comme défenses contre les peurs de persécution. H. Segal souligne qu' « à ce stade primitif de développement il n'y a pas d'expérience de l'absence, le manque de bon objet est vécu comme une attaque par les mauvais objets. (...) La frustration est vécue comme une persécution tandis que les bonnes expériences se fondent dans le fantasme d'un objet idéal en le renforçant » (1979, p. 110).

Dans la position dépressive, les angoisses surgissent de l'ambivalence : le nourrisson a surtout peur que sa haine et ses pulsions destructrices n'anéantissent l'objet qu'il aime et dont il dépend entièrement. La découverte de sa dépendance par rapport à l'objet — qu'il perçoit comme autonome et capable de s'en aller — augmente en lui le besoin de posséder l'objet, de le conserver au-dedans de lui et, si possible, de le protéger contre sa propre destructivité. Comme la position dépressive commence à la phase orale du développement, dans laquelle aimer c'est dévorer, la toute-puissance des mécanismes d'introjection mène à la peur que les pulsions n'anéantissent non seulement le bon objet externe, mais aussi le bon objet introjecté, transformant le monde interne en chaos.

Si le nourrisson est mieux intégré, il peut se souvenir de l'amour pour le bon objet et le conserver lorsqu'il le hait. La mère est aimée et le nourrisson peut s'identifier à elle, sa perte est alors cruellement ressentie et une nouvelle gamme de sentiments apparaît. Comme le dit M. Klein dans « Contribution à la psychogenèse des états maniaco-dépressifs » (1935) : « En franchissant cette étape, le moi atteint une nouvelle position, qui donne son assise à la situation que l'on appelle perte de l'objet. En effet, la perte de l'objet ne peut pas être ressentie comme une perte totale avant que celui-ci ne soit aimé comme un objet total » (p. 313). Dans une telle situation, le nourrisson éprouve non seulement des sentiments de perte, de tristesse et de nostalgie du bon objet ressenti comme perdu, mais aussi un sentiment de culpabilité qui provient du danger qui menace l'objet interne comme étant dû à ses propres pulsions et fantasmes. Le nourrisson se trouve ainsi exposé au « désespoir dépressif », selon l'expression de H. Segal (1964) : « Il se souvient qu'il a aimé sa mère, et sans doute qu'il l'aime encore, mais il sent qu'il l'a dévorée ou détruite de sorte qu'elle ne lui est plus accessible dans le monde extérieur. De plus il l'a aussi détruite en tant qu'objet interne, qui est ressenti comme mis en morceaux » (p. 53-54). Il y a fluctuation constante entre l'angoisse de persécution, lorsque la haine est la plus forte, et l'angoisse dépressive, lorsque l'amour l'emporte sur la haine (M. Klein, 1940).

L'élaboration de la position dépressive vise à établir au cœur du moi du nourrisson un objet interne total suffisamment stable. S'il n'y parvient pas, l'enfant risque de présenter des troubles psychiques de type paranoïde ou maniaco-dépressif. C'est pourquoi la position dépressive marque un moment capital entre le point de fixation des psychoses et celui des névroses.

Bien que M. Klein ait d'abord décrit la position paranoïde-schizoïde comme précédant la position dépressive au cours du développement, elle semble avoir évolué dans sa pensée, et considéré que la position dépressive pouvait être présente d'emblée. Si bien qu'on considère actuellement les notions de position comme renvoyant davantage à des états momentanés d'organisation du moi, subissant des fluctuations incessantes, plutôt qu'à une organisation qui s'installerait de manière chronologique au cours des phases du développement infantile.

La défense maniaque

Dans ce même article de 1935, M. Klein décrit de nouvelles défenses face à la crainte de la séparation et de la perte d'objet, qu'elle nomme défenses maniaques, et dont la caractéristique est la tendance à nier la réalité psychique de la douleur dépressive. Ces défenses se mettent en place au cours de la position dépressive. L'objet est contrôlé de manière toute-puissante sur un mode triomphant et méprisant, de façon à ce que la perte d'objet n'entraîne ni souffrance, ni culpabilité. Alternativement ou simultanément, il peut y avoir fuite vers l'objet interne idéalisé, s'accompagnant du déni de tout sentiment de destruction et de perte. Ces défenses font partie de l'évolution normale, mais si elles sont excessives et durent trop longtemps, elles empêchent le développement d'une relation à un bon objet total et l'élaboration de la position dépressive (H. Segal, 1979, p. 75).

La défense maniaque joue un rôle de premier plan dans les défenses contre l'angoisse de séparation lors des interruptions de la rencontre analytique, et constitue le noyau de nombreuses réactions qui visent à dénier la douleur dépressive de la perte, comme les acting-out en particulier qui peuvent être considérés comme une fuite vers des objets externes idéalisés.

Réalité externe et réalité psychique

Pour M. Klein la réalité extérieure et la réalité interne ou psychique sont en constante interrelation, et les expériences de séparation ou de perte avec les objets réels influencent les expériences psychiques, mais toujours de manière indirecte, à travers les relations fantasmatiques avec les objets internes. D'après elle, les frustrations ou les menaces pour la satisfaction des besoins de l'enfant sont toujours ressenties comme provenant de l'objet qui devient de ce fait un persécuteur, et ce persécuteur externe sera immédiatement intériorisé comme un persécuteur interne, le mauvais objet intériorisé.

Cependant, à l'inverse, les expériences positives avec la réalité influencent favorablement les relations avec les objets intériorisés. Ainsi, les processus de deuil liés à la position dépressive sont influencés par les expériences positives faites avec les objets réels. L'épreuve de la réalité permet à l'enfant de surmonter ses angoisses, par exemple, et de vérifier que ses fantasmes de destruction ne se sont pas réalisés. Lorsque M. Klein développera ses idées sur le rôle joué par la culpabilité et la réparation dans le développement psychique, elle montrera comment les désirs et les fantasmes de restauration permettent de constituer un bon objet interne. Dans ce processus, la réalité de la réapparition de la mère est essentielle pour l'enfant, comme le souligne H. Segal (1979) : « sa réapparition le rassure quant à la force de ses objets et à la possibilité qu'ils ont de faire retour, et surtout elle diminue la croyance qu'il a dans la toute-puissance de sa propre hostilité et accroît sa confiance dans les pouvoirs réparateurs de son amour. Si la mère ne réapparaît pas ou si son amour fait défaut, l'enfant peut se trouver à la merci de ses peurs dépressives et persécutrices » (p. 76). En effet, chez les enfants ou les adultes qui souffrent de dépression et se sentent menacés quant à la possession de bons objets internes, la peur de perdre le « bon » objet intériorisé devient une source de perpétuelle angoisse devant la mort possible de la mère réelle, et réciproquement toute expérience qui fait penser à la perte de l'objet aimé réel soulève la peur de perdre aussi l'objet intériorisé.

Dans sa synthèse des vues de M. Klein sur la place de l'angoisse de séparation et de perte d'objet chez l'enfant, J. Manzano (1989) relève qu'aux sources externes et internes de l'angoisse chez l'enfant, on doit ajouter deux autres sources externes d'angoisse mentionnées par M. Klein, dont il est habituellement peu fait état. L'une est la crainte que la perte de la mère constitue en même temps la perte d'une « première ligne de défense », car la mère constitue pour l'enfant une possibilité de contenir ses angoisses « en permettant notamment de projeter et de déplacer sur elle "les parties du soi" et les mauvais objets, et de les contraster ainsi avec la réalité pour pouvoir les réintrojecter modifiés par la suite » (p. 251). Dans le même ordre d'idée, J. Manzano souligne également le rôle joué par la mère en tant qu'objet « présence de la mère » comme le nomme M. Klein — « cinquième objet » par rapport aux quatre autres décrits par elle, selon Baranger (1980). Cet objet « présence de la mère » a des références immédiates avec le réel ainsi qu'avec la perception et « de ce fait, il nous intéresse tout spécialement lorsque nous considérons les réactions de séparation déterminées par la présence physique de la mère » (p. 250).

Séparation et perte dans le développement infantile

Au cours du développement, chaque enfant expérimente des situations de séparation ou de perte qui représentent pour lui une menace, et dans cette perspective toute étape du développement implique une perte. Les premières et les plus importantes sont, pour M. Klein, la naissance et le sevrage. Le sevrage constitue le prototype de toutes les pertes successives ultérieures, et notamment la perte du sein idéalisé qu'il représente déclenche une réaction de deuil, accompagnée de tristesse et de nostalgie, qui en fait un élément essentiel de la position dépressive.

Au fur et à mesure des progrès de l'enfant au cours de son développement, ces pertes sont vécues de moins en moins sur un mode persécutoire (angoisse de perte du moi et d'être attaqué par le mauvais objet) et de plus en plus sur un mode dépressif (peur de perdre le bon objet intériorisé). Chaque fois qu'il y a perte, au cours de l'existence, les sentiments dépressifs sont réactivés. H. Segal (1979) résume ainsi ces étapes de la vie : « Dans l'apprentissage de la propreté l'enfant doit renoncer à ses selles internes idéalisées ; marcher et parler implique également la reconnaissance de soi-même comme individualité séparée. Au cours de l'adolescence la dépendance infantile doit être abandonnée ; à l'âge adulte il faut affronter la perte de ses propres parents et des figures parentales et peu à peu la perte de sa propre jeunesse. A chaque étape du développement il faut choisir de nouveau entre régresser pour fuir la douleur dépressive, vers un mode de fonctionnement paranoïde-schizoïde, ou élaborer la douleur dépressive pour permettre au développement de s'accomplir. En ce sens on peut dire que la position dépressive n'est jamais totalement élaborée : l'élaboration complète de la position dépressive aboutirait à quelque chose comme la parfaite maturité. Mais c'est le degré d'élaboration de la dépression et le degré d'intégration des bons objets internes par le moi qui déterminent la maturité et l'équilibre de l'individu » (p. 130). Je reparlerai de la notion d'intégration dans le dernier chapitre, à propos de l'article de M. Klein intitulé « Se sentir seul » (1959).

L'interprétation dans la situation analytique

Dans la situation analytique, les réactions aux séparations sont comprises par M. Klein comme réveillant les angoisses paranoïdes et les angoisses dépressives. Une grande importance est accordée par elle et par les analystes qui la suivent, à l'analyse détaillée et précise des fantasmes ainsi que des mouvements pulsionnels et défensifs transférentiels qui surgissent à l'occasion des interruptions de la rencontre analytique.

Chez l'enfant comme chez l'adulte M. Klein interprète par exemple la crainte d'être abandonné au moment des interruptions de manière très diverse, suivant le contexte transférentiel et le sentiment qui prédomine : ce sentiment peut être que l'objet l'abandonne à cause des fantasmes agressifs inconscients dirigés contre lui, et l'analysant se sent alors livré au mauvais objet (angoisses paranoïdes), ou bien ce sentiment de l'analysant peut être la crainte de perdre la sécurité apportée par le bon objet intériorisé (angoisses dépressives). Les modes spécifiques de défenses sont alors analysés, notamment les défenses maniaques, par exemple, ainsi que la manière dont est utilisée *hic et nunc* l'identification projective pour lutter contre la crainte d'être séparé ou de perdre l'objet.

Narcissisme, identification projective et envie

Par la suite les idées de M. Klein ont évolué, et elle a apporté d'autres développements qui sont venus compléter ce qu'apportaient déjà les notions d'angoisses paranoïdes-schizoïdes et d'angoisses dépressives à la compréhension des relations d'objet. Notamment, M. Klein a introduit les concepts d'identification projective et d'envie qui éclairent d'une manière nouvelle le rôle joué par le narcissisme en tant que défense contre la perception de l'objet comme séparé et différent.

Les implications du narcissisme comme défense contre l'angoisse paranoïde, contre l'angoisse dépressive, et contre l'envie et ses avatars ont surtout été décrites par les psychanalystes postkleiniens notamment H. Rosenfeld, H. Segal, W. R. Bion et D. Meltzer. Bien que M. Klein ait peu parlé du narcissisme, cette notion est néanmoins présente dans ses écrits, comme l'ont montré H. Segal et D. Bell dans une étude sur la théorie du narcissisme chez Freud et chez Klein (à paraître). Ainsi, quand M. Klein décrit l'identification projective dans « Notes sur quelques mécanismes schizoïdes » (1946), elle dit explicitement que lorsque la relation avec une autre personne est fondée sur la projection en elle des parties « bonnes » ou des parties « mauvaises » du sujet, « elle est de nature narcissique, parce que, dans ce cas aussi, l'objet représente surtout une partie du sujet » (p. 287). De même la référence au narcissisme est contenue dans « Envie et gratitude » (1957), lorsque M. Klein montre comment l'identification projective est un moyen de réaliser les buts de l'envie, en même temps qu'une défense contre l'envie. C'est par exemple le cas quand le sujet envieux s'introduit dans un objet et s'empare de ses qualités. Cependant, lorsqu'elle fait ce rapprochement, elle ne se réfère pas au narcissisme, bien que dans ce travail il est implicite qu'il doit y avoir une relation intime entre narcissisme et envie, comme l'a observé H. Segal (1983).

Si l'on résume les apports successifs de M. Klein et qu'on les applique à la clinique et à l'évolution du transfert, nous pouvons dire que nous assistons à un va-et-vient constant, au cours du processus psychanalytique : on voit en premier lieu comment la séparation mobilise d'abord l'identification projective omnipotente avec l'objet, afin de lutter contre la perception de l'objet séparé. Ensuite, la perception de l'objet comme différent et sexué mobilise l'envie, qui, progressivement, deviendra jalousie envers la scène primitive. Dès lors, se sentir séparé prend une autre signification : la mère n'est plus ressentie comme étant uniquement la possession de l'enfant, mais elle est ressentie comme formant un couple avec le père, et de là va naître un sentiment d'exclusion par rapport à la sexualité des parents, accompagné d'un désir de s'identifier à eux dans le contexte du complexe dŒdipe.

2 / H. ROSENFELD : IDENTIFICATION PROJECTIVE ET STRUCTURE NARCISSIQUE

A partir des travaux de M. Klein sur les relations d'objets précoces, Herbert Rosenfeld examine le rôle joué par l'omnipotence, l'identification introjective et projective, ainsi que par l'envie comme défenses contre la reconnaissance de la séparation entre le moi et l'objet. Il définit ainsi une structure narcissique de la personnalité, telle qu'on la rencontre en psychanalyse, et distingue deux types de narcissisme, le narcissisme libidinal et le narcissisme destructeur.

L'identification projective et l'envie, sources de confusion moi-objet

En 1947, à propos du premier cas de psychose traité par une technique purement psychanalytique, H. Rosenfeld avait montré comment une analysante faisait usage de l'identification projective pour se défendre contre les angoisses, en particulier contre celles liées à la séparation des vacances et à l'idée de la terminaison de l'analyse. Il avait attribué les moments de dépersonnalisation de celle-ci à des fantasmes visant à s'introduire de force dans l'analyste, afin d'obtenir tout ce qu'elle voulait, mais au prix de s'y perdre, et de se sentir morte ou désintégrée.

En 1964, H. Rosenfeld développa ses vues sur le narcissisme dans son article « A propos de la psychopathologie du narcissisme : une approche clinique ». Dans cette contribution qui marque une étape dans la conception psychanalytique du narcissisme, il examine la nature des relations aux objets chez les patients narcissiques et les mécanismes de défense qui s'y rattachent. H. Rosenfeld estime en effet que les phénomènes cliniques décrits par Freud comme des expériences de narcissisme primaire, c'est-à-dire sans objet, devraient plutôt être considérés comme des relations d'objet de type primitif. Selon lui, le narcissisme est basé sur l'omnipotence et sur l'idéalisation de soi obtenues au moyen de l'identification introjective et projective à l'objet idéalisé. M. Klein avait décrit l'identification au sein idéalisé par introjection et projection comme un « état » narcissique (1946), cependant H. Rosenfeld en fait désormais une *structure* qui s'est organisée. Cette identification à l'objet idéalisé aboutit à dénier la différence ou la frontière entre soi et l'objet, c'est pourquoi, selon H. Rosenfeld, « dans les relations d'objet narcissiques, les défenses contre toute reconnaissance de séparation entre soi et l'objet jouent un rôle déterminant » (p. 221). H. Rosenfeld attribue également un rôle essentiel à l'envie dans les phénomènes narcissiques. Selon lui, l'envie contribue de deux manières au renforcement des relations d'objet narcissiques : d'une part la possession omnipotente du sein idéalisé constitue une réalisation des buts de l'envie, car « lorsque l'enfant possède le sein de la mère de manière omnipotente, le sein ne saurait ni le frustrer ni éveiller son envie » (p. 222), d'autre part l'identification à l'objet idéalisé protège contre l'apparition du sentiment d'envie. Au cours de l'analyse, lorsque cette relation narcissique commence à être élaborée et que la conscience de la séparation apparaît, la reconnaissance de l'objet fait surgir l'envie, quand le caractère « bon » de l'objet est perçu. La perception de l'objet séparé peut alors conduire à un retour au narcissisme au moyen de l'identification projective, afin de posséder à nouveau l'objet envié et éviter de ressentir l'envie et la dépendance envers l'objet. Le va-et-vient entre des positions narcissiques et des positions où l'objet est reconnu peut être analysé de manière détaillée dans la relation transférentielle.

Narcissisme libidinal et narcissisme destructeur

Poursuivant sa recherche sur les états narcissiques, H. Rosenfeld introduit une distinction entre ce qu'il nomme le narcissisme libidinal et le narcissisme destructeur, dans un article intitulé « Les aspects agressifs du narcissisme : un abord clinique de la théorie des instincts de vie et de mort » (1971). Il souligne que lorsque la position narcissique envers l'objet est abandonnée, l'agressivité envers l'objet devient inévitable, et la persistance du narcissisme est due à la force des pulsions destructrices envieuses. Chez la plupart des patients les aspects libidinaux et les aspects destructeurs du narcissisme existent côte à côte, et la violence des pulsions destructrices varie. La différence entre ces deux formes de narcissisme dépend, selon lui, du degré de prédominance de la pulsion de mort sur la pulsion de vie.

Dans le narcissisme libidinal, la surestimation de soi est fondée sur des identifications introjectives et projectives à des objets idéalisés, de sorte que le sujet narcissique sent que tout ce qui a de la valeur dans les objets externes fait partie de lui. Tant que l'objet externe est ressenti comme faisant partie de soi, le patient ne perçoit pas l'objet, mais dès que l'objet externe est reconnu, sa perception déclenche la haine et le mépris : « La destructivité devient apparente dès que l'idéalisation omnipotente de la personnalité est menacée par le contact avec un objet qui est perçu comme séparé d'elle » (p. 213). Le patient se sent humilié dès lors qu'il s'aperçoit que l'objet externe possède des qualités. Cependant, lorsque la rancune peut être analysée, l'envie est vécue consciemment, et « le patient devient conscient de ce que l'analyste est une personne du monde extérieur précieuse pour lui » (p. 213).

Lorsque les aspects destructeurs l'emportent, l'envie est plus violente et se présente comme un souhait de détruire l'analyste, parce qu'il représente l'objet qui est la véritable source de ce qui est vivant et bon. En même temps apparaissent de violentes pulsions auto-destructrices, et le patient narcissique s'imagine autosuffisant, pense qu'il s'est donné la vie à lui-même et n'a pas besoin de parents, qu'il peut se nourrir tout seul et ne dépendre de personne. Confronté à la réalité de sa dépendance envers l'analyste, certains patients préfèrent alors ne pas exister et détruire les progrès de l'analyse, ou gâcher leurs succès professionnels ou leurs relations personnelles. Chez certains patients le désir de mourir est idéalisé comme solution à tous les problèmes, expression à l'état pur de la pulsion de mort désunie.

Dans le narcissisme libidinal comme dans le narcissisme destructeur ce sont les relations d'objet libidinales positives qui sont attaquées et haïes, c'est-à-dire le besoin d'établir des relations « bonnes » et le souhait d'accepter l'aide d'autrui. Pour ces patients narcissiques, avoir besoin d'aide et d'amour est une humiliation insupportable, et lorsque l'analyste leur fait prendre conscience de la nécessaire dépendance vis-à-vis d'autrui, cela est ressenti par eux comme un asservissement qui met en péril leur supériorité. Les parties destructrices et envieuses peuvent agir silencieusement et se dissimuler derrière l'indifférence apparente des sujets narcissiques à l'égard des objets du monde externe. Parfois cette destructivité est manifeste et bruyante, et le clivage peut aller jusqu'au point où la presque totalité de la personnalité s'identifie à la partie destructrice omnipotente, la partie libidinale du soi étant projetée sur l'analyste qui est alors attaqué. Mais cette attaque envers l'analyste est une attaque qui vise également les aspects libidinaux du patient lui-même, identifiés projectivement à l'analyste. Ce clivage extrême serait, selon H. Rosenfeld, un effet de la désunion entre la pulsion de vie et la pulsion de mort.

Quelle que soit la force des pulsions destructrices, il est donc essentiel cliniquement de trouver un accès auprès de la partie libidinale dépendante, de manière à atténuer l'influence de la haine et de l'envie, et permettre ainsi au patient d'établir de bonnes relations d'objet. « Quand ce problème est perlaboré dans le transfert et que les parties libidinales du patient reprennent vie pour lui, il apparaît alors une sollicitude pour l'analyste, tenant lieu de la mère, qui atténue les pulsions destructrices et diminue le danger de désunion » (p. 214).

Les recherches de H. Rosenfeld ont permis d'explorer de manière détaillée les relations d'objet précoces qui sont à la base de la structure narcissique de nombreux analysants et d'élaborer pourquoi, par exemple, certains d'entre eux n'acceptent jamais la séparation, paraissent indifférents aux absences de l'analyste, parce qu'ils n'admettent pas la présence de l'objet, et que leur souhait inconscient est d'être tenus, nourris et satisfaits durant toute leur vie.

3 / H. SEGAL : NARCISSISME,
DIFFÉRENCIATION MOI-OBJET ET SYMBOLISATION

Les contributions cliniques et théoriques de Hanna Segal au problème qui nous occupe portent les unes sur la question du narcissisme et ses rapports avec l'envie et la pulsion de mort, les autres sur le rôle de la différenciation entre le moi et l'objet dans la formation du symbole.

Le narcissisme, expression de la pulsion de mort

Les vues de Hanna Segal sur le narcissisme sont proches de celles de Rosenfeld, mais elles divergent sur un point, celui de la distinction faite par ce dernier entre le narcissisme libidinal et le narcissisme destructeur. Pour H. Segal, fondamentalement, tout narcissisme pathologique qui persiste est basé sur la pulsion de mort et sur l'envie. Bien que des éléments libidinaux entrent inévitablement dans l'intrication pulsionnelle, cette persistance du narcissisme reste toujours sous la prédominance de la pulsion de mort (H. Segal, 1983).

H. Segal pense que le concept de pulsion de vie et depulsion de mort peut aider à résoudre le problème de l'hypothèse du narcissisme primaire avancée par Freud. Elle compare les conceptions de Freud et de Klein à ce sujet : d'après Freud, dans le narcissisme primaire l'enfant se sent la source de toutes les satisfactions, et par la suite la découverte de l'objet fait surgir la haine ; d'après M. Klein, c'est l'envie qui surgit au moment de la découverte de l'objet. Si l'on suit l'hypothèse freudienne du narcissisme primaire, la découverte de la qualité bonne de l'objet externe surviendrait à une période relativement tardive et conduirait à la rage narcissique, la haine envers l'objet prenant sa source dans la récusation du monde extérieur, récusation émanant du moi narcissique (Freud, 1915*d*, p. 266). Si, avec M. Klein, on pense que l'on a dès la naissance la capacité de reconnaître l'objet externe, la rage narcissique serait alors une expression de l'envie. En conclusion, H. Segal déclare que le narcissisme peut alors être considéré comme une défense contre l'envie et être davantage relié à l'action de la pulsion de mort et de l'envie plutôt qu'à l'action des pulsions libidinales (H. Segal, 1983). Quant à la pulsion de vie, pour H. Segal, elle inclut l'amour de soi et l'amour des objets qui donnent la vie. La relation à l'objet idéalisé, qui est la première expression de la pulsion de vie, ne donne pas naissance à un narcissisme persistant, c'est un état temporaire, qualifié intuitivement d' « état narcissique » par Klein. Cette relation évolue vers un objet interne « bon » plutôt qu'idéalisé, et elle est à la base de l'amour de soi et de l'amour des objets, internes et externes. Par contre, la pulsion de mort et l'envie donnent naissance à des relations d'objet et à des structures internes qui sont destructrices et autodestructrices.

Dans sa contribution au symposium FEP de 1984 sur la pulsion

de mort, « De l'utilité clinique du concept de pulsion de mort »,
H. Segal (1986) a exploré plus avant l'idéalisation de la mort chez
des patients narcissiques. Chez certains d'entre eux, l'idéalisation du
narcissisme prend la forme d'une idéalisation de la mort et d'une
haine de la vie. La mort leur apparaît de manière délirante comme
la meilleure solution pour résoudre leurs difficultés, car elle est
ressentie comme un état idéal dans lequel ces patients croient
obtenir la libération de toutes les frustrations et tracas de l'existence.
Segal établit aussi un rapprochement entre le « nirvana » décrit par
Freud (1920*g*) comme le pôle séducteur de la pulsion de mort, et le
souhait d'annihilation non seulement de l'objet, mais aussi du self,
qui surgit comme défense contre la douleur provenant de la
perception de l'objet. H. Segal décrit chez une analysante comment
ses réactions émotionnelles extrêmes sont accompagnées d'un
souhait d'annihiler à la fois les objets externes et le soi qui perçoit,
afin de ne pas éprouver des perceptions ou des pulsions pouvant
provoquer frustrations ou angoisses. Dans cette perspective, les buts
de la pulsion de mort rejoignent les buts de l'envie, et il existe un
lien intime entre les deux, d'après Segal : « L'annihilation est à la
fois l'expression de l'instinct de mort dans l'envie et une défense
contre l'expérience d'envie par l'annihilation de l'objet envié et du
soi qui désire l'objet. » Cependant, H. Segal montre également dans
cette contribution qu'une confrontation avec la pulsion de mort
peut, dans des circonstances favorables, mobiliser également la
pulsion de vie.

Comment émerger du narcissisme ? se demande H. Segal. A son
avis, on ne parvient à émerger de telles structures narcissiques et à
établir des relations d'objets stables, non narcissiques, qu'en
« négociant » la position dépressive. En effet, c'est dans la position
dépressive que peut s'établir une différenciation entre le soi et l'objet :
« Le passage vers la position dépressive est le passage vers une situation
dans laquelle l'amour et la gratitude envers un bon objet externe et
interne peuvent s'opposer à la haine et à l'envie de tout ce qui est bon et
ressenti comme extérieur à soi. L'intégration et la séparation croissantes
résultant de la diminution des projections permettent l'amour pour un
objet perçu objectivement. Cela permet aussi à l'objet d'être hors du
contrôle du sujet et en relation avec d'autres objets. Ainsi, par
définition, la capacité de négocier la position dépressive implique une
capacité de négocier le complexe d'Œdipe, et assure une identification
avec un couple de parents créateur » (H. Segal et D. Bell, 1989).

Perte d'objet et formation du symbole

Les processus de symbolisation jouent un rôle central dans la capacité d'élaborer la séparation et la perte d'objet, et Hanna Segal (1957, 1978) a montré en particulier comment le symbole sert à surmonter une perte acceptée, tandis que l'équation symbolique est utilisée pour dénier la séparation entre le sujet et l'objet.

Selon elle, le processus de symbolisation requiert une relation à trois termes — le moi, l'objet et le symbole — et la formation du symbole se développe progressivement au cours du passage de la position paranoïde-schizoïde à la position dépressive.

Au cours du développement normal, dans la position paranoïde-schizoïde qui fonctionne au début de la vie, le concept d'absence existe à peine, les symboles précoces sont formés par identification projective, et il en résulte la formation d'*équations symboliques*. H. Segal a introduit le terme d'équation symbolique pour désigner les symboles précoces qui sont de nature très différente des symboles qui se forment ultérieurement. En effet, les symboles précoces ne sont pas ressentis comme des symboles ou des substituts, mais comme l'objet originel lui-même. Au cours du développement psychique, des perturbations dans la différenciation entre le moi et l'objet peuvent conduire à des perturbations dans la différenciation entre le symbole et l'objet symbolisé. C'est pourquoi l'équation symbolique est à la base de la pensée concrète caractéristique des psychoses (1957, p. 100).

Dans la position dépressive, il existe un plus grand degré de différenciation et de séparation entre le moi et l'objet, et après les expériences répétées de perte, de retrouvaille et de recréation, un bon objet s'installe de manière sûre dans le moi. Le symbole est alors utilisé pour surmonter une perte qui a été acceptée parce que le moi est devenu capable de renoncer à l'objet, d'en faire le deuil, et il est ressenti comme une création du moi, d'après H. Segal. Ce stade n'est cependant pas irréversible, car dans les moments de régression le symbolisme peut revenir à une forme concrète, même chez des individus non psychotiques.

H. Segal souligne également que la possibilité de former des symboles régit la capacité de communiquer, aussi bien dans la communication avec l'extérieur que dans la communication interne, puisque toute communication est faite au moyen de symboles. Dans les troubles de la différenciation entre le sujet et l'objet, les symboles sont ressentis de manière concrète et sont inutilisables à des fins de communication, ce qui constitue l'une des difficultés de l'analyse des patients psychotiques. Par contre la capacité de symboliser acquise dans la position dépressive est utilisée pour traiter les conflits précoces non résolus en les symbolisant, de sorte que les angoisses qui étaient restées clivées dans le moi — liées à des relations d'objet précoces — peuvent être progressivement traitées par le moi au moyen de la symbolisation.

Implications cliniques des apports de H. Rosenfeld et H. Segal

Les développements apportés par H. Rosenfeld et H. Segal à la conception kleinienne des relations d'objet primitives qui constituent le narcissisme ont eu des répercussions considérables sur la technique psychanalytique. Les rapports entre les parties narcissiques et non narcissiques de la personnalité sont devenues un aspect essentiel du travail dans l'élaboration psychique, non seulement chez les analysants psychotiques ou narcissiques, mais aussi chez les analysants moins perturbés. Ces recherches ont par ailleurs attiré l'attention sur la grande variété des pulsions et des défenses en jeu dans le narcissisme, défenses qui sont les unes dirigées contre la séparation, d'autres contre la différenciation entre le moi et l'objet.

Sur le plan de la technique également, ces recherches ont démontré l'utilité d'analyser immédiatement, *pendant la séance*, et de manière détaillée, les mécanismes narcissiques qui surgissent dans la relation entre analysant et analyste — tout particulièrement ceux qui s'élèvent contre l'angoisse de séparation et de différenciation — afin d'éviter qu'apparaissent en dehors des séances des réactions parfois catastrophiques.

L'évolution des tendances narcissiques vers la reconnaissance de l'objet, loin d'être une évolution linéaire, est essentiellement faite de mouvements progressifs et régrédients incessants, de pas en avant et retours en arrière. A mesure que l'omnipotence et l'envie diminuent, l'analysant devient moins persécuté par ses objets envieux, il acquiert une relation plus confiante envers les objets internes bons, et le passage de la position paranoïde-schizoïde se fait progressivement vers la position dépressive. Alors apparaît un sentiment d'une qualité différente, celui de ressentir la frustration et le désir par rapport à la sexualité des parents, dans le cadre du complexe d'Œdipe.

4 / W. R. BION : VICISSITUDES DE LA RELATION CONTENANT-CONTENU

W. R. Bion a apporté des idées nouvelles et fondamentales, et nous pouvons considérer les notions de contenant-contenu et de « capacité de rêverie » comme les préconditions nécessaires pour tolérer les angoisses, en particulier les angoisses de séparation. D'après les idées de W. R. Bion, pour que l'analysant puisse tolérer l'angoisse de séparation et introjecter cette fonction, il est indispensable qu'il ait eu l'expérience d'un psychanalyste qui peut le comprendre, le contenir. Il s'agit que l'analyste reçoive l'identification projective et sache l'utiliser. Prenons l'exemple d'un analysant qui arrive en retard et laisse attendre l'analyste : si l'analyste est capable d'écouter la valeur de communication de ce retard et d'interpréter tout ce que l'analysant croit que l'analyste a ressenti pendant son absence, il permet à l'analysant à son tour d'introjecter un analyste capable de tolérer l'angoisse et de l'élaborer.

L'identification projective comme moyen de communication

W. R. Bion a donné un développement original à la notion d'identification projective introduite par M. Klein (1946) en l'enrichissant d'une nouvelle signification. Non seulement il en distinguera une forme normale et une forme pathologique, mais il considérera l'identification projective comme le premier moyen de communication de l'enfant, et en fera le point de départ de l'activité de penser et d'élaborer l'angoisse.

Pour M. Klein, l'identification projective constitue une défense primitive qui fonctionne dès les premiers mois de la vie et fait partie du développement émotionnel du nourrisson. Pour elle, il s'agit d'un fantasme omnipotent à travers lequel le nourrisson se décharge de certaines parties indésirables (ou parfois désirables) de sa personnalité et de son monde interne en les projetant dans l'objet externe. M. Klein avait évoqué le rôle de la mère comme objet externe — l'objet dans lequel est défléchie la pulsion de mort, par exemple — mais W. R. Bion décrira de manière beaucoup plus précise l'importance du rôle joué par la mère en tant qu'objet externe recevant les angoisses et les émotions incontrôlables du bébé, les transformant et les rendant ensuite tolérables pour ce dernier.

W. R. Bion établit une analogie entre la situation analyste-analysant dans la séance, et la situation mère-enfant, soulignant que l'analyste pas plus que la mère n'est un réceptacle passif, mais qu'il joue un rôle actif dans les processus de pensée et d'élaboration de l'angoisse, au point que ces processus dépendent de la qualité du contenant, c'est-à-dire de l'analyste comme de la mère.

Dans la relation mère-enfant, le modèle contenant-contenu peut être employé pour représenter aussi bien la réussite que l'échec de l'identification projective. Lorsque la mère et l'enfant sont ajustés l'un à l'autre, l'identification projective est utilisée par le nourrisson pour éveiller chez la mère des sentiments dont il veut se débarrasser. Ainsi le nourrisson, lorsqu'il est angoissé parce qu'il a faim, peut se mettre à crier ou à pleurer. Si sa mère peut le comprendre et agir en fonction de la demande de l'enfant, par exemple le prendre dans ses bras, le nourrir et le consoler, l'enfant a le sentiment qu'il s'est débarrassé de quelque chose d'insupportable dans sa mère, et que celle-ci en a fait quelque chose de supportable. Le nourrisson peut alors réintrojecter son angoisse devenue tolérable, et aussi réintrojecter *la fonction* de cette mère qui peut contenir et penser. La mère fonctionne alors comme un contenant des sensations du nourrisson et, par sa maturité psychique, assure le rôle d'un bon objet qui transforme la faim en satisfaction, la solitude en compagnie, ainsi que « la peur de mourir et l'angoisse en vitalité et en confiance, l'avidité et la méchanceté en sentiment d'amour et de générosité ; le petit enfant tète et se réapproprie ainsi ses mauvaises possessions, une fois qu'elles ont été traduites en bonté » (1963, p. 36).

La « capacité de rêverie »

Cette faculté de la mère accueillant les identifications projectives du nourrisson, W. R. Bion l'a nommée « capacité de rêverie ». La capacité de rêverie est inséparable du contenu, parce que celui-ci dépend de celui-là, et la qualité psychique du contenu est transmise à travers les canaux de communication qui forment les liens avec l'enfant. Ensuite tout dépendra de la nature de la qualité psychique maternelle et de leur impact sur les qualités psychiques du nourrisson. « Si la mère nourricière n'est pas capable de dispenser sa rêverie ou si la rêverie dispensée ne se double pas d'un amour pour l'enfant ou pour le père, ce fait sera communiqué au nourrisson, même s'il lui demeure incompréhensible » (*Aux sources de l'expérience*, 1962*b*, p. 52). La rêverie est donc pour W. R. Bion un état d'esprit réceptif à tout objet provenant de l'objet aimé, un état d'esprit capable d'accueillir les identifications projectives du nourrisson, qu'elles soient ressenties par lui comme bonnes ou mauvaises.

L'ensemble du fonctionnement mère-enfant contribue à former le début de la pensée, et deux mécanismes principaux entrent dans la formation de l'appareil à « penser les pensées ». Le premier est représenté par la relation dynamique entre ce qui est projeté, un *contenu* (marqué du signe masculin ♂), et un objet qui le contient, un *contenant* (marqué du signe féminin ♀). Le second mécanisme est représenté par la relation dynamique oscillante entre la position paranoïde-schizoïde et la position dépressive.

Le bon fonctionnement de la relation contenant-contenu entre la mère et l'enfant permet à ce dernier d'intérioriser les bonnes expériences, et d'introjecter un « couple heureux », formé par une mère dont la fonction contenante (fonction alpha) sert de réceptacle pour les émotions de l'enfant, constituant le contenu, déposées en elle par identification projective. Cette fonction est la source de l'activité de pensée, comme nous le verrons plus loin, car « l'activité de pensée dépend de l'introjection réussie du bon sein qui est, à l'origine, responsable de la performance de la fonction alpha » (p. 37).

W. R. Bion distingue en effet deux fonctions de la personnalité, la fonction alpha et la fonction bêta, pour rendre compte de certains faits cliniques. La fonction alpha a pour but de transformer les impressions sensorielles en « éléments alpha » servant à former la pensée des rêves, les impressions de la veille et les souvenirs. Les « éléments bêta » par contre ne servent pas à penser, rêver ou se souvenir, et n'exercent pas de fonction dans l'appareil psychique, mais sont expulsés par l'identification projective ; les éléments bêta prédominent chez les patients psychotiques présentant des troubles de la pensée, une incapacité à former des symboles, ainsi qu'une tendance à agir et utiliser la pensée concrète. La capacité de l'enfant de réintrojecter son angoisse devenue supportable est aussi désignée par W. R. Bion comme une transformation de bêta en alpha.

En plus de la relation dynamique contenant-contenu, W. R. Bion décrit un second mécanisme, celui de l'interaction dynamique des positions paranoïde-schizoïde et dépressive de M. Klein. Il indique par le signe SP ↔ D les oscillations incessantes au sein du psychisme entre les mouvements de désintégration propres à la position paranoïde-schizoïde (clivage, déni, idéalisation, identification projective) et les mouvements d'intégration propres à la position dépressive (réintégration du clivage et de la projection, ambivalence amour-haine). Les situations d'angoisse peuvent conduire à une dispersion et à une fragmentation du moi et des objets en particules multiples, et à l'opposé une émotion ou une idée — désignée par W. R. Bion comme « le fait choisi » — est susceptible de redonner une cohérence à ce qui a été dispersé et de l'ordre dans le désordre.

Vicissitudes de la relation contenant-contenu

Le fonctionnement de la relation mère-enfant à la lumière du modèle contenant-contenu proposé par W. R. Bion peut conduire au développement de la capacité de penser et de communiquer socialement à travers l'identification projective normale. Mais ce fonctionnement peut aussi être perturbé de diverses manières, soit du côté de l'enfant, soit du côté de la mère, et conduire à l'identification projective pathologique ainsi qu'à des troubles de la pensée qu'on rencontre dans la psychose.

Du côté de l'enfant, W. R. Bion considère *la tolérance à la frustration* comme un facteur inné de la personnalité et comme un élément de grande importance dans l'acquisition de la capacité de penser et de supporter l'angoisse. De la tolérance à la frustration va dépendre l'avenir des processus de pensée et de communication avec autrui, ou leur échec.

Rappelons brièvement que pour W. R. Bion, la « pensée » est l'union d'une « préconception » avec une frustration. Le modèle en est le bébé dans l'attente du sein : l'absence du sein capable de procurer une satisfaction est ressentie comme un « non-sein », un sein « absent » au-dedans. Si la capacité de tolérer la frustration est suffisante et l'envie pas trop grande, le « non-sein » au-dedans devient une pensée, et un appareil à penser les pensées se développe. L'impression d'absence d'objet et la frustration créent chez le bébé un « problème à résoudre », c'est le début de la pensée proprement dite et de la possibilité d'apprendre par l'expérience : « La capacité de tolérer la frustration permet ainsi à la psyché de développer une pensée comme moyen de rendre encore plus tolérable la frustration tolérée » (*Réflexion faite*, 1967, p. 127).

Si, par contre, la capacité de tolérer la frustration est inadéquate et que l'envie est excessive, le mauvais « non-sein » au-dedans met la psyché dans l'obligation de décider entre la fuite de la frustration et sa modification. L'incapacité de tolérer la frustration fait pencher la balance dans le sens d'une fuite de la frustration. Ce qui devrait être une pensée devient un mauvais objet qui n'est propre qu'à être évacué, et il se produit un développement hypertrophié de l'identification projective. « Le résultat final est que toutes les pensées sont traitées comme si elles ne se distinguaient pas de mauvais objets internes ; le mécanisme approprié est non un appareil pour penser les pensées, mais un appareil pour débarrasser la psyché d'une accumulation de mauvais objets internes » (*ibid.*, p. 128). Des mesures sont alors prises pour fuir la perception de la « réalisation » au moyen d'attaques destructrices. La prédominance de l'identification projective brouille la distinction entre soi et l'objet externe, fait obstacle à la capacité de penser et peut conduire à l'omniscience — fondée sur le principe « tout savoir, tout condamner » — qui vient se substituer à l' « apprentissage par l'expérience ».

Du côté de la mère, le dysfonctionnement peut venir du fait que la mère n'est pas capable de tolérer les projections du nourrisson, parce qu'elle réagit par de l'angoisse ou de l'indifférence. Le nourrisson en est alors réduit à continuer l'identification projective avec une force et une fréquence de plus en plus grandes, et la réintrojection s'effectue avec une force et une fréquence comparables. Si l'enfant projette dans sa mère le sentiment qu'il est en train de mourir, par exemple, et que la projection n'est pas acceptée par la mère, « le petit enfant a l'impression que son sentiment de mourir est dépouillé de toute la signification qu'il peut avoir. Il réintrojecte non pas une peur de mourir devenue tolérable, mais une terreur sans nom » (*Réflexion faite*, p. 132). Dans l'analyse, ce type de patient semble incapable de tirer profit de son environnement, donc de son analyste, ce qui entrave le développement de sa capacité de penser et de tolérer les frustrations ainsi que les angoisses.

Ainsi, dès le début de la vie, l'enfant se trouve au carrefour de deux lignes d'évolution. Le développement de la tolérance à la frustration conduit à la capacité de penser ses pensées, de créer des symboles et un langage comme expression de la pensée, ce développement correspond à la partie non psychotique de la personnalité. Par contre, l'intolérance à la frustration conduit aux troubles de la capacité de penser, de symboliser et de communiquer caractéristiques de la partie psychotique de la personnalité.

Conséquences pour la clinique

Si l'on applique la relation dynamique contenant-contenu à la capacité de tolérer l'angoisse de séparation, on peut dire que les idées de W. R. Bion permettent de mieux comprendre le jeu interrelationnel de l'identification projective normale comme base de l'intégration du moi, en particulier du sentiment de « portance », que je définirai plus loin comme la capacité de supporter et d'élaborer l'angoisse de séparation. Pour tolérer ce type d'angoisse, il est indispensable que se constituent dans le psychisme des conditions pour contenir la douleur et l'angoisse. Les perspectives proposées par W. R. Bion rendent compte des divers facteurs qui assurent chez l'analysant non seulement la réappropriation du « contenu » émotionnel rendu supportable, c'est-à-dire de l'angoisse de séparation qui avait été projetée dans l'analyste, mais aussi l'introjection du « contenant », c'est-à-dire de la « capacité de rêverie » de l'analyste capable de tolérer l'angoisse de séparation.

5 / D. MELTZER : PROCESSUS PSYCHANALYTIQUE ET ANGOISSE DE SÉPARATION

Dans son ouvrage *Le processus psychanalytique*, D. Meltzer (1967) développe une théorie de l'évolution du transfert en grande partie fondée sur les stratégies de l'analysant pour éviter et pour élaborer l'angoisse de séparation. Nous pouvons rencontrer dans toute cure psychanalytique, chez l'enfant comme chez l'adulte, les transformations décrites par D. Meltzer, mais la description qu'il en fait prend souvent un caractère systématique qui peut gêner le clinicien dans la mesure où il est confronté dans sa pratique à des situations plus nuancées et plus complexes. Par ailleurs, relevons que cet ouvrage s'inscrit dans la première époque de son œuvre, et que depuis sa technique s'est modifiée.

L'identification projective et les cycles analytiques

Dans *Le processus psychanalytique*, D. Meltzer soutient l'idée que dans toute cure psychanalytique la séparation du premier week-end a une importance primordiale parce qu'elle déclenche chez l'analysant une tendance infantile à l'identification projective massive dans les objets externes, et dans les objets internes. D'emblée, la « situation analytique » met ainsi en place un double processus : d'une part l'analysant éprouve un immense soulagement qui résulte de la compréhension qu'il trouve dans la relation avec l'analyste, d'autre part ce même analysant se heurte dès le premier week-end au choc de la séparation qui survient « comme un loup dans la bergerie » (p. 58). Ces deux processus, le soulagement résultant de la compréhension et le choc de la séparation, « lancent un rythme qui constitue le flux et le reflux du processus psychanalytique se reproduisant sur plusieurs fréquences, séance après séance, semaine après semaine, trimestre après trimestre, année après année » (p. 59).

Pour D. Meltzer, le recours à l'identification projective massive va se reproduire par la suite lors de chaque expérience de séparation habituelle au cours de la cure, et, plus tard, sera réveillé par toute interruption imprévue dans la continuité analytique. Le cours de l'analyse va donc être longtemps dominé par ce dynamisme, jusqu'à ce que les angoisses qui le sous-tendent puissent être élaborées, bien que cette élaboration ne cesse jamais complètement.

D. Meltzer s'appuie sur les idées développées par H. Rosenfeld et souligne que l'usage massif de l'identification projective contre l'angoisse de séparation a pour conséquence que la partie angoissée du self s'unit violemment à un objet (externe ou interne), de sorte que l'analysant paraît ne pas être angoissé et les interprétations restent sans effet tant que l'identification projective n'est pas renversée. Cette pénétration intrusive à l'intérieur d'un objet peut entraîner un état de confusion — on ne sait alors plus qui est l'analysant et qui est l'analyste — et cela peut aller jusqu'à constituer une structure quasi délirante, renforçant l'omnipotence et le narcissisme. Par ailleurs, selon D. Meltzer, l'identification projective massive est « susceptible de bloquer n'importe quel type de situation provoquant une souffrance psychique aux niveaux infantiles, et aucun autre problème ne peut être élaboré tant que ce mécanisme n'a pas été en grande partie élaboré » (p. 87).

Cette phase inaugurale, nommée « rassemblement des éléments du transfert », peut durer quelques mois à une année d'analyse chez les analysants névrotiques, mais chez les analysants borderline ou psychotiques, cette élaboration constitue l'essentiel du travail analytique tout au long de la cure, d'après D. Meltzer.

Les étapes du processus psychanalytique

D. Meltzer décrit ensuite une succession chronologique de phases dans le déroulement de la cure analytique, avec les caractéristiques propres à chacune des étapes qui, grâce à la diminution progressive de cette identification projective initiale massive et aux transformations dans la relation analytique, conduisent à la résolution du transfert.

Sans vouloir entrer dans le détail de ces différentes étapes, rappelons qu'après la phase inaugurale vient celle du « tri des confusions géographiques », phase au cours de laquelle apparaissent une différenciation progressive du soi et de l'objet et une meilleure distinction entre le dedans et le dehors de l'objet. Ce travail d'élaboration est obtenu grâce à l'investigation systématique de l'identification projective, telle qu'elle s'intensifie dans le transfert en rapport avec la séparation. Il s'installe simultanément une forme limitée de dépendance infantile envers l'objet externe — appelée par D. Meltzer « sein-toilette » — dépendance à caractère d'expulsion et de relation d'objet partiel, impliquant un important et durable clivage de l'objet.

Par la suite, la diminution de la tendance à l'identification projective conduit au « tri de la confusion des zones », tri qui va peu à peu mettre de l'ordre dans le chaos dû à la surexcitation qui submerge la relation transférentielle. Cette évolution mène à l'expérience introjective envers le « sein-qui-nourrit », qui, à son tour, permet d'aborder la situation œdipienne dans ses formes prégénitales et génitales.

L'étape suivante est celle du « seuil de la position dépressive », puis vient la phase terminale, « le processus de sevrage ». A l'approche de la terminaison de la cure, l'analysant commence à prendre conscience que l'analyste est important pour lui, et qu'il peut le perdre, mais il développe un intérêt nouveau pour sa capacité d'introspection qui contre-balance la perception inéluctable de la fin de l'analyse.

Masturbation anale et angoisse de séparation

D. Meltzer (1966, 1967) a également mis l'accent sur le rôle des fantasmes de masturbation avec pénétration anale et la mise en œuvre de l'identification projective massive comme défense contre la séparation.

Dans la masturbation anale, différentes composantes libidinales et agressives entrent en jeu, telles la jalousie, l'envie et la culpabilité liées aux attaques inconscientes contre la scène primitive, qui représentent autant d'aspects défensifs contre la séparation. Chez les analysants moins perturbés, la masturbation anale peut avoir un caractère cryptique et si l'analyste utilise cette conception théorique, il devra rechercher le matériel correspondant dans les fantasmes et dans les rêves.

L'identification adhésive

Les recherches de E. Bick (1968) et D. Meltzer (1967, 1975), proches de celles de D. Anzieu (1974), les ont amenés à postuler qu'il existe un mode d'identification plus archaïque que l'identification projective, et qui déclenche des réactions à la séparation spécialement vives : l'identification adhésive. Dans l'identification projective le sujet se met « à l'intérieur » de l'objet, tandis que dans l'identification adhésive le sujet « colle » à l'objet, se met en contact « peau à peau » avec lui, pour ainsi dire. Cela constitue un type de personnalité caractérisé par la superficialité et l'inauthenticité (« pseudo-maturité »).

L'identification adhésive découle de l'échec d'une phase très précoce du développement, selon E. Bick (1968), au cours de laquelle l'enfant a besoin de vivre une identification introjective à la fonction « contenante » de sa mère. L'échec de cette introjection conduit certains enfants, en particulier les enfants autistes, à manifester un besoin excessif de dépendance envers un objet extérieur qui est utilisé comme contenant substitutif de leur self. Il s'ensuit une intolérance extrême à la séparation d'avec cet objet extérieur, toute séparation déclenchant la terreur d'une désintégration psychique, le sentiment de tomber en morceaux et des troubles de la pensée.

Dans son ouvrage *Explorations dans le monde de l'autisme*, D. Meltzer (1975) décrit quatre types fondamentaux de relations d'objet qu'il situe chacune dans une dimensionnalité correspondante de l'espace psychique. Il postule également l'existence d'un espace unidimensionnel de non-séparation, dans lequel espace et temps se fondent dans une dimension linéaire du self et de l'objet, monde psychique qui serait caractéristique de l'autisme. L'idée qu'il pourrait exister des modes d'identifications plus archaïques que l'identification projective relance le problème de savoir s'il existe un état initial de non-différenciation entre le moi et l'objet, comme le supposait Freud, ce qui remettrait en question la conception de M. Klein sur ce point.

Retour au concept du narcissisme primaire ?

On sait en effet que l'un des postulats fondamentaux de la théorie de M. Klein est qu'il existe des relations d'objet dès le début de la vie, contrairement à Freud qui envisageait une indifférenciation initiale entre le moi et les objets, c'est-à-dire un état de narcissisme primaire. Par la suite, des psychanalystes postkleiniens ont décrit des états narcissiques de non-différenciation moi-objet en les incluant soit dans un concept comme celui d'identification projective et de l'envie (H. Rosenfeld, 1964), soit en faisant appel au concept de « noyaux agglutinés » (J. Bleger, 1967), conceptions qui s'inscrivent néanmoins dans le cadre de relations d'objet présentes dès le début de la vie.

J. Bleger (1967) postule en effet qu'il existerait, avant la position paranoïde-schizoïde de M. Klein, une étape antérieure, constituée par des « noyaux d'agglutination » moi-objet qui se sont formés à partir des expériences infantiles les plus primitives. Selon cet auteur, la discrimination entre le moi et l'objet s'effectuerait progressivement au cours du développement de l'enfant, en partant du lien symbiotique pour aller vers une perception distincte de l'objet en tant que séparé.

Les nouvelles hypothèses de E. Bick et D. Meltzer, de même que celles avancées par Resnik (1967) ou F. Tustin (1981) dans l'autisme, semblent remettre le postulat fondamental de M. Klein en question.

Pour D. Meltzer, le matériel clinique de certains enfants autistes décrits dans *Explorations dans le monde de l'autisme* (1975) laisse supposer que ces enfants n'ont pu atteindre ni l'étape de l'identification adhésive, ni à plus forte raison celle de l'identification projective, qui constituent les étapes primordiales du développement psychique. Ces deux étapes n'auraient pas été atteintes parce qu'elles seraient « soit perdues, soit inadéquates dès le commencement » (p. 251). Ce n'est qu'après un certain temps d'analyse que pourrait se développer une organisation narcissique proprement dite « avec sa dureté, sa cruauté et ses craintes persécutoires ». Dès lors nous pouvons nous demander si la phase d' « intégration primaire soi-objet » conçue par D. Meltzer (1967, p. 207) comme une préparation nécessaire aux étapes suivantes du développement — identification adhésive, puis identification projective — n'est pas une façon indirecte de réintroduire la notion d'une non-différenciation entre le moi et l'objet au début de la vie, et de réintroduire du même coup la notion freudienne de narcissisme primaire tant discutée.

6

Place de l'angoisse de séparation et de perte d'objet dans les principales autres théories psychanalytiques

Nous allons examiner maintenant d'autres théories psychanalytiques de relation d'objet et la place que chacune d'elles accorde à l'angoisse de séparation et de perte d'objet. J'ai choisi de présenter les théories qui me paraissent les plus marquantes parmi celles qui ont influencé et qui continuent d'influencer la pratique psychanalytique actuelle.

Parmi ces théories, je commencerai par celle de W. R. D. Fairbairn, qui établit une distinction entre les niveaux de dépendance à l'égard des objets, en fonction du degré d'élaboration des angoisses de différenciation et de séparation. Ensuite je présenterai le point de vue de D. W. Winnicott sur les angoisses précoces et sur la fonction de « holding » qu'il attribue au processus psychanalytique, fonction susceptible de renforcer la « capacité d'être seul, en présence de quelqu'un » selon son expression. Nous examinerons plus loin la place faite à l'angoisse de séparation dans la conception de Anna Freud et de R. Spitz qui lui est proche, ainsi que dans le concept de séparation-individuation de M. Mahler. Les points de vue de A. Freud, R. A. Spitz et M. Mahler, de même que celui de M. Klein et des analystes postkleiniens, sont autant de points de vue qui constituent de véritables *modèles* de compréhension des angoisses de séparation et de perte d'objet, chez l'adulte comme chez l'enfant. Chacun de ces modèles s'inscrit dans une ligne de pensée propre, dont l'originalité procure une cohérence interne et rend chacune de ces théories difficilement comparable l'une par rapport à l'autre. Pour clore ce tour d'horizon, nous évoquerons la place particulière occupée par J. Bowlby, dont les recherches sur la séparation et la perte d'objet font autorité, mais dont les conclusions qu'il en a tirées se sont écartées du champ spécifique de la psychanalyse.

1 / W. R. D. FAIRBAIRN :
DÉPENDANCES ET ANGOISSES DE DIFFÉRENCIATION

La libido à la recherche d'objets

L'accent mis dès la fin des années 1930 par W. R. D. Fairbairn sur l'angoisse de séparation découle directement de son insistance à mettre en valeur des relations d'objet dans la théorie et la technique psychanalytiques. On sait en effet qu'il a basé sa recherche originale sur une révision de certaines vues de Freud qui, selon W. R. D. Fairbairn, insistait trop sur une libido à la recherche de plaisir, et pas assez sur la recherche d'objet : « La libido n'est pas primairement recherche de plaisir, mais recherche d'objet », aimait à répéter W. R. D. Fairbairn (1941).

Sa conception s'appuie sur la notion de phases de développement libidinal (au sens de K. Abraham, 1924) et sur l'idée que la nature de l'objet ainsi que la nature des relations d'objet varient suivant le stade libidinal. Il distingue deux phases principales dans le développement infantile, la phase orale et la phase génitale, avec une phase dite de « transition » entre les deux (qui donnera lieu au concept de « phénomènes transitionnels » chez D. W. Winnicott). A la phase orale l'objet est d'abord le sein, puis la mère qui donne le sein, tandis qu'à la phase génitale, c'est l'objet représentant l'individu dans sa totalité avec ses organes sexuels spécifiques qui est investi comme objet total.

A ces deux stades objectaux extrêmes — oral et génital — correspondent deux formes fondamentales de relations d'objet au cours du développement libidinal, selon W. R. D. Fairbairn : 1 / une forme primitive de relation d'objet caractérisée par une *dépendance infantile* et basée sur l'incorporation orale de l'objet ; 2 / une forme évoluée (mature) de relation d'objet caractérisée par une *dépendance mature* basée sur la capacité d'établir des relations d'objet impliquant une différenciation entre le moi et l'objet. Pour W. R. D. Fairbairn, *la reconnaissance de la différenciation entre le moi et l'objet est une étape fondamentale du développement libidinal*, car elle permet le passage d'une relation d'objet basée sur l'identification primaire (incorporation orale) à une relation d'objet de type génital avec des objets séparés et différenciés, aimants et aimés.

Cette évolution se produit grâce à l'abandon progressif de la relation originaire fondée sur l'identification primaire, et grâce à l'adoption graduelle d'une relation d'objet fondée sur la différenciation de l'objet. Dans ce processus, « l'angoisse de séparation de l'objet devient pour l'enfant la plus grande source d'angoisse » selon W. R. D. Fairbairn (1952). Au stade précoce de la « dépendance infantile », la nature orale de la relation d'objet — basée sur l'incorporation — est à l'origine de la prédominance de l'identification primaire et du narcissisme (en référence à Freud [1921c, 1923b] pour qui l'identification constitue la forme la plus précoce d'investissement de l'objet). W. R. D. Fairbairn précise qu'il utilise le terme d'identification primaire pour définir l'investissement d'un objet qui n'est que peu ou pas différencié du sujet qui investit, mais que cet usage est inapproprié. D'après lui, on devrait réserver le terme d'identification au processus émotionnel dans lequel la relation s'établit avec un objet qui a déjà été différencié au moins dans une certaine mesure. Ce dernier processus correspond à ce qu'on entend généralement par identification secondaire, caractéristique du stade de « dépendance mature ». Celle-ci se définit comme « la capacité de la part d'un individu différencié de créer des relations coopérantes avec des objets différents, c'est-à-dire une capacité de différencier le moi et l'objet ». W. R. D. Fairbairn parle de dépendance mature, car on n'est jamais vraiment indépendant de ses objets.

Le passage de la dépendance infantile à la dépendance mature au cours du développement confronte l'individu à l'*angoisse de séparation qui surgit devant la différenciation entre moi et objet*. Ce processus est en effet généralement accompagné par une angoisse considérable, exprimée par des rêves de chute, des symptômes comme l'acrophobie ou l'agoraphobie; l'angoisse devant l'échec de ce processus se traduit par le sentiment d'être emprisonné ou confiné.

Le rôle de l'angoisse de séparation dans la psychopathologie

W. R. D. Fairbairn relève que l'analyse des patients schizoïdes — qu'il a particulièrement bien étudiés — montre la difficulté de ceux-ci à renoncer à la dépendance infantile et leur tendance à rester fixés à la phase de transition, caractérisée par des techniques défensives diverses (paranoïde, obsessionnelle, hystérique, phobique) (1940). Ces fixations empêchent l'individu d'accéder au stade génital qui est d'obtenir l'assurance qu'il est véritablement aimé en tant que personne par ses parents, et que ses parents acceptent son amour. « En l'absence d'une telle assurance, sa relation à ses objets est chargée de trop d'*angoisse de séparation* pour qu'il soit capable de renoncer à son attitude de dépendance infantile » (1941, p. 39). Ce qui précède conduit W. R. D. Fairbairn à considérer que le conflit du schizoïde (« sucer ou ne pas sucer » = « aimer ou ne pas aimer ») est plus précoce que le conflit du dépressif (« sucer ou mordre » = « aimer ou haïr »). Le concept de facteur schizoïde sera repris de W. R. D. Fairbairn par M. Klein (1946) lorsqu'elle développera sa notion de position paranoïde-schizoïde.

Par la suite, W. R. D. Fairbairn développera ses idées sur la qualité des objets contenus dans les identifications primaires, considérant que les expériences infantiles douloureuses entraînent une dépendance envers les « objets mauvais », ce qui constitue l'une des formes de résistance les plus grandes à l'analyse. L'analyste devra établir une relation d'objet suffisamment bonne dans le cadre du transfert pour permettre au patient de se détacher du lien libidinal avec des objets « mauvais » certes, mais jusqu'alors indispensables.

Pour terminer, j'ajouterai que W. R. D. Fairbairn considère que le facteur le plus décisif dans les névroses de guerre est l'angoisse de séparation, suivant son expérience de la guerre de 1939-1945.

Les propositions de W. R. D. Fairbairn, souvent exprimées dans des formulations percutantes et à l'emporte-pièce, ont marqué durablement la pensée psychanalytique. Malgré les critiques suscitées par ses prises de position ou les lacunes de ses hypothèses (Klein, 1946 ; Pontalis, 1974 ; Segal, 1979), son influence n'a pas faibli, bien qu'elle se manifeste de manière davantage inconsciente que consciente, comme l'a relevé J. Padel (1973). Nombreux sont en effet les auteurs qui sans le savoir se réfèrent implicitement à la pensée de W. R. D. Fairbairn dans leurs écrits psychanalytiques. Je m'étonne qu'à ce jour seul l'article de 1940 ait été traduit en français et que son ouvrage *Psychoanalytic Studies of the Personality*, un classique de la littérature psychanalytique, attende encore sa traduction en langue française.

2 / D. W. WINNOCOTT : « HOLDING »
ET TROUBLES DU DÉVELOPPEMENT ÉMOTIONNEL PRIMITIF

Angoisses précoces et carence des soins maternels

Pour D. W. Winnicott, l'angoisse de séparation est liée à des troubles du développement émotionnel précoce et demande un aménagement de la situation analytique, et parfois du cadre, plutôt que l'usage de l'interprétation.

D. W. Winnicott oppose en effet deux niveaux dans les perturbations du développement psychique : un niveau primitif et un niveau névrotique. La réponse de l'analyste sera différente suivant le niveau où se situent les perturbations de l'analysant : si les troubles se situent au niveau de perturbations du développement émotionnel primitif, ces analysants n'ont pas la capacité de communiquer sur le plan verbal, et ne sont pas accessibles à l'interprétation. L'analyste devra alors répondre par un « aménagement » de la situation analytique et adopter « une attitude » envers son analysant, l'interprétation étant jugée inopérante à ce niveau de régression, selon D. W. Winnicott (1945, 1955). Si par contre les troubles émotionnels sont situés au niveau névrotique et que l'analysant a dépassé le stade de la préoccupation pour l'objet *(concern)*, il sera capable de communiquer verbalement, et l'analyste pourra utiliser valablement les interprétations et appliquer la technique analytique classique.

La présence de troubles situés au niveau du « développement émotionnel primitif » — telle l'angoisse de séparation excessive — serait le signe d'un échec dans la relation précoce mère-enfant au cours des six premiers mois de la vie. Cette période initiale est déterminante pour le reste de l'existence, et dans ces conditions premières, le développement primitif du nourrisson est entièrement soumis aux soins maternels ou « holding ». D'après D. W. Winnicott, le bébé possède certes une impulsion spontanée à grandir, mais il dépend entièrement des soins que lui procure sa mère pour son développement. Les soins maternels lui sont indispensables pour qu'il puisse franchir les étapes difficiles qui vont du narcissisme primaire à la relation d'objet, c'est-à-dire à la reconnaissance de sa mère comme un objet séparé et différent.

Dans les conditions favorables, c'est-à-dire lorsque la mère est « suffisamment bonne », celle-ci procure à son enfant une « aire d'illusion » dont la fonction est double. D'un côté, l'aire d'illusion va permettre à l'enfant de garder une continuité narcissique avec son environnement de manière à ce que le bébé ne ressente presque aucune différence entre le milieu utérin et le monde réel, d'un autre côté, elle va assurer simultanément un désillusionnement progressif du bébé, de façon à l'amener peu à peu au contact avec la réalité : « La mère aura finalement pour tâche de désillusionner l'enfant petit à petit, mais elle n'y réussira que dans la mesure où elle lui aura donné tout d'abord assez de possibilités d'illusion » (D. W. Winnicott, 1951, p. 120). Mais l'illusion dont parle D. W. Winnicott n'est qu'une demi-illusion, et il précise que l'illusion totale serait l'hallucination. Il désigne par ailleurs sous le terme de *phénomènes transitionnels* les processus qui se déroulent dans l'aire d'illusion et qui conduisent l'enfant à « accepter les différences et les similitudes » (*ibid.*, p. 114).

D. W. Winnicott décrit également comment les processus de maturation amènent progressivement l'enfant à développer une capacité d'être seul, d'abord en présence de la mère. Puis, peu à peu, l'environnement qui sert de support au moi est introjecté, et l'enfant acquiert la capacité d'être vraiment seul, bien qu'inconsciemment il y ait toujours une présence intérieure qui représente la mère et les soins qu'elle a apportés à son enfant (1958, p. 213).

Lorsque les conditions sont défavorables, et que la mère ne procure pas à son enfant un environnement adéquat et ne répond pas à ses besoins, l'enfant réagit par un excès d'angoisse. L'incapacité de la mère de s'identifier à son bébé l'empêche de percevoir ce que le bébé est en mesure de tolérer, ce qui a pour conséquence d'entraîner l'émergence de défenses rigides pour ne pas percevoir les différences entre le moi et les objets. C'est ainsi que se forme un « faux self » pour suppléer aux déficiences des soins maternels, au lieu que se développe un « vrai self » (1960).

« Holding » et situation analytique

Ces vues sur le développement émotionnel primitif ont amené D. W. Winnicott à les appliquer à la situation analytique et à établir une équivalence entre la fonction de l'analyste et les soins maternels. Au Congrès de Genève de 1955, D. W. Winnicott a suggéré que face aux échecs du développement émotionnel primitif l'analyste peut offrir à l'analysant la possibilité de réparer ces déficiences. Pour

D. W. Winnicott, la technique interprétative classique qui convient aux analysants névrotiques s'avérant insuffisante avec les analysants présentant des déficiences au niveau de leur développement émotionnel primitif, ces analysants ont besoin de passer par une expérience affective concrète qui leur permette de régresser afin de prendre un nouveau chemin (« Les formes cliniques du transfert », 1955-1956). Comme le faux self est la conséquence de déficiences dans les soins maternels, D. W. Winnicott pense que si l'analyste procure à l'analysant des conditions extérieures favorables, sous forme d'un équivalent des soins maternels primaires, cela permettra au désir de grandir de reprendre le dessus.

Pour ces diverses raisons, il semble essentiel à D. W. Winnicott que l'analyste n'interfère pas avec la régression, mais au contraire la favorise par tous les moyens, car elle est la condition d'un nouveau départ. La régression de l'analysant dans le setting analytique a la signification d'un retour à la dépendance infantile précoce, où analysant et setting se fondent dans un narcissisme primaire à partir duquel le vrai self va pouvoir se développer véritablement.

Régresser pour progresser

C'est donc l'aspect positif du « holding » analytique qui conditionne la régression, selon D. W. Winnicott (1955) : le holding procure selon lui une expérience permissive et gratifiante, créant les conditions favorables à la mise en route d'un processus de régression qui, à travers la dépendance infantile revécue, conduira par la suite à la guérison. Avec les analysants présentant un trouble du développement émotionnel primitif, l'analyste devra renoncer pour un temps plus ou moins long à la technique interprétative classique, se contenter d'accompagner la régression et d'en observer les résultats. C'est avec ces analysants que D. W. Winnicott envisage des aménagements de la technique analytique classique, mais il n'est pas très explicite sur ce qu'il entend par aménagements. Dans un exemple clinique, il cite le cas d'une analysante qui éprouvait de telles angoisses à la fin des séances qu'il ressentit la nécessité de prolonger de quelques heures la durée de certaines séances jusqu'à ce que l'analysante parvienne à exprimer ce que la durée habituelle des séances ne lui laissait pas le temps de dire à son analyste : « Auparavant, elle avait suivi pendant six ans un long traitement à raison de cinq séances par semaine, mais ce dont elle avait besoin, c'était d'une séance de longueur indéterminée. Il ne m'était pas possible de la voir plus d'une fois par semaine. Nous fixâmes bientôt une séance de trois heures qui fut réduite à deux heures par la suite » (D. W. Winnicott, 1971, p. 80).

Sur un certain nombre de points, les idées de Balint sont à rapprocher de celles de D. W. Winnicott, notamment sur le rôle de la régression comme facteur de progrès, et sur la distinction entre deux catégories d'analysants, ceux qui ont atteint le niveau génital et ceux qui n'y sont pas parvenus. Lorsque le niveau œdipien est atteint, analysant et analyste disposent d'un langage de communication commun qui permet à l'interprétation de fonctionner et de résoudre les conflits intrapsychiques. Par contre, lorsque l'analysant n'a pas dépassé le niveau régressif du « défaut fondamental », il existe une faille entre analysant et analyste, définie par Ferenczi comme une confusion de langage entre l'adulte et l'enfant, et l'usage du langage verbal et de l'interprétation est inapproprié. Pour Balint, l'analyste doit procurer à l'analysant qui se situe au niveau primitif du « défaut fondamental » (1968) la possibilité d'un « nouveau commencement » dans son développement (1952).

M. Balint décrit aussi deux types fondamentaux de personnalité en fonction de leurs relations d'objet, l'*ocnophile* et le *philobathe,* ainsi que les angoisses qui correspondent à chacun d'eux. L'ocnophile tend à s'accrocher aux objets et craint les espaces qui l'angoissent : « La peur surgit quand il quitte ses objets et s'apaise quand il les retrouve » (*Les voies de la régression*, p. 37). Quant au philobathe, il se nourrit de l'illusion contraire, celle de pouvoir se passer d'objets. Enfin, M. Balint cherche à expliquer le « besoin ocnophile » de certains analysants d'être proche physiquement de l'analyste, de le toucher et de s'accrocher à lui au cours de la cure. Selon lui, ce besoin de contact corporel est l'expression de la peur d'être lâché ou abandonné, et correspond au besoin d'un retour à l' « amour objectal primaire », qui est pour M. Balint l'équivalent d'un retour au narcissisme primaire : « [Le besoin de s'accrocher] vise à restaurer, par la proximité et le contact, l'identité primaire sujet-objet » (*ibid.*, p. 137). On peut se demander ici si Balint ne cherche pas à donner ainsi une base théorique non seulement au besoin intense de contact corporel exprimé par certains analysants, mais aussi à donner un fondement théorique à certains aspects de la technique active préconisée par Ferenczi, répondant à la demande de contact concret de l'analysant par un agi au lieu d'interpréter.

3 / ANNA FREUD ET RENÉ A. SPITZ :
STADES DU DÉVELOPPEMENT ET ANGOISSE DE SÉPARATION

Les idées de Anna Freud, notamment celles concernant la place faite à l'angoisse de séparation dans le développement infantile, sont à la base d'un courant de pensée important dans l'analyse de l'enfant et de l'adulte, courant de pensée dans lequel on peut inclure également les idées de René A. Spitz.

A. Freud : Conséquences de l'angoisse de séparation sur le développement

Au cours de sa longue carrière de psychanalyste d'enfants, Anna Freud a abordé relativement tardivement le problème de la séparation et de la perte d'objet : ce problème n'est pas évoqué dans la première partie de son œuvre, et il ne tiendra véritablement une place que plus tard, bien qu'elle ait été l'une des premières psychanalystes à observer des nourrissons dans des situations de séparation (J. Bowlby, 1973).

En effet, dans les ouvrages de Anna Freud qui pourtant traitent de l'angoisse tels que *Le traitement psychanalytique des enfants* (paru dès 1927) ou *Le moi et les mécanismes de défense* (1936), on ne trouve aucune mention de l'angoisse de séparation ni de référence à la dernière théorie de l'angoisse de Freud avancée dans *Inhibition, symptôme et angoisse* (1926*d*). C'est durant la guerre que A. Freud a commencé à s'intéresser au problème de la séparation en observant des nourrissons séparés de leurs parents (A. Freud et D. Burlingham, 1943). Si les observations qu'elle consigne de la détresse infantile sont précises et les descriptions parlantes, Anna Freud ne relie cependant pas de telles manifestations de façon systématique à l'angoisse en général, ni encore moins à la séparation en particulier.

Dans ses écrits ultérieurs, Anna Freud aborde le problème de l'angoisse de séparation chez l'enfant sur un plan clinique et théorique (*Le normal et le pathologique chez l'enfant*, 1965). Elle décrit différentes formes prises par l'angoisse au cours des premières années, parmi lesquelles l'angoisse de séparation, et chacune des formes d'angoisse est caractéristique d'un stade particulier du développement de la relation objectale. On peut résumer de la manière suivante les divers stades qu'elle décrit.

Le premier stade est qualifié de symbiotique : c'est le stade « d'unité biologique au sein du couple mère-enfant » et il constitue un état narcissique indifférencié, dans lequel il n'existe pas d'objet. Au deuxième stade apparaît la relation avec l'objet de satisfaction des besoins physiologiques ou relation anaclitique. Le troisième stade est celui de la relation ambivalente sadique-anale où l'enfant cherche à dominer et contrôler son objet. Le quatrième stade est celui de la constance de l'objet, stade où est acquise une stabilité positive de l'objet intériorisé, indépendamment des situations de satisfaction et d'insatisfaction. Le cinquième stade ou phase phallique est entièrement centré sur l'objet.

La séparation va donc avoir des conséquences différentes suivant le stade auquel elle se produit. L'angoisse de séparation proprement dite survient au premier stade, celui de l'unité biologique du couple mère-enfant, et correspond à l'angoisse de séparation décrite par Bowlby. Au cours des stades suivants surviennent des formes autres que l'angoisse de séparation : au deuxième stade correspond la dépression anaclitique décrite par Spitz, tandis qu'au stade de la constance de l'objet l'angoisse caractéristique est celle de la peur de perdre l'amour de l'objet.

Une angoisse de séparation anormalement intense survenant au cours des années suivantes est attribuée par A. Freud à une fixation durable au stade symbiotique.

Les réactions que suscitent les interruptions de l'analyse sont pour A. Freud d'un grand intérêt, car elles mettent en lumière le « stade de développement » atteint par l'enfant et le point de régression tout en éclairant la nature de son organisation psychique, comme le relève J. Manzano à propos du « modèle Anna Freud » (1989). Les réactions de l'enfant peuvent être comparées aux réponses à un test psychologique mesurant les changements du sujet au long de l'analyse, soit comme conséquence du travail analytique, soit comme résultat du processus de développement. Un enfant qui n'a pas encore acquis le stade de la constance de l'objet, ne peut pas accorder à l'analyste un rôle significatif dans son monde interne.

Quant à l'angoisse de séparation dans le transfert, Anna Freud insiste sur l'importance de la relation à l'analyste comme personne réelle à côté de la relation transférentielle, et sur le rôle de la répétition dans le transfert des expériences réelles de séparation précoces (*ibid.*, p. 8).

René A. Spitz : Psychopathologie de la séparation
et de la perte d'objet réelle

En ce qui concerne les travaux de René A. Spitz sur les conséquences de la séparation et de la perte d'objet, ceux-ci sont avant tout basés sur l'observation de situations de séparation d'avec l'objet réel (1957, 1965), dont il tire des conclusions pour le développement psychique de l'enfant et de l'adulte. On peut rapprocher les vues de R. A. Spitz de celles de A. Freud et les situer dans le même cadre, celui du « modèle Anna Freud ». Comme cette dernière, R. A. Spitz décrit divers stades dans le développement du moi et des relations objectales en fonction de l'âge de l'enfant, et à chacun de ces stades correspond un type particulier de réaction à la séparation.

Selon R. A. Spitz, on peut distinguer dans le développement infantile précoce les stades suivants : le stade narcissique (les trois premiers mois de la vie), le stade préobjectal (de trois à six mois) et le stade de l'établissement de la véritable relation d'objet (de six à neuf mois). L'intérêt de R. A. Spitz s'est surtout concentré sur « l'angoisse du huitième mois » qu'il a décrite, c'est-à-dire l'angoisse de l'enfant qui réagit à l'absence de sa mère, au moment où il perçoit le visage d'une personne étrangère. R. A. Spitz décrit également la « dépression anaclitique » qui survient lorsque l'enfant a été séparé de sa mère durant la seconde partie de la première année, et qui peut se transformer en « hospitalisme » si la séparation est durable.

R. A. Spitz insiste sur le fait que la psychopathologie de la séparation qu'il observe chez les enfants est indépendante de celle qu'on rencontre en psychanalyse chez l'adulte et n'est pas superposable. Il avance l'hypothèse que des troubles survenant dans la période de formation du psychisme peuvent laisser des séquelles ultérieures dans la structure psychologique de l'enfant, de l'adolescent et de l'adulte. Dans l'analyse, ces perturbations seraient à l'origine de formes narcissiques de transfert, et prendraient l'aspect de points de fixation à des blessures affectives précoces. Il pense que ces patients trop narcissiques ne sont pas en mesure d'établir un transfert, mais qu'une modification de la technique pourrait être apportée, de manière à ce que « ce qui a manqué aux relations objectales du patient devrait lui être fourni par le thérapeute ». Cela pourrait favoriser par la suite l'émergence d'un transfert (R. A. Spitz, 1965, p. 228). Mais R. A. Spitz tire surtout des considérations d'ordre général de ses observations chez les enfants, et donne peu d'indications sur les répercussions de ces perturbations précoces dans le transfert, ni ne précise ce qu'il entend lorsqu'il parle de modifications de la technique psychanalytique. Sans doute sur ces derniers points que je viens d'évoquer, son enseignement a été surtout oral, à travers son enseignement psychanalytique, en particulier celui qu'il prodigua en Suisse, tout particulièrement au cours de son séjour à Genève, de 1963 à 1968.

4 / M. MAHLER :

LE CONCEPT DE SÉPARATION-INDIVIDUATION

La naissance psychologique

Selon la conception de M. Mahler, l'angoisse de séparation fait son apparition durant le développement infantile normal à la fin de la période symbiotique, c'est-à-dire à une période relativement tardive, lorsque commence la lutte pour l'individuation, vers douze à dix-huit mois (*La naissance psychologique de l'être humain*, M. Mahler, F. Pine et A. Bergman, 1975). Elle distingue le moment de la naissance biologique de celui, plus tardif, de la naissance psychologique et nomme cette dernière *processus de séparation-individuation* : ce processus est constitué par l'acquisition du sentiment d'être séparé et en relation, qui s'accomplit entre les 4-5es mois et les 30-36es mois de la vie de l'enfant. Si les étapes décisives de la séparation-individuation se jouent durant la première enfance, ce conflit est réveillé tout au long de l'existence, chaque nouveau cycle de la vie réactivant la perception angoissante d'être séparé et mettant à l'épreuve le sentiment d'identité.

Le processus normal de séparation-individuation implique pour l'enfant l'acquisition d'un fonctionnement autonome en présence de la mère et de la disponibilité émotionnelle de celle-ci. Dans des conditions favorables, l'enfant peut ainsi se confronter aux menaces minimales de pertes d'objet inhérentes à chaque étape du processus de maturation et parvient peu à peu au plaisir d'un véritable fonctionnement autonome, au sens des fonctions autonomes définies par H. Hartmann.

Séparation et individuation sont deux développements complémentaires mais non identiques : la séparation concerne l'émergence de l'enfant hors de la fusion symbiotique avec la mère, tandis que l'individuation concerne le développement du sentiment de l'identité personnelle avec ses caractéristiques propres.

M. Mahler précise, afin d'être bien comprise et d'éviter les malentendus au sujet de sa pensée, que le terme de « séparation » ou « sentiment d'être séparé » se réfère pour elle à la réalisation *intrapsychique* d'un sentiment d'être séparé de la mère, et par là de l'univers dans son ensemble, et non d'être séparé d'un objet réel. Le développement de la conscience de la séparation entraîne la différenciation, la distanciation, la formation des limites et le détachement de la mère. Mahler approfondit l'étude des processus de différenciation de soi (self) et de l'objet entreprise par E. Jacobson, et relève que le sentiment d'être séparé mène à des représentations intrapsychiques claires du self en tant que distinct des représentations objectales. Les séparations réelles, physiques de la mère sont pour l'enfant des contributions importantes à son sentiment d'être une personne séparée. Quant au terme de symbiose, M. Mahler précise également qu'elle l'utilise pour désigner une condition *intrapsychique* et non un comportement. Symbiose signifie pour elle que la différenciation entre le self et la mère ne s'est pas encore accomplie, ou qu'une régression s'est produite à un état d'indifférenciation self-objet caractéristique de la phase symbiotique. Enfin, pour M. Mahler, le sentiment d'identité ne correspond pas au sentiment de *qui* je suis, mais au sentiment d'*être,* comprenant un investissement libidinal du corps.

L'incapacité de se séparer : la psychose symbiotique

C'est en observant chez les enfants psychotiques la panique face à toute perception d'un véritable sentiment d'être séparé, afin de préserver le délire d'une unité symbiotique, que M. Mahler a développé le concept de « psychose symbiotique ». Elle avait en effet formulé en 1952 l'hypothèse que, chez certains enfants, la poussée maturative se produisait alors que le moi de l'enfant n'était pas encore prêt à fonctionner séparément de sa mère. Il s'ensuivrait une panique d'autant plus incommunicable qu'elle est préverbale, ce qui rendrait l'enfant incapable d'avoir recours à « l'autre ». Cette détresse entraverait la structuration du moi, pouvant aller jusqu'à une fragmentation caractéristique de la psychose infantile. Cette fragmentation psychique peut se produire à n'importe quel moment à partir de la fin de la première année et au cours de la deuxième, pouvant survenir à la suite d'un traumatisme douloureux et imprévu, mais souvent à la suite d'un traumatisme insignifiant, telle une brève séparation ou une perte minime.

La difficulté ou l'incapacité des enfants psychotiques de se développer au-delà d'une phase symbiotique à laquelle ils restent fixés ont amené par la suite M. Mahler à se poser la question de savoir comment se déroulent les processus précoces de séparation-individuation chez les enfants normaux. C'est alors qu'elle a postulé l'existence d'une *phase symbiotique normale* par laquelle passe tout enfant, selon elle. Pour M. Mahler la relation d'objet se développe depuis le narcissisme infantile symbiotique ou primaire et évolue parallèlement à la réalisation de la séparation et de l'individuation. D'après sa conception, le fonctionnement du moi ainsi que le narcissisme secondaire prennent naissance dans la relation d'abord narcissique, puis objectale à la mère. La poussée maturative et développementale amènerait progressivement l'enfant à affronter d'abord la différenciation, puis, durant le processus de séparation-individuation, à affronter l'angoisse de séparation qu'il surmonterait avec plus ou moins de succès. Cette phase du développement infantile est une sorte d'expression de seconde naissance, une « éclosion hors de la membrane symbiotique » commune mère-enfant. Une telle éclosion est tout aussi inévitable que la naissance biologique, d'après M. Mahler. Son élaboration au cours des sous-phases d'essais puis de rapprochement conduit l'enfant à la période de « constance de l'objet », qui correspond à l'aboutissement de ce processus. M. Mahler situe l'apparition de la constance de l'objet vers la troisième année, ce qui est relativement tard par rapport à d'autres développementalistes. L'introjection de la constance de l'objet a une double signification : d'une part elle signifie l'acquisition d'une image intériorisée et « portante » *(sustaining)* de l'objet primaire d'amour, la mère, d'autre part elle est le signe qu'un objet total a été introjecté, avec ses qualités bonnes et ses imperfections. L'acquisition de la « constance de l'objet » s'établit conjointement à l'acquisition du sentiment de la « constance du self ».

Le processus de séparation-individuation
dans la clinique psychanalytique

Ces recherches, basées surtout sur l'observation directe mère-enfant (observation de l'unité duelle mère-enfant par des observateurs participants et non participants, films individuels d'enfants, observations de groupes d'enfants, tests, entrevues avec les pères, visites à domicile, p. 277), ont mis en évidence le rôle important joué par le contact entre le nourrisson et sa mère à différents stades du processus de séparation-individuation. On a pu observer chez les enfants psychotiques qui s'avéraient incapables d'avoir recours à leur mère comme objet externe réel en tant que support de développement, l'apparition d'un sentiment stable d'être séparé et en relation, le maintien du contact favorisant la diminution de la tendance à la symbiose. Ces travaux ont mis également en évidence le rôle spécifique de la mère pour faciliter non seulement la séparation de l'enfant, mais l'accession de ce dernier à sa propre identité personnelle.

Les idées de Margaret Mahler ont été par la suite reprises pour être appliquées dans la pratique psychanalytique dans le cadre de la psychologie psychanalytique du moi, aussi bien chez l'enfant que chez l'adulte. F. Pine (1979), l'un des coauteurs avec M. Mahler de *La naissance psychologique de l'être humain,* a souligné un double danger dans l'application clinique des idées de M. Mahler, celui d'une utilisation trop large et celui d'une sous-utilisation. Dans cet article, F. Pine précise un certain nombre de notions dérivant des concepts de séparation-individuation lorsqu'on les applique à la clinique chez les enfants, les adolescents et les adultes. Il souligne qu'il existe un attachement à la mère préalable à la conscience de la différenciation self-objet et que cet attachement n'est pas encore une véritable relation. La perception de la mère vient par la suite comme une différenciation vécue douloureusement, et pas seulement comme un gain. L'interprétation de la séparation-individuation doit tenir compte de ces deux formes d'attachement : la première est un attachement à « l'autre indifférencié » et appartient véritablement à la phase de séparation-individuation proprement dite, l'autre est un attachement à « l'autre différencié » donnant lieu à une pathologie transférentielle différente.

En appliquant la notion de symbiose au développement psychique, M. Mahler en a fait une phase centrale du processus de séparation-individuation, marqué par les avatars des angoisses de séparation et des tentatives de retour à la fusion. Cependant, dans son souhait de décrire des phénomènes intrapsychiques, elle s'est heurtée aux limites de l'observation directe, méthodologie qui n'offre pas l'accès aux contenus fantasmatiques que procure l'investigation psychanalytique. Comme l'a fait observer B. Cramer (1985), le mérite de M. Mahler a été de mettre l'accent sur le développement du self et de la relation d'objet, mais il serait souhaitable que ses vues soient plus largement intégrées aux données psychanalytiques.

C'est à cette tâche que se consacrent de nombreux travaux actuels, ce dont témoigne par exemple un ouvrage collectif consacré à la constance du self et de l'objet, dans lequel sont confrontés des points de vue théoriques et cliniques les plus divers (R. F. Lax, Sheldon Bach et J. Alex Burland, *Self and Object Constancy : Clinical and Theoretical Perspectives*, 1986).

5 / HEINZ KOHUT : SÉPARATION ET « WORKING THROUGH » DANS LES TROUBLES NARCISSIQUES

Les notions d'angoisse de séparation, de perte d'objet et de deuil paraissent à première vue absentes des conceptions théoriques de H. Kohut sur les troubles narcissiques de la personnalité. Mais lorsqu'il expose ses vues sur la thérapeutique, on est surpris de constater qu'il accorde à la séparation une place centrale dans la clinique du *working through* des troubles narcissiques. Selon lui, les séparations réelles ou fantasmées d'avec l'analyste, en venant perturber l'union transférentielle avec le « soi-objet idéalisé », constituent un élément déterminant dans le processus d'élaboration des troubles narcissiques. En effet, d'après H. Kohut (1971), la perte d'objet constitue la menace principale qui mobilise à des fins thérapeutiques non seulement le soi grandiose dans le transfert en miroir, mais aussi l'objet tout-puissant dans le transfert idéalisant.

Séparations et mobilisation du transfert idéalisant

Chez les patients présentant des troubles narcissiques, et tout spécialement chez ceux qui établissent un transfert idéalisant, H. Kohut distingue deux phases successives au cours de la cure : d'abord une phase initiale de régression au narcissisme primitif, puis une phase d'élaboration ou de *working through* de ce type de transfert.

Dès le début de la cure, la situation analytique déclencherait une régression à un niveau archaïque d' « équilibre narcissique » vécu par ces patients comme un état idéal de perfection et d'union soi-objet sans limite avec l'analyste. Suite à cette régression thérapeutique, « l'analysé ressent l'analyste narcissiquement et non pas comme un individu séparé et indépendant » (p. 99).

Une fois que le transfert idéalisant est établi, la période de *working through* peut débuter. Cette nouvelle phase du processus psychanalytique est mise en route du fait que l'équilibre narcissique fondamental que le patient vise à établir puis à maintenir dans la situation de traitement se trouve tôt ou tard perturbé. A la différence des névroses de transfert, c'est la rupture de cet équilibre initial qui caractérise les troubles narcissiques selon H. Kohut, rupture qui « dépend essentiellement des circonstances extérieures » (p. 98). Ce déséquilibre thérapeutique se produit dans les conditions suivantes.

Tant que ce transfert n'est pas perturbé, le patient se sent intact, puissant et en sécurité, parce qu'il a la sensation de posséder et de contrôler l'analyste inclus dans l'expérience de soi. Mais, après être parvenu au stade d'une union narcissique avec un soi-objet archaïque idéalisé, le patient va réagir à tout événement qui interrompt son contrôle narcissique avec une hypersensibilité extrême. D'après H. Kohut, ces réactions sont essentiellement le résultat de « l'impact traumatique sur l'analysé d'un retrait physique ou émotionnel de l'analyste » (p. 100), « retrait » lié aux séparations réelles ou fantasmées d'avec l'analyste. Parmi les séparations réelles, il cite les perturbations déclenchées lors des séparations du week-end ou des vacances, lors des changements dans l'horaire des séances ou à l'occasion des retards de l'analyste, même les plus minimes (p. 99). Quant aux séparations fantasmées, il les attribue au sentiment d'incompréhension ou de froideur que le patient perçoit chez l'analyste. Ces « interruptions du transfert » — qui correspondent au sentiment d'avoir perdu le contrôle sur l'analyste — déclenchent de vives réactions émotionnelles faites d'abattement ou de rage narcissique. Divers exemples cliniques permettent de voir comment H. Kohut interprète les réactions d'un analysant à l'absence de l'analyste ainsi que les rapports entre la séparation réelle et les fantasmes de séparation. Le « retrait » psychologique de l'analyste est présenté par lui comme étant l'équivalent d'une absence réelle (p. 101), si bien qu'il considère que les reproches de l'analysant envers l'analyste « sont justifiés et ont un sens, même dans les cas où la séparation est en réalité bien brève et décidée par le patient lui-même » (p. 100).

Pour H. Kohut, l'essentiel du processus de *working through* est constitué par une succession de moments régressifs chez l'analysant déçu par l'analyste idéalisé, et de retours au transfert idéalisant grâce aux interprétations appropriées basées sur l'empathie de l'analyste (p. 106). Le bon usage de l'empathie vise à ce que l'analysant se sente compris quand il régresse au narcissisme archaïque chaque fois qu'il se heurte au contact du moi-réalité et qu'il est soumis aux frustrations liées à la perception de l'analyste comme séparé et indépendant. H. Kohut recommande que les interprétations de la séparation soient données « avec l'empathie qui convient aux sentiments de l'analysé » et non d'une manière mécanique (p. 106). Favoriser le développement d'un transfert narcissique est à ses yeux la seule stratégie possible face à ce type d'analysants. Lorsqu'il aboutit, ce long travail a pour résultat d'amener l'analysant à mieux tolérer l'absence de l'analyste de manière à installer une « intériorisation structurante des énergies narcissiques, alors que le soi-objet idéalisé est abandonné » (p. 109).

Une théorie psychanalytique solipsiste ?

Dans cette description clinique du processus de *working through*, on croit trouver des correspondances entre les points de vue de H. Kohut et ceux d'autres psychanalystes qui ont étudié les troubles narcissiques. Mais on déchante rapidement, car les élaborations théoriques de H. Kohut diffèrent tellement des autres modèles psychanalytiques que tout essai de comparaison échoue.

Par exemple, concernant le thème qui nous intéresse, je serais tenté de discuter les vues de H. Kohut à la lumière des diverses conceptions psychanalytiques que nous avons examinées dans les précédents chapitres. J'aimerais par exemple rapprocher les concepts d'empathie et de *working through* des concepts de *holding* et de désillusionnement progressif chez D. W. Winnicott (1951). J'aimerais comparer la notion de séparation par rapport à l'objet réel chez H. Kohut avec celle qu'on rencontre chez Anna Freud ou René S. Spitz. Je voudrais aussi confronter les idées de H. Kohut sur le narcissisme primaire et la libido narcissique avec celles de B. Grunberger (1971). De même, je trouverais stimulant de discuter de manière approfondie la place de l'idéalisation ou le rôle des pulsions libidinales et agressives dans la théorie et la clinique en comparant le point de vue de Kohut avec celui de Melanie Klein. C'est ce qu'a tenté de faire O. Kernberg (1975) lorsqu'il présente ses propres idées sur l'analyse des troubles narcissiques.

Mais avec H. Kohut toute comparaison tourne court, non seulement parce que sa théorie est très personnelle, mais aussi parce qu'il utilise des concepts psychanalytiques sans référence aux auteurs qui les ont utilisés — voire proposés — avant lui. Si les apports de la psychologie du *self* ont eu le mérite d'avoir attiré l'attention sur des problèmes importants, nous pouvons regretter avec R. S. Wallerstein (1985) que ces apports ne puissent être intégrés dans le courant de la pensée psychanalytique contemporaine autrement qu'en tant que « psychologie psychanalytique auto-suffisante » (« self-contained psychoanalytic psychology », p. 402). H. Kohut a-t-il ainsi voulu faire cavalier seul ?

6 / LES CONCEPTS D'ATTACHEMENT ET DE PERTE CHEZ J. BOWLBY

Une tentative de synthèse et de réévaluation

Pour tout psychanalyste qui aborde le problème de l'angoisse de séparation et de perte d'objet, l'œuvre de John Bowlby constitue un ouvrage de référence. En effet, bien qu'il ait abouti à des conclusions contestables du point de vue psychanalytique, J. Bowlby n'en a pas moins recensé la plupart de ce qui est actuellement connu sur le problème de la séparation et de la perte d'objet, ou sur le deuil normal et pathologique dans les trois volumes de son ouvrage *L'attachement et la perte* (1969, 1973, 1980).

Après avoir fait le tour des différentes hypothèses proposées par les psychanalystes pour rendre compte de la séparation et de la perte d'objet, J. Bowlby se dit stimulé certes, mais surtout déçu de n'avoir pas rencontré la méthode susceptible de « séparer le bon grain de l'ivraie ». Il estime que Freud lui-même n'apporte pas de réponse satisfaisante ; il trouve en effet que Freud a adopté successivement plusieurs théories entièrement différentes à propos de l'angoisse de séparation avant d'arriver enfin, en 1926, à y voir la clé des problèmes de l'angoisse névrotique, mais trop tard pour être entendu. D'autre part, J. Bowlby pense que les recherches psychanalytiques sur ce sujet sont pleines de spéculations contradictoires et que « chaque théorie débouche sur un modèle différent de fonctionnement de la personnalité et de la psychopathologie et par conséquent sur des pratiques nettement différentes » (t. 2, p. 56). Il attribue ce qu'il considère comme un échec de la psychanalyse à la dispersion des points de vue, les études isolées ne parvenant pas à cerner les phénomènes d'attachement, de séparation et de perte dans un ensemble cohérent.

Aussi J. Bowlby propose-t-il une autre méthode de recherche, la méthode prospective, basée sur l'observation directe de jeunes enfants : « A la lumière de ces données, on tente de décrire certaines phases antérieures du fonctionnement de la personnalité et d'en extrapoler l'avenir » (*ibid.*, p. 48). Il trouve le prototype de sa méthode dans les travaux de Anna Freud et de D. Burlingham (1943) qui ont observé des nourrissons séparés de leurs parents, dans le cadre d'une crèche.

Chez l'enfant séparé de sa mère, envers qui il éprouve un attachement, J. Bowlby décrit trois phases principales de réactions fondamentales : la protestation, le désespoir, le détachement. Ces trois phases forment selon lui une séquence de comportement caractéristique. Il relie chacune de ces phases à l'un des points essentiels de la théorie psychanalytique : la phase de protestation correspond au problème de l'angoisse de séparation, le désespoir à celui du chagrin et du deuil, le détachement à celui des mécanismes de défense. J. Bowlby considère ces phases comme constituant un ensemble cohérent, formant un seul et même processus.

Conception davantage biologique que psychanalytique

Dans la louable intention de dépasser les contradictions et les controverses, J. Bowlby avance une nouvelle théorie qui, pense-t-il, serait le commun dénominateur de toutes les autres. Pour lui, l'attachement est une conduite instinctive, l'enfant s'attache non à la personne qui le nourrit, mais à celle qui a le plus d'interactions avec lui. L'attachement de l'enfant à sa mère se développe ou ne se développe pas, selon le degré de l'entente réalisée. La notion de pulsions et de défenses, de fantasmes, ou de vécus infantiles se reproduisant dans la vie adulte, à travers le transfert, tout cela est pratiquement évacué de la conception de J. Bowlby.

Après avoir exposé ses vues sur l'attachement, puis sur la séparation, J. Bowlby étudie l'apparition de la peur et de l'angoisse. Son postulat fondamental est que la phobie et l'angoisse de séparation, considérées par Freud et par les psychanalystes comme résultant de conflits névrotiques à la limite du pathologique, sont en réalité des comportements instinctifs normaux indiquant la peur, tendance

« naturelle » qui est présente chez les animaux comme chez l'homme, à tous les âges. J. Bowlby déclare en effet clairement que la tendance à réagir par de la peur en présence d'étrangers, la peur de l'obscurité ou de la solitude, loin d'être le résultat de conflits inconscients, est avant tout l'expression de « penchants génétiquement déterminés » qui aboutissent à une aptitude à affronter les dangers extérieurs réels (*ibid.*, p. 124). L'angoisse de séparation est donc pour lui une réaction purement instinctive à un danger externe.

La conclusion à laquelle arrive J. Bowlby a de quoi surprendre les psychanalystes. Il considère en effet que le lien d'attachement de l'enfant à sa mère est de nature purement biologique, de même que l'angoisse de séparation qui s'ensuit. Par ailleurs, les expériences de séparation et de perte qui surviennent dans l'enfance sont des « événements » de l'environnement extérieur qui viennent dévier le cours du développement et le diriger sur une voie défavorable, « comme un train est dévié de sa voie vers une voie secondaire ». A vouloir tenter une réévaluation de la théorie psychanalytique en introduisant les théories des systèmes de contrôle et du comportement instinctif, J. Bowlby s'éloigne de ce qui est spécifique de la psychanalyse pour se rapprocher de la psychologie expérimentale. Comme le fait observer P. Wiener (1985), l'orientation de J. Bowlby se défend tout à fait, mais « à condition de ne pas la prendre pour de la théorie psychanalytique » (p. 1600).

Le défi de J. Bowlby : un stimulant pour les psychanalystes

J. Bowlby est conscient qu'il a choisi un mode d'approche éthologique de l'attachement, de la peur et de l'angoisse humaine, qui n'est pas celui de Freud et de ses successeurs, et qu'une théorie aussi évolutionniste est un véritable « défi à la théorie » psychanalytique, selon ses propres termes.

Bien que les conclusions auxquelles arrive J. Bowlby soient discutables du point de vue psychanalytique, ses travaux ont eu le mérite d'avoir éveillé l'intérêt et stimulé les psychanalystes sur une question majeure, insuffisamment investiguée par eux. Les débats provoqués par J. Bowlby parmi les psychanalystes ont eu pour effet de faire sortir ceux-ci de leur réserve, et de préciser leur point de vue, comme l'a fait par exemple A. Freud (1960) dans sa controverse avec J. Bowlby.

Troisième Partie

POINTS DE VUE TECHNIQUES

7

Les interprétations transférentielles
de l'angoisse de séparation

« Ce qui embellit le désert, dit le petit
prince, c'est qu'il cache un puits quelque
part... »

Antoine de Saint-Exupéry,
Le Petit Prince, p. 72.

En fonction de quelle théorie interpréter ?

Après avoir examiné dans les chapitres précédents la place faite à l'angoisse de séparation par les principales théories psychanalytiques de relation d'objet, nous allons consacrer ce chapitre au problème de l'interprétation de ce type d'angoisse lorsqu'elle surgit dans la relation entre analysant et analyste, au cours de la cure psychanalytique.

Je crois qu'actuellement la plupart des psychanalystes reconnaissent le rôle crucial joué par l'élaboration de l'angoisse de séparation dans le processus psychanalytique. Mais la manière dont chacun l'interprète dépend de multiples facteurs et varie non seulement en fonction de notre formation personnelle, de nos prédilections théoriques et de notre pratique clinique, mais aussi en fonction de notre expérience personnelle de l'angoisse de séparation, c'est-à-dire de l'expérience que nous en avons acquise dans notre vie, dans notre propre psychanalyse et dans l'analyse de notre contre-transfert avec nos analysants.

La diversité des théories psychanalytiques pose d'ailleurs un problème pour les psychanalystes d'aujourd'hui, tout spécialement pour les psychanalystes en cours de formation, car il y a de quoi être dérouté parfois devant la variété des courants psychanalytiques et des conceptions théoriques qui ont vu le jour à la suite de Freud. Sur le plan pratique, cela signifie : sur quelle base un psychanalyste fidèle à la pensée freudienne va-t-il aujourd'hui fonder ses interprétations dans la clinique ? Comme nous l'avons vu, Freud a posé un certain nombre de jalons, et de nombreux autres psychanalystes ont apporté leur propre contribution dans une optique psychanalytique, mais en suivant une voie souvent originale. Cette question de la multiplicité des courants psychanalytiques au sein d'une même association — l'Association psychanalytique internationale (API) fondée par Freud en 1909 — est sans doute un problème actuel majeur pour nous tous. Ce n'est pas un hasard si la question des « bases communes de la psychanalyse » a fait le thème du Congrès de l'API à Rome en 1989, en réponse à la question posée à Montréal en 1987 par R. S. Wallerstein, à savoir existe-t-il « Une psychanalyse ou plusieurs ? » (*One psychoanalysis or many ?*, 1988, p. 5).

Je pense qu'en dépit de leurs différences, voire même de leurs divergences, les diverses théories psychanalytiques de relation d'objet que j'ai mentionnées, bien que traitant de l'angoisse de séparation sous des angles très variés, ont néanmoins toutes en commun une conception de la psychanalyse fondamentalement freudienne. Ces bases communes impliquent un accord sur les points suivants : rôle de l'inconscient, importance de la sexualité infantile dans l'origine des conflits psychiques, reconnaissance de la compulsion à la répétition dans les phénomènes de transfert, acceptation du rôle central joué par le complexe d'Œdipe comme organisateur de la vie psychique. J'ajoute qu'il ne suffit cependant pas, pour être analyste freudien, d'être d'accord avec les points théoriques que je viens d'énumérer, mais il importe aussi d'être d'accord sur la mise en place d'un cadre psychanalytique capable de permettre à l'expérience analytique et à l'interprétation du transfert de fonctionner de manière satisfaisante. Comme l'a déclaré J. Chasseguet-Smirgel : « C'est à partir de cadres différents qu'on perd les bases communes » (1988, p. 1167). J'y reviendrai dans un chapitre ultérieur.

Si, à l'intérieur de la pratique psychanalytique dite classique, chacune des théories de relation d'objet que je viens de mentionner s'inscrit dans les bases communes ainsi définies, il n'en reste pas moins que chacune de ces théories offre une spécificité et une cohérence propres, dont l'on ne saurait profiter pleinement qu'à la condition de se tenir dans une même ligne de pensée. Vouloir toutes les choisir voudrait dire n'en choisir aucune : pour aller vers un même but, il peut y avoir des parcours différents, mais pourtant l'on n'atteint ce but qu'au prix d'avoir choisi une seule voie et renoncé du même coup aux autres, dont on sait pourtant qu'elles existent et ont aussi leur valeur. Cela ne veut donc pas dire que les autres voies sont moins valables, ce sont des voies différentes et l'on ne saurait exclure une théorie au profit d'une autre, même si elles ne peuvent être appliquées en même temps par le même psychanalyste.

Par exemple, suivant la théorie à laquelle il se réfère, le psychanalyste peut, dans sa pratique clinique, ne pas interpréter l'angoisse de séparation et rester silencieux sur cet aspect du processus, ou au contraire l'interpréter lorsqu'il l'estime utile. Un psychanalyste peut fort bien tenir compte de l'angoisse de séparation dans sa théorie et sa pratique, et s'abstenir de l'interpréter, parce que, d'après ses références théoriques, il considère que ce type d'angoisse doit être revécu par l'analysant à un niveau infraverbal, et que l'analyste doit accompagner cette régression, sans nécessairement l'interpréter. Ce point de vue est celui des psychanalystes qui suivent la conception de D. W. Winnicott, par exemple, pour qui la phase narcissique est une étape normale du développement précoce — l'équivalent des « soins maternels primaires » — et pour qui, par conséquent, une attitude de « holding » est préférable à une attitude interprétative. A ce sujet, dans son étude sur le narcissisme, F. Palacio (1988) a fait observer avec justesse que les psychanalystes qui considèrent le narcissisme comme une phase normale du développement regardent les phénomènes narcissiques qui surgissent dans la cure comme relativement normaux et relèvent peu dans leurs interprétations les aspects conflictuels du transfert narcissique. Cela est d'autant plus frappant si on les compare avec les psychanalystes qui voient le narcissisme à la lumière de l'agressivité, de la destructivité et de l'envie. Pour ces derniers, le narcissisme est le résultat d'un ensemble de pulsions et de défenses qui peuvent être interprétées de manière détaillée dans le *hic et nunc* de la relation transférentielle, tout spécialement à l'occasion des interruptions de la rencontre analytique.

Pour répondre à la question posée au début : en fonction de quelle théorie interpréter ?, je dirai que l'essentiel c'est que le psychanalyste parvienne à acquérir une liberté créatrice suffisante par rapport à ses propres modèles — théoriques, techniques et cliniques — pour que ses interprétations reflètent avant tout ce que vit l'analysant. C'est ce qui fait du travail du psychanalyste un art difficile et passionnant, où rien n'est jamais définitivement acquis.

L'utilité d'interpréter l'angoisse de séparation

En ce qui me concerne, je pense que lorsque l'angoisse de séparation se manifeste dans la cure psychanalytique il est essentiel que, comme analyste, je la détecte et l'interprète, afin que l'analysant l'élabore. En voici selon moi les raisons principales.

Je pense que le premier but de l'interprétation de ce type d'angoisse est de *rétablir la communication verbale* entre analysant et analyste souvent interrompue par l'angoisse de séparation et de perte d'objet. En effet, les interruptions de fin de séance, de fin de semaine ou des vacances ont tendance à perturber le travail d'élaboration parce qu'elles déclenchent des réactions d'angoisse et le recours à des modes de défense régressifs qui ont pour effet d'interrompre la communication verbale entre analysant et analyste de manière plus ou moins durable. Freud avait observé que « les interruptions, même de courte durée, troublent toujours un peu le travail » et il parlait de ces résistances comme d'une « carapace du lundi » qui suit l'interruption du dimanche (1913c, p. 85-86). Quant à R. R. Greenson (1967), il considère que les réactions aux séparations sont une source majeure de résistances, et que celles-ci font obstacle à l'alliance thérapeutique ainsi qu'à l'efficacité de l'interprétation ; c'est pourquoi il préconise en premier lieu de « rétablir une alliance de travail qui nous permettra d'analyser la réaction du patient à la séparation » (p. 338). Je pense que si nous ne les interprétons pas, ces réactions ont fréquemment tendance à persister et peuvent perturber pendant une durée parfois prolongée aussi bien la communication analysant-analyste que le processus d'élaboration. A l'opposé, nous pouvons observer que, lorsque nous interprétons ces réactions dans la relation de transfert, ces réactions sont souvent réversibles et la communication peut alors se rétablir plus ou moins rapidement, car l'analysant retrouve alors le fil de l'élaboration interrompu par l'angoisse. C'est pourquoi il me paraît utile d'interpréter ce type d'angoisse, non pas de manière systématique, mais chaque fois que l'analyste l'estime nécessaire et aussi longtemps que l'analysant n'est pas en mesure d'en prendre lui-même conscience et de l'élaborer.

Une deuxième raison pour interpréter les angoisses liées aux interruptions de la rencontre analytique vient à mon avis de ce que ce type d'angoisse *révèle des aspects latents du transfert*, donnant des indications sur l'état des relations d'objets de l'analysant, sur ses modes de défense, sur des aspects restés clivés de sa personnalité, sur sa capacité à tolérer la douleur psychique, l'angoisse ou le deuil. Ces mille et une facettes du transfert, restées souvent jusque-là cachées, surgissent dans ces moments privilégiés sous la pression de l'angoisse qui les force pour ainsi dire à se manifester. Les réactions aux interruptions se colorent des tendances libidinales et agressives caractéristiques propres à tel analysant, à tel moment de la cure, dans telle situation transférentielle. C'est pourquoi je considère les manifestations de l'angoisse de séparation comme un moment privilégié pour interpréter le transfert. R. R. Greenson (1967) a également souligné ce point, dans son ouvrage sur la technique, en notant que les séances du vendredi et du lundi sont sans doute les séances qui donnent lieu aux réactions les plus démonstratives et les plus significatives de la relation transférentielle. L'importance des réactions aux séparations est également soulignée de manière implicite chez les analystes de l'école anglaise du fait que la plupart des exemples cliniques choisis par eux pour illustrer leurs contributions sont en rapport avec des séances situées autour d'une interruption de fin de séance, de fin de semaine ou lors des vacances. On peut le constater dans de nombreux articles ou dans leurs ouvrages : ainsi, la plupart sinon tous les exemples cliniques choisis par H. Segal pour illustrer son *Introduction à l'œuvre de Melanie Klein* (1964) se situent autour d'interruptions de la rencontre analytique.

Enfin, l'interprétation des angoisses de séparation prend une signification encore plus spécifique pour les psychanalystes qui considèrent *le processus psychanalytique sous l'angle des vicissitudes de l'élaboration transférentielle des angoisses de séparation et de perte d'objet.* Dans cette perspective, les interprétations de l'angoisse de séparation sont utiles non seulement pour rétablir la communication analysant-analyste lorsqu'elle est perturbée et pour mettre en relief certains aspects du transfert, mais aussi pour ponctuer l'ensemble de l'élaboration des relations d'objet dans le transfert, à partir d'une dépendance et d'une indifférenciation moi-objet (narcissisme) dans la direction d'une plus grande autonomie et d'une meilleure différenciation entre le moi et les objets, aussi bien internes qu'externes. Pour toutes ces raisons, à mon sens, l'interprétation de l'angoisse de séparation se situe au cœur même du déroulement du processus psychanalytique, comme je l'ai relevé dans le rapport que j'ai présenté en 1988 au Congrès de Genève (J.-M. Quinodoz, 1989).

Personnellement, j'ai été considérablement influencé par la pensée de M. Klein et de ses successeurs, tant en ce qui concerne la manière d'utiliser le transfert comme une situation totale, selon l'expression de B. Joseph, qu'en ce qui touche une conception du processus psychanalytique dans lequel l'élaboration des angoisses de séparation joue un rôle central. C'est en référence à ce contexte que je situe mes interprétations transférentielles, en particulier celles qui visent les angoisses de séparation et de perte d'objet.

De l'univers d'un analysant à un autre

Avant de poursuivre, j'aimerais illustrer la diversité des manifestations de ce type d'angoisse à laquelle nous, psychanalystes, sommes confrontés quotidiennement, en décrivant la diversité des réactions de plusieurs parmi mes analysants à l'occasion d'un même week-end prolongé, sans les commenter. On pourra constater combien chaque analysant est un univers en soi, tellement différent d'un autre.

Durant ce week-end, Alexia est à nouveau reprise par un sentiment de solitude douloureux et plein d'angoisse : « J'essaye de me donner des raisons de vivre, mais j'ai l'impression que *ça* ne tient pas le coup, je n'arrive pas à vivre toute seule. Dans ces moments, je n'arrive pas non plus à faire face à mes pensées, à mes sentiments : je vais en périr, car ces pensées-là sont comme un entonnoir dans lequel je me sens prise. J'ai un tel désert affectif autour de moi. Quand je réfléchis à cela, j'ai la mort dans l'âme, j'ai l'impression de n'engendrer que de mauvaises idées, de mauvais sentiments. Tout cela me pousse vers la destruction de moi-même : je me dis que je n'ai plus rien à faire sur cette terre et que c'est le cours de l'existence que d'aller vers la destruction. C'est comme le cycle menstruel : quand les règles arrivent, c'est le signe que rien n'a donné la vie... avant il y avait l'espoir que quelque chose naisse, et puis non : c'est le bain de sang. Face à ces questions, je n'ai rien à attendre de vous, je ne peux rien vous demander. Je dois me contenter de ce que je n'ai pas. »

Avec Alice, par contre, le ton est tout différent. A la veille de cette interruption elle est très calme, bien qu'elle se sente très jalouse, me dit-elle. Elle aimerait bien partager l'intimité que ma famille et mes amis partagent avec moi, mais elle se sent « seulement » une analysante à mes yeux. Alice pense alors à une amie dont elle vient de rêver, qui arrivait chez moi au moment où Alice sortait. L'idée que son amie venait aussi chez moi, juste après elle, avait réveillé chez Alice un fort sentiment de jalousie et d'exclusion, mais aussi le sentiment qu'elle pourrait venir aux séances avec les mêmes dispositions positives qu'elle imagine chez cette amie, et profiter davantage de l'intimité que je lui procure en la recevant quatre fois par semaine.

Quant à Tom, en analyse depuis plusieurs années, il me raconte après l'interruption du week-end qu'il s'est disputé, puis réconcilié avec sa compagne. Il s'était beaucoup fâché contre elle, puis il a réalisé qu'il avait fait un « déplacement inconscient » sur elle de sa colère envers moi, il s'en est voulu mais il a arrangé les choses avec son amie.

Esther vient de commencer son analyse, et la perspective de cette interruption a une influence très forte sur elle : depuis plusieurs semaines Esther se sent fatiguée : « Je suis de plus en plus fatiguée, mais je ne sais pas pourquoi, c'est comme ça depuis un certain temps. J'ai un coup de pompe qui me tombe dessus. » Mais elle n'établit aucun lien conscient avec la séparation qui se prépare : « J'espère que la semaine prochaine ça ira mieux. J'en ai ras le bol. Pourtant, il suffirait que je me foute en rogne un bon coup, ça me défoulerait, mais je n'y arrive même pas. » Lors de la séance qui précède l'interruption, elle ne décolère pas, mais un souvenir surgit dans la tourmente. Esther me raconte être comme cela depuis qu'elle est bébé : quand quelque chose ne va pas, n'importe quoi, elle se met à crier jusqu'à ce qu'elle obtienne ce qu'elle veut. Bébé, elle criait la nuit, jusqu'à ce que ses parents la prennent dans leur lit. « Aujourd'hui, je suis en colère contre vous parce que je ne profite pas de vous, c'est légitime, non ? », me dit-elle sur le pas de la porte.

Je pourrai continuer à raconter comment chacun de mes analysants a vécu cette interruption, chacun à sa manière, mais je m'arrêterai là. Remarquons cependant la diversité des réactions, chacun vivant dans un univers différent de l'autre, ce qui nous fait comprendre l'importance de tenir compte de la personnalité particulière de chaque analysant, et de situer nos interprétations en fonction du transfert considéré comme une situation totale.

Le transfert, une situation totale

Les apports de M. Klein ont remarquablement étendu notre compréhension de la nature du transfert et du processus de transfert. Découvert par Freud comme un obstacle, puis comme un instrument essentiel de la psychanalyse, le transfert a été longtemps compris en termes de références directes, explicites à l'analyste. Par la suite on a réalisé que la totalité de ce qui est rapporté par l'analysant, pas seulement ses associations et ses rêves au sujet de l'analyste, mais l'ensemble de ce qu'il rapporte — par exemple de la vie quotidienne ou de son entourage — tout cela donne accès aux angoisses inconscientes déclenchées par la situation de transfert. C'est dans ce sens que M. Klein parle du transfert comme d'une situation totale : « D'après mon expérience, en démêlant les détails du transfert, il est essentiel de penser en termes de *situations totales* transférées du passé dans le présent, aussi bien qu'en termes de défenses émotionnelles et de relations d'objet » (« Les origines du transfert », 1952). Par ailleurs, si l'on tient également compte des découvertes de M. Klein sur les relations d'objet précoces et sur le fonctionnement psychique, le transfert n'apparaît pas seulement comme le report sur la personne de l'analyste des objets originels du passé, mais aussi comme un échange incessant fondé sur le jeu des projections et des introjections des objets internes sur la personne de l'analyste. Tout cela fait du transfert un va-et-vient continu d'expériences qui sont souvent en deçà des mots, et que nous ne parvenons parfois à capter qu'à travers notre contre-transfert, c'est-à-dire à travers les sentiments qui sont réveillés chez l'analyste par ce que le transfert a apporté.

Au cours du processus psychanalytique, nous pouvons fréquemment observer combien les interruptions de fin de séance, de fin de semaine ou des vacances peuvent perturber la communication entre analysant et analyste, mouvements et changements qui sont des aspects fondamentaux du transfert. Aussi, lorsqu'on conçoit les rapports entre le transfert et les interprétations comme étant une communication en continuel déplacement et en évolution, nos interprétations doivent en être le reflet vivant. Pour parvenir à ce but, il s'agit « que nos interprétations ne soient pas seulement des "interprétations" », mais qu'elles soient comprises en profondeur : l'interprétation doit véritablement « résonner » à l'intérieur de l'analysant, selon l'expression de B. Joseph (1985). Elles doivent donc être tissées à partir de ce qui touche l'analysant à ce moment-là, refléter ses mots, ses fantasmes et l'ensemble de la situation qu'il amène, compte tenu du niveau où il se trouve.

Au sein de ces fluctuations, le maintien de la communication est une tâche difficile, aussi bien pour l'analysant que pour l'analyste, et son fonctionnement dépend non seulement de la capacité de l'analysant de communiquer ou de son mode de communication — qui varie considérablement d'un individu à l'autre — mais aussi du moment où celui-ci se trouve dans le processus psychanalytique, et à l'intérieur même de la séance.

Lorsqu'un analysant se trouve proche de la position dépressive, il est davantage en contact avec lui-même et avec autrui, et capable de communiquer verbalement ce qu'il éprouve envers la personne de l'analyste qu'il considère comme une personne totale. En voici un exemple chez une analysante qui, bien qu'elle éprouve de vives angoisses lors des interruptions de fin de semaine — qui réveillent chez elle des expériences de séparation très précoces — se montre néanmoins capable de m'exprimer verbalement ses émotions les plus fortes vécues dans le transfert, d'accepter mes interprétations et de les élaborer : « Ce dont je souffre, à chaque fois, c'est de vos absences le week-end ou pendant les vacances : je crains d'être trop démonstrative, de vous montrer trop mon attachement ou ma colère... quand je me trouve en présence de quelqu'un et que je le regarde, je pense qu'il va disparaître. Alors je me rétrécis, je ne livre plus rien de moi, je refuse d'établir des liens. Je me dis que rien n'est définitif et je me prépare à la rupture... et si celle-ci ne vient pas, je la provoque. Quand j'étais petite, ma mère est partie durant quelque temps ; lorsqu'elle est revenue, je ne l'ai pas reconnue. Depuis, ma mère est restée une étrangère pour moi, et je me suis dit que je l'avais fait fuir et que c'est entièrement ma faute... Tout cela je le pense à votre propos chaque fois que vous me quittez. » Dans ces conditions, les vécus transférentiels d'angoisse et la douleur psychique sont contenus et communiqués verbalement à l'analyste, dont les interprétations seront par la suite reçues et acceptées d'une manière qui accroît l'insight.

A l'opposé, lorsque l'angoisse face à la séparation est moins bien tolérée, les analysants font appel aux défenses primitives comme le déni, le clivage et l'identification projective, ce qui entraîne souvent la rupture de la communication verbale avec l'analyste au profit de modes plus régressifs de communication. Ces analysants cherchent inconsciemment alors à *agir* sur l'analyste plutôt qu'à communiquer verbalement avec lui. Dans une telle éventualité, concevoir le transfert comme une situation totale nous permet de repérer des éléments latents ou dispersés, en apparence très éloignés de l'expression verbale du transfert, et de les rassembler dans nos interprétations. En voici un exemple chez un analysant qui éprouve habituellement la plus grande difficulté à ressentir ses émotions, à les exprimer dans le langage verbal et surtout à accepter de les relier à la relation avec ma personne. Au cours des séances qui avaient suivi une courte période de vacances, cet analysant devint profondément silencieux, restant complètement immobile et figé, incapable de sortir par lui-même de son silence. Il finit par me dire une seule phrase après plusieurs jours, d'une voix à peine perceptible et en dépliant sur lui la couverture : « Il fait froid chez vous. » Il me dit cela d'une façon si concrète et si réaliste que je me suis demandé si le chauffage s'était arrêté de fonctionner sans que je m'en sois aperçu, et j'eus d'abord la tentation de vérifier le thermomètre pour voir si la température avait baissé. Au moment de le faire, je réalisais qu'il s'agissait d'une réaction contre-transférentielle de ma part, et que j'allais agir en réponse à l'action contenue dans les dires de mon analysant qui, d'une manière très indirecte, me reprochait ainsi de l'avoir laissé au froid pendant mes vacances. Il exprimait ainsi, de manière agie et non verbale, qu'il se sentait abandonné et seul, laissé par moi dans un état où il était incapable de relier lui-même la sensation physique de froid avec l'expérience de la séparation. Mon absence ou ma présence n'étaient par perçues par lui dans le cadre d'une relation avec moi comme personne totale, mais à travers des sensations partielles de « froid » ou de « chaud ». A ce stade de son analyse, seules des interprétations exprimant la qualité sensorielle, fragmentaire et partielle de son vécu de la séparation d'avec moi parvenaient à lui rendre vie et à réchauffer la relation, de façon à rétablir une communication verbale et symbolique entre nous.

Un moment privilégié pour interpréter le transfert

Pour moi, le surgissement de l'angoisse lors des discontinuités de la rencontre analytique constitue un moment privilégié pour interpréter « séance tenante » des aspects cruciaux du transfert qui se manifestent de manière particulièrement démonstrative à ces occasions. Les séparations qui se répètent au cours de l'analyse font en effet surgir une grande variété d'affects, d'angoisses, de résistances et de défenses qui sont réveillés par les vécus de séparation et de perte d'objet. Nous pouvons nous demander à juste titre : pourquoi ces moments-là sont-ils si riches de phénomènes psychiques ?

On trouve des réponses à ces questions aussi bien chez Freud que chez Klein. Je rappelle que pour Freud (1926*d*), dans sa seconde théorie de l'angoisse, la crainte de la séparation et de la perte d'objet constitue la source ultime du surgissement de l'angoisse, quel que soit le niveau libidinal, et l'on peut penser que les discontinuités de la rencontre de la cure réveillent régulièrement ces craintes. Quant à M. Klein, elle n'attribue pas un rôle aussi spécifique à la séparation dans l'origine de l'angoisse, mais elle en élargit l'origine à toutes les sources externes et internes. Que le moi soit menacé par le trop-plein d'excitation qu'il ne peut alors maîtriser, selon la conception de Freud, ou que le moi soit menacé d'anéantissement sous l'effet direct de la pulsion de mort, d'après la conception de M. Klein — qui n'est pas très éloignée de celle de Freud — le moi se défend par la production d'angoisse et la mise en place de défenses visant à le protéger des dangers aussi bien externes qu'internes. Ainsi s'explique que les vécus répétés de séparation et de perte d'objet lors des discontinuités de la rencontre analytique soient une source autant productive de phénomènes transférentiels.

En mettant ainsi l'accent sur les réactions aux interruptions, je ne veux pas dire qu'elles sont tout le transfert : ce que je veux dire surtout, c'est que les interruptions déclenchent des vécus transférentiels particulièrement vifs chez l'analysant, qui, de ce fait, sont plus directement reliables au transfert.

Pour interpréter ces phénomènes transférentiels, il s'agit de repérer ce que vit l'analysant dans le moment présent, compte tenu de nombreux facteurs, en particulier du moment de la cure, du moment de la séance, de son humeur et de l'état de sa relation avec l'analyste : l'analysant ne réagit pas de la même façon s'il est triste ou content, fâché ou angoissé. Nous devons tenir compte également des aspects topiques, dynamiques et économiques du vécu de la séparation. Chaque fois, nous avons à nous demander si l'angoisse est vécue de manière proche ou non de la conscience, dans ce cas est-elle refoulée ou déniée (point de vue topique) ? Quelle est la quantité d'angoisse en jeu (point de vue économique) ? Quels sont le niveau pulsionnel et la nature du conflit qui prédomine « ici et maintenant » ? L'angoisse est-elle vécue au niveau oral, urétral ou anal, ou encore phallique ou génital (point de vue dynamique) ? En fonction du point d'urgence déterminé par l'angoisse, l'analyste peut montrer *in statu nascendi* le lien entre le transfert et le jaillissement de telles sortes d'affects, de tels mouvements libidinaux ou agressifs, de telles défenses spécifiques présentes dans les associations ou les rêves, les acting-out ou tels symptômes psychiques ou somatiques, apparus à ce moment de la cure. L'analyste peut aussi souligner ce que l'analysant fait surgir pour éviter la douleur psychique ou l'angoisse, les résistances et les réactions hostiles qui peuvent aller jusqu'à la réaction thérapeutique négative, comme nous le verrons plus loin. En mettant en évidence les mille et un procédés inconscients utilisés par l'analysant pour faire un avec l'objet, afin d'éviter de percevoir la séparation, notons que ces procédés, loin d'être uniquement l'expression de la régression, sont souvent autant de créations originales du moi et à interpréter comme telles (M. Ellonen-Jéquier, 1985).

Il est également important que nous établissions des liens entre le transfert et le passé de l'analysant, dans le but de procurer à celui-ci un sens de la continuité et de lui permettre de se dégager de la compulsion à la répétition, qui fait peser de manière excessive le poids du passé sur le présent. Quand et comment interpréter utilement le rapport du présent au passé, afin de le reconstruire ? C'est aussi une tâche délicate dont nous reparlerons à propos du traumatisme psychique infantile, car si l'analyste vient à rompre le cours de la séance en reliant passé et présent, il risque de n'amener qu'une explication et pas véritablement une prise de conscience. Mieux vaut parfois attendre que l'analysant soit suffisamment en contact avec lui-même et avec la situation pour établir de tels liens dans nos interprétations.

En plus des éléments de base que nous venons d'examiner servant à fonder des interprétations qui soient le reflet vivant du transfert — facteurs topiques, économiques, dynamiques, passé-présent —, nous pouvons être encore plus précis dans nos interprétations lorsque nous tenons compte des principales théories psychanalytiques de relations d'objet qui accordent une place importante à l'angoisse de séparation et de perte d'objet dans le développement psychique.

Comme nous l'avons vu dans les chapitres antérieurs, les recherches psychanalytiques de ces dernières décennies ont mis l'accent sur les vicissitudes des angoisses de séparation et de perte d'objet dans le développement psychique normal et dans la psychopathologie, et ces travaux ont été répercutés en clinique dans l'analyse du transfert. Que le psychanalyste se réfère personnellement à une conception basée sur la notion de séparation-individuation, ou sur le concept d'identification projective ou sur l'un ou l'autre des principaux autres modèles psychanalytiques que j'ai mentionnés, le psychanalyste d'aujourd'hui dispose de références suffisantes pour pouvoir repérer la signification que prennent les angoisses de séparation et de perte d'objet au cours du processus psychanalytique, de manière à les interpréter dans le transfert afin que l'analysant les élabore.

Le rôle de l'identification projective

Lorsqu'on tient compte des découvertes de M. Klein sur les relations d'objet précoces et sur le fonctionnement psychique, ainsi que des développements ultérieurs apportés avec le concept d'identification projective, les phénomènes liés à la séparation et la perte d'objet peuvent être conçus et interprétés comme se déroulant dans un échange incessant de projections et d'introjections dans le transfert. Cet échange entre analysant et analyste constitue une véritable trame vivante, sans cesse en mouvement et en transformation, dans laquelle est inclus le contre-transfert (c'est-à-dire les sentiments qui sont éveillés chez l'analyste) qui constitue également un instrument essentiel du processus psychanalytique.

Freud avait été le premier à décrire les réactions du moi face à la perte d'objet (identification à l'objet perdu, clivage du moi et déni de la réalité, 1917*e*, 1927*e*), puis face à la séparation (production d'angoisse et de défenses, 1926*d*). Par la suite, les développements successifs apportés par M. Klein, nés de l'élaboration de ses propres deuils et de ses études sur les états maniaco-dépressifs, ont permis de préciser la nature des angoisses et des conflits intrapsychiques impliqués dans la séparation, la perte d'objet, le deuil normal et pathologique, ainsi que dans le deuil développemental, et d'appliquer ses vues à l'analyse du transfert au cours du processus psychanalytique. Parmi les apports déterminants de M. Klein, mentionnons sa conception des relations d'objets, qui eut pour point de départ la notion de relation d'objet telle qu'elle est apparue dans « Deuil et mélancolie » (Freud, 1917*e* [1915]), sa conception du clivage du moi et de l'identification projective dans la position paranoïde-schizoïde, ses idées sur le clivage des affects et sur la résolution de l'ambivalence lors de l'intégration de l'amour et de la haine dans la position dépressive, de même que ses recherches sur le rôle de l'envie dans la vie psychique.

Ces développements que j'ai brièvement rappelés nous permettent de comprendre par exemple non seulement comment le moi peut se cliver afin de dénier la réalité de la perte, ce qu'avait montré Freud, mais également comment l'expérience du vécu de la perte peut être clivée et projetée et/ou introjectée à l'intérieur de l'échange relationnel continu constitué par le transfert et le contre-transfert : ces parties du moi ainsi clivées peuvent être déposées soit dans des objets externes (acting-out), soit dans des parties du corps prises comme objet et être à l'origine d'affections somatiques ou d'accidents (J.-M. Quinodoz, 1984), soit également projetées dans l'analyste qui le ressent dans son contre-transfert, parfois au point de céder à ces projections (contre-identification projective, L. Grinberg, 1964). Une conception de l'analyse comme une situation totale permet alors de repérer les parties ainsi dispersées, de manière à les rassembler dans nos interprétations dans le but de rétablir une meilleure intégration du moi et des relations d'objet.

Lorsque l'angoisse est excessive et insuffisamment contenue par l'analysant, celle-ci peut être projetée de manière si massive que l'analysant ne ressent plus la séparation : la communication verbale est alors provisoirement interrompue par l'usage excessif de l'identification projective. Il s'agit alors dans un premier temps de « ramener l'analysant dans la séance » — selon l'expression de S. Resnik (1967) — de façon à rétablir la communication verbale, et dans un second temps seulement d'interpréter la séparation. En voici un exemple.

Un exemple clinique : retrouver « le fil rouge » coupé par l'angoisse de séparation

J'aimerais illustrer maintenant à travers un exemple clinique comment un analysant qui suivait une ligne d'élaboration très créative fut soudain inconsciemment perturbé par une séparation, comment j'ai pu le lui interpréter de telle sorte que la communication verbale s'étant rétablie, nous avons pu retrouver le « fil rouge » momentanément interrompu.

Il s'agissait d'un analysant capable habituellement de prendre conscience et de communiquer ses sentiments transférentiels directement et avec nuances. Mais en ce début de semaine qui précédait une interruption prévue pour mes vacances, il éprouva soudain une forte angoisse au point qu'il hésita même à s'en aller peu après le début de la séance. Il avait complètement perdu le fil du travail analytique en cours, disant se sentir confus et dispersé, n'arrivant pas à rassembler ses idées, sans qu'il sache pourquoi. Il se remit cependant à associer pendant la séance, parlant des divers interlocuteurs rencontrés juste avant son arrivée : il était question de « celui qui se raccroche à la vie, même s'il a des envies de suicide », d'un autre « qui sentait si mauvais qu'on devrait le jeter dehors », d'un troisième « qui n'arrive pas à rester lui-même et part en morceaux », enfin d'un dernier « qui se sent comme un invertébré qui a perdu sa forme ». Le contexte de la séance et ses associations m'ont fait alors penser que mon analysant réagissait probablement à l'approche de la séparation des vacances, et que ce vécu transférentiel chargé d'angoisse avait entraîné une régression qui avait pris le dessus par rapport au travail élaboratif en cours à un niveau d'élaboration mieux intégré. L'angoisse concernant l'interruption devenant plus forte, mon analysant avait réagi en utilisant le mécanisme de l'identification projective : il était devenu comme absent de la séance, incapable d'exprimer ce qu'il était en train de vivre dans la relation avec moi et comme privé de son sentiment d'identité. Cette expérience transférentielle avait été clivée en multiples fragments, dispersée en dehors de la séance et projetée dans des interlocuteurs dont les propos évoqués dans les associations exprimaient des fragments de sa relation transférentielle présente entre mon analysant et moi. Comment ramener mon analysant dans la séance afin qu'il récupère son propre vécu transférentiel, c'est-à-dire son moi ?

Avec ce patient, il a suffi d'une interprétation pour le ramener à la situation actuelle du transfert : je lui signalai qu'après avoir été si présent ces jours derniers il me paraissait soudain absent et comme sorti de lui-même, pourtant je croyais l'entendre me parler lui-même en l'entendant me parler des interlocuteurs de son entourage ; quel motif puissant pourrait l'avoir ainsi poussé à sortir de lui-même et à ne pas m'exprimer ce qu'il a sur le cœur aujourd'hui ? Il retrouva ses esprits et me dit qu'en arrivant ce matin il avait pensé trouver porte close, ce qui lui rappela un bref instant mes vacances, puis avait oublié. Il me dit ensuite qu'il se sentait actuellement très seul, et que mon absence tombait mal en ce moment. Des idées suicidaires lui étaient passées par la tête, ainsi que des pensées si agressives à mon égard que je finirais par le mettre dehors comme un être puant. Il ajouta que s'il pouvait me dire cela, peut-être retrouverait-il sa forme. Après avoir élaboré en quelques mots ce vécu transférentiel par rapport à ma prochaine absence, il reprit le cours du travail analytique là où il l'avait laissé en suspens à la fin de la séance précédente.

Sitôt après cette première interprétation soulignant le mécanisme de clivage et projection sur des objets extérieurs du contenu de la relation transférentielle, j'eus le sentiment que mon analysant était de retour et bien présent à ce qu'il était en train de vivre avec moi. Une seconde interprétation qui aurait porté sur le contenu de l'angoisse devenait superflue puisque mon analysant était devenu lui-même conscient du lien entre l'angoisse par rapport à ma prochaine absence et le mécanisme de l'identification projective. Le point d'urgence, dans ce cas, m'avait paru l'interprétation du mécanisme de défense, afin de renverser l'identification projective, préalablement à toute interprétation portant sur le contenu de l'angoisse. L'analysant ayant repris sa place dans la séance et étant ensuite parvenu à en élaborer le contenu momentanément le plus angoissant fut ensuite en mesure de regagner un niveau supérieur d'intégration, antérieur à la perturbation déclenchée par l'angoisse de séparation, et de renouer avec ce fil d'élaboration et celui de la communication.

Cet exemple illustre également le fait que lorsqu'elle n'est pas excessive l'angoisse de séparation peut être contenue et élaborée par l'analysant. Par contre, si l'angoisse est trop forte on peut assister à l'installation de divers mécanismes de défense pour éviter la douleur psychique, et l'usage du mécanisme de l'identification projective dans le cas de cet analysant illustre de manière convaincante le fait que la perte du moi est souvent liée à la perte de l'objet. Aussi est-il primordial que l'interprétation vise à ce que l'analysant récupère d'abord son moi et les aspects perdus de son moi afin de restaurer son sentiment d'identité (L. Grinberg, 1964) et de reprendre possession des sentiments véritablement éprouvés par lui en relation avec la séparation, condition préalable pour que le fil rouge de l'élaboration — momentanément interrompu — soit retrouvé.

La connaissance approfondie des mécanismes psychiques n'est pas seulement utile pour savoir interpréter au niveau adéquat et au meilleur moment, elle nous est également nécessaire pour savoir là où l'interprétation n'est pas opérante, afin de la diriger à l'endroit où elle a davantage de chances d'être efficiente. Dans l'exemple que je viens de donner, l'interprétation a permis la réversibilité de l'identification projective, mais tel n'est pas toujours le cas. Lorsque l'identification projective est utilisée de manière massive contre l'angoisse de séparation, tout particulièrement en début d'analyse (D. Meltzer, 1967), la perte angoissée du self peut s'accoler si étroitement et de manière quasi délirante à un objet (ou à des objets) qu'aucune interprétation n'est opérante tant que le mécanisme d'identification projective n'est pas renversé. Il s'ensuit que, faute d'expérience, un analyste qui débute peut être tenté de situer ses interprétations à un niveau trop optimiste, selon H. R. Etchegoyen (1986) : si l'on vient à dire à un analysant utilisant l'identification projective de manière massive que l'analyste lui manque en fin de semaine, on a fort peu de chance d'être entendu par lui, car ce type d'interprétation implique que l'analysant soit capable de différencier le sujet de l'objet. Or on peut difficilement concevoir que l'analyste puisse manquer à un analysant qui, précisément, fait quelque chose pour que l'analyste ne lui manque pas.

Tout ce que je viens de décrire se joue à divers niveaux et à des échelles différentes aussi bien dans le long cours du processus psychanalytique que, simultanément, dans le microcosme de la séance. C'est ce que nous allons examiner maintenant

Dans le microcosme de la séance

Aujourd'hui, de nombreux psychanalystes, notamment les psychanalystes postkleiniens, mettent l'accent sur une approche détaillée des fluctuations du transfert à l'intérieur même de la séance, afin de suivre les mouvements affectifs de l'analysant et d'être en contact le plus possible avec son fonctionnement psychique. Pour que nous parvenions à ce but, il ne suffit pas que nos interprétations soient correctes et correspondent aux associations personnelles de l'analysant, il importe surtout que nous soyons très attentifs à la manière dont nous, psychanalystes, sommes utilisés inconsciemment à chaque instant par notre analysant. En analysant les interactions actuelles dans le *hic et nunc* de la séance et en tenant compte de la réponse de l'analysant à nos interprétations, nous pouvons ainsi mieux accéder aux affects et aux relations d'objet les plus précoces.

Dans cette perspective, il me semble essentiel de repérer et d'interpréter toutes les défenses contre la différenciation au cours de la séance, afin qu'elles soient élaborées et que l'analysant puisse affronter la séparation. Dans les mouvements incessants du transfert et du contre-transfert, nous pouvons montrer à l'analysant comment il nous utilise en faisant appel à l'identification projective, par exemple, pour éviter de percevoir la différenciation moi-objet et nier la séparation. Dans les moments où l'analysant parvient à s'en dégager, nous pouvons alors souligner les changements que son mode de communiquer avec nous entraîne, par exemple comment une meilleure communication entraîne un sentiment douloureux de solitude, mais que ce vécu est en même temps le signe d'un sentiment d'identité retrouvé et d'une relation plus différenciée. Si l'on n'effectue pas ce travail détaillé de différenciation dans le vif des fluctuations de la séance, la séparation risque de devenir difficile, voire catastrophique. T. Eskelinen-de Folch

(1983) a montré comment un travail analytique minutieux au cours des séances pouvait renverser la tendance générale d'une analysante à cliver et projeter inconsciemment dans l'analyste le sentiment de perte et de solitude en faisant collusion avec lui : l'analyse détaillée de ces phénomènes dans les séances permit une tolérance accrue de la séparation et le rétablissement d'un fonctionnement du « je » et du « tu » dans une communication entre deux personnes mieux perçues comme différenciées. Le « nous », qui était d'abord utilisé par l'analysante dans un but défensif de nier la différenciation avec l'analyste, a pu devenir un « nous » correspondant à une alliance de coopération.

Certains psychanalystes ont aussi beaucoup insisté sur l'importance de repérer les effets du commencement de la séance ou de la fin de la séance sur le contenu de la séance elle-même, ainsi que sur le transfert et le contre-transfert (L. Wender *et al.*, 1966). Selon ces auteurs, chaque séance aurait une phase de « précommencement », au cours de laquelle l'analysant exprimerait le fantasme inconscient qui va dominer la séance, et une phase « postfinale » qui fait surgir d'autres fantasmes restés latents durant la séance, mais qui ne feraient leur apparition qu'après le moment où la fin de la séance a été signifiée. De son côté, R. H. Etchegoyen (1986) estime qu'il serait plus utile et plus opérant que le psychanalyste porte son attention sur les moments de contact et de séparation au début et à la fin de l'heure, plutôt qu'aux réactions de fin de semaine ou des vacances, car ces dernières seraient souvent trop chargées émotionnellement pour que les interprétations soient vraiment acceptées et élaborées par l'analysant.

Dans le long cours :
une conception du processus psychanalytique

Au-delà de ce qui se joue dans le présent immédiat de la séance, nous devons également considérer dans nos interprétations l'évolution des angoisses de séparation et de perte d'objet par rapport *au long cours* du processus psychanalytique. Dans cette perspective, nous avons vu que le processus psychanalytique dans son ensemble pouvait être considéré sous l'angle des transformations et de l'élaboration de ce type d'angoisse. Voici maintenant d'autres hypothèses que je trouve utiles pour comprendre la signification que prend l'évolution des angoisses de séparation et de perte d'objet dans le déroulement du transfert, de manière à ce que nous puissions les repérer et les interpréter.

R. H. Etchegoyen (1986) rend attentif l'analyste à la nécessité de reconnaître à quel point il est lui-même impliqué dans le lien de dépendance transférentiel : d'après lui, le fait que l'analysant se sépare de l'analyste déclenche également de l'angoisse chez l'analyste — à moins que ce dernier ne la nie ou ne la déplace — et il suffit de penser à quel point une séance manquée par un analysant peut, selon les cas, perturber notre journée de travail. Dans cet ouvrage sur la technique, R. H. Etchegoyen place dans un contexte élargi la conception du processus psychanalytique avancée par D. Meltzer, en y incluant les idées de E. Bick et D. Meltzer sur l'identification adhésive et sur la dimensionnalité. Pour R. H. Etchegoyen, le processus psychanalytique est profondément marqué par l'élaboration de ce type d'angoisse, car il représente un élément essentiel pour la bonne marche du transfert et doit être interprété en conséquence. Selon lui, l'analyste a la double tâche de contenir et d'interpréter les angoisses de séparation lorsqu'elles se manifestent de séance en séance, de semaine en semaine, lors des vacances et lors de la terminaison de l'analyse. La fonction de contention de l'analyste, déterminante à son avis, se fait sentir à travers sa fonction de « holding » au sens de Winnicott, et, simultanément, au niveau de la relation contenant-contenu définie par W. R. Bion. Il souligne aussi que ce type d'angoisse soulève de fortes résistances et contre-résistances tout au long de la cure, et que les analysants tendent à minimiser ou nier les angoisses de séparation, et à banaliser ou rejeter les interprétations de l'analyste sur cet aspect du transfert.

Dans son étude sur l'angoisse de séparation et de perte d'objet chez l'enfant, J. Manzano (1989) avance une hypothèse utile pour interpréter les phénomènes de transfert aussi bien dans l'analyse d'enfant que d'adulte : il postule en effet l'existence d'un « double transfert » qui refléterait, dans la relation avec l'analyste, le déni et le clivage du moi qui constituent les défenses spécifiques de la perte d'objet. Déni et clivage se traduiraient par un mélange en proportions variables d'un transfert précoce « narcissique » — comprenant l'évolution des défenses narcissiques exprimant les vicissitudes de la séparation et de la perte d'objet — et un transfert « névrotique » au sens classique du terme. J. Manzano met aussi l'accent sur le rôle primordial que jouerait la défense maniaque dans ce type de transfert. Selon lui, la relation analytique éveillerait d'emblée chez l'enfant une relation avec l'analyste en tant qu'objet idéalisé, dont la présence déclencherait la première angoisse de séparation : aussi, la première défense utilisée sera-t-elle une introjection de l'objet idéalisé et une identification à celui-ci (identification projective à un objet interne), organisant ainsi un système de défense maniaque. Cette défense maniaque précoce — plus précoce que ne l'a conçue M. Klein — « cristallise » de manière spécifique la perte de l'objet idéalisé, constituant l' « anti-deuil » par excellence. Au cours du processus psychanalytique, la diminution progressive de la « forteresse de la défense maniaque » permettrait aux tendances intégratives du moi de se renforcer et de procurer un relâchement du clivage ainsi qu'un « retour du dénié », assurant un processus de deuil et d'élaboration qui intègre les deux aspects du transfert.

J'aimerais maintenant insister encore sur un point qui me semble essentiel et dont nos interprétations ont à tenir compte tout au long du processus psychanalytique : je crois qu'il est fondamental, à propos de l'interprétation de l'angoisse de séparation, de ne pas opposer un niveau de relation dyadique — c'est-à-dire dans un contexte de relation à deux personnes, à l'exclusion du tiers — à un niveau de relation triangulaire ou œdipienne dans lequel serait inclus le tiers. Cette opposition entre un niveau dyadique et un niveau triangulaire postulée explicitement par Winnicott et surtout Balint, a eu pour conséquence de laisser croire que le transfert à prédominance narcissique impliquait surtout une relation à deux et devait être interprété dans un tel contexte, et n'introduire l'analyste comme représentant du tiers qu'au moment où l'on parvient au niveau œdipien. A mon avis, il est essentiel que l'analyste qui interprète l'angoisse de séparation se situe toujours à partir d'une perspective dans laquelle il s'implique également comme tiers. Cela lui permet par exemple d'interpréter la méconnaissance du tiers comme le résultat d'un déni actif et agressif, et non comme un simple manque de connaissance. Bien entendu, relation triangulaire ne veut pas dire uniquement interpréter en terme génital œdipien : il existe divers niveaux de relation à trois personnes qui varient en fonction du niveau libidinal, et de nombreux analystes insistent actuellement sur l'importance de la triangulation précoce.

Il n'a pas été dans mon intention d'établir dans ce chapitre un inventaire des multiples réactions des analysants face à l'angoisse de séparation et de perte d'objet, ni de mentionner la variété des possibilités de les interpréter, tant elles sont infinies. Ce que j'ai surtout voulu, c'est présenter un certain nombre de points de repère pour détecter ce type d'angoisse et l'interpréter en fonction de la séance et du déroulement du processus psychanalytique, compte tenu du fait que chaque analysant est un véritable univers en soi. Aussi, les théories ne suffisent-elles pas à rendre compte de ce que vit individuellement un analysant d'une séance à l'autre, d'une année à l'autre, et nous nous devons d'être attentifs à ce qui est vécu par lui dans le transfert aussi bien que par nous — dans notre contre-transfert — si nous voulons que nos interprétations ne soient pas des généralités, mais le reflet vivant de l'originalité de sa personne.

Les divers éléments de référence que j'ai mentionnés sont présents dans chaque cure psychanalytique, et nous permettent de comprendre le déroulement du transfert qui va d'un état de dépendance à prédominance narcissique vers une plus grande autonomie et vers une perception mieux différenciée du moi et de l'objet, de manière à élaborer la situation œdipienne et aborder la séparation définitive d'avec l'analyste. J'ai formulé ces divers éléments à partir des références qui sont les miennes, sachant que d'autres psychanalystes peuvent à leur tour les conceptualiser dans une terminologie différente. J'espère ainsi avoir pu montrer que l'élaboration de ce type d'angoisse fait pleinement partie du domaine de l'analysable, parce que les fantasmes de relations d'objet qui y sont impliqués, loin de ne concerner que les rapports du moi avec la réalité externe, s'adressent à l'interrelation entre la réalité externe et la réalité psychique qui forme un ensemble indissociable.

Perte de l'objet réel et élaboration du deuil dans le transfert

J'aimerais terminer ce chapitre en abordant le rôle joué par le processus psychanalytique dans l'élaboration du deuil, en particulier chez des personnes qui sont affligées par les conséquences conscientes et inconscientes de la perte réelle d'un proche. Les répercussions sur la vie psychique de la mort d'une personne proche sont une cause fréquente de demande d'analyse et une indication de la cure ; de nombreux psychanalystes ont étudié le processus psychanalytique de personnes ayant subi une telle perte réelle avant de venir en analyse, ou au cours de l'analyse elle-même.

Rappelons toutefois brièvement que toute perte de l'objet réel entraîne le déclenchement d'un travail du deuil, normal ou pathologique suivant la personne concernée. Comme nous l'avons dit, pour Freud, le travail du deuil normal concerne le rapport à la réalité de la perte et apparaît « sous l'influence de l'épreuve de la réalité, qui exige de manière impérative que l'on se sépare de l'objet, qui n'est plus »

(1926*d*, p. 102). Quant au deuil pathologique, Freud en décrit les conséquences intrapsychiques dans la maladie mélancolique (on dirait aujourd'hui dépressive) : introjection de l'objet perdu et identification à celui-ci sur une base ambivalente (1917*e* [1915]) et clivage du moi avec déni de la réalité de la perte, dans un mécanisme analogue au fétichisme (1927*e*). Par la suite, de nombreux travaux psychanalytiques ont été consacrés aux conséquences de la perte réelle qui peut s'accompagner d'un état dépressif ou maniaque, avec leur cortège d'excès de tristesse ou de déni de la tristesse, de culpabilité et d'ambivalence (idéalisation consciente de la personne perdue, et haine inconsciente envers celle-ci retournée sur le moi sous forme d'autopunition), de déni de la mort et d'identification à la personne perdue. On trouvera sur ce sujet une revue critique très complète de la littérature psychanalytique en ce qui concerne l'adulte dans l'ouvrage *Dépression et créativité* de A. Haynal (1988), et, en ce qui concerne l'enfant, dans le rapport de J. Manzano, « La séparation et la perte d'objet chez l'enfant, une introduction » (1989). Ce dernier considère, comme l'ont relevé de nombreux auteurs, que chez l'enfant et l'adolescent prépubère le processus de deuil normal n'a pas lieu, mais les défenses s'installent de manière à nier la mort et à maintenir l'attachement. Durant l'adolescence, les problèmes d'abandon sont vécus de façon très intense, et, dans les tentatives de suicide des adolescents, la difficulté de faire face aux pertes auxquelles ils sont confrontés, tant dans le monde externe qu'interne, joue un rôle important (F. Ladame, 1987).

Dans la situation analytique, les relations aux objets internes et externes sont reproduites dans le transfert, et revécues dans l'échange incessant de projections et d'introjections entre analysant et analyste. D'autre part, les séparation réelles d'avec l'analyste, qui jalonnent régulièrement la rencontre analytique, réactivent de manière répétée les fantasmes de perte d'objet, et un processus de deuil se met en route, pouvant être interprété sous tous ses aspects. C'est ainsi que le deuil par rapport aux pertes réelles qu'a pu vivre un analysant est susceptible d'être repris avec l'analyste dans le transfert et peut alors s'effectuer jusqu'à sa résolution, comme nous le verrons plus loin en parlant de la terminaison de l'analyse.

Les réactions de deuil par rapport à la perte de personnes réelles sont en effet analogues aux réactions face aux deuils précoces que le nourrisson, puis l'enfant, rencontre au cours de son développement, d'après M. Klein. Les différentes étapes du développement infantile peuvent être conçues comme une succession de pertes et de séparations répétées, qui réactivent la position dépressive. Dans les états d'angoisse, le bébé ou l'enfant ressent qu'il a perdu non seulement sa mère dans le monde extérieur, mais que son objet interne bon est aussi détruit. Dans cette perspective, M. Klein considère que les angoisses dépressives font partie du développement normal, qu'elles sont l'inévitable corollaire du processus d'intégration et qu'elles sont réveillées jusqu'à un certain point dans toutes les situations ultérieures de perte. Lors d'une perte réelle, par exemple, la douleur psychique et l'angoisse provoquent une régression et le recours aux défenses primitives ; dans ce sens, les défenses appliquées pour faire face au deuil réel sont les mêmes que celles utilisées pour faire face au deuil au cours du développement.

De là découle une différence entre la conception kleinienne et la conception classique, comme l'a relevé H. Segal : dans la conception classique de Freud et K. Abraham, la maladie mélancolique implique une relation ambivalente envers l'objet interne et une régression au stade oral, tandis qu'un deuil normal n'implique que la perte d'un objet externe. Dans la conception kleinienne, l'ambivalence à l'égard de l'objet interne et les angoisses dépressives qui y sont associées constituent un stade normal du développement et sont réactivées dans le deuil normal : « Il est souvent maintenu par les analystes freudiens classiques qu'un deuil réel est habituellement une période improductive de l'analyse. Les analystes kleiniens, au contraire, pensent que l'analyse des situations de deuil et l'investigation de leurs racines précoces aident souvent beaucoup le patient à élaborer le deuil et qu'il sort enrichi de cette expérience » (H. Segal, 1967, p. 37).

Douleur psychique et transfert négatif

La haine transférentielle envers l'objet aimé

« Je ne suis pas venu ici pour que vous me fassiez souffrir, mais pour que vous me débarrassiez de ma souffrance... », protestait l'un de mes analysants en réponse à une interprétation transférentielle de l'angoisse de séparation qui l'avait touché. Il ne pouvait plus nier sa souffrance, mais il devenait capable de la contenir et de me l'exprimer.

Le contenu explicite et implicite des paroles de cet analysant souligne combien il en coûte de prendre conscience de la qualité douloureuse du lien transférentiel, vécu douloureux qui ravive l'hostilité envers l'analyste, renforçant le transfert négatif. On comprend aussi pourquoi l'analysant résiste à prendre conscience de l'angoisse de séparation, et pourquoi l'analyste hésite — voire résiste — à l'interpréter.

Nous touchons là un point central du processus psychanalytique, celui de l'émergence du narcissisme et de la reconnaissance de l'objet. Tous les analystes depuis Freud sont d'accord pour considérer que c'est au moment où l'objet manque que le sujet s'aperçoit que l'objet existe, découverte frustrante parce que le sujet s'aperçoit qu'il n'est pas lui-même cet objet et que la présence de l'objet (désirée) ne dépend pas de son bon vouloir ; mais cette découverte est en même temps structurante, car l'analysant prend conscience de son identité de sujet au moment où il se heurte aux limites de l'objet.

L'expérience douloureuse de l'absence et sa contrepartie positive constituent une composante fondamentale du développement psychique qui a été conceptualisée en termes variés suivant les auteurs. Pour Freud le « désir » se constitue en l'absence de l'objet satisfaisant, à travers la satisfaction hallucinatoire : l'ensemble de cette expérience originaire permet peu à peu au moi de distinguer hallucination et perception, fantasme et réalité (1895*d*, p. 338 ; 1900*a*). Dans « La négation », Freud (1925*h*) souligne encore une fois le rôle de la satisfaction originaire pour la recherche des objets : selon lui, la condition pour la mise en place de l'épreuve de réalité est de « retrouver » un objet perdu qui, autrefois, aurait apporté une satisfaction réelle (p. 176). Cette expérience du manque de l'objet important est indispensable pour la formation du symbole et de la communication verbale : le mot remplace l'objet absent, comme l'a souligné A. Gibeault (1989). L'expérience de l'absence a été discutée sous divers angles. Pour W. R. Bion (1963) l'expérience du sein absent et le développement de la tolérance à la frustration conduisent à la capacité de penser ses pensées. Pour A. Green (1974) l'absence, à mi-chemin entre le silence et l'intrusion, est porteuse de « présence potentielle ». Enfin, pour J. Laplanche (1987), le « creux » déterminé par le caractère énigmatique de l'objet constitue le moteur de la cure psychanalytique.

Une contribution décisive — en raison de ses possibilités d'application à la technique de l'interprétation transférentielle — a été sans doute celle apportée par M. Klein avec sa description du conflit d'ambivalence et de sa résolution. En effet, en décrivant la dynamique du conflit d'ambivalence tel qu'il se déroule dans le deuil et ses rapports avec l'angoisse, M. Klein va plus loin que Freud et K. Abraham. Elle nous fournit en effet les bases nécessaires pour interpréter les aspects partiels négatifs et positifs du transfert, de manière à pouvoir intégrer les affects d'amour et de haine éprouvés envers l'analyste ressenti comme objet total.

Sans revenir sur les détails de sa conception dont j'ai déjà parlé, je rappelle que pour M. Klein, les vécus de perte réactivent les désirs sadiques au moment des séparations, et renforcent les conflits d'ambivalence, car la haine s'accroît et se trouve projetée sur la personne aimée et perdue, représentée par l'analyste dans le transfert. Lorsque la douleur psychique et l'angoisse face à la séparation sont excessives, l'intensité de la souffrance provoque une régression et le retour aux mécanismes de défense primitifs, propres à la position paranoïde-schizoïde, et la haine est plus forte que l'amour. Dans un but défensif, l'objet est clivé en un objet idéalisé et un objet persécuteur, et, par suite de la projection et de la déflection de la pulsion de mort, la menace d'anéantissement du moi est ressentie comme provenant du mauvais objet partiel situé à l'extérieur, tandis que l'objet partiel idéalisé est introjecté afin de tenir à distance les persécuteurs.

Par opposition, lorsque les bonnes expériences prédominent, les projections diminuent, la persécution diminue, le clivage entre les objets idéaux et les objets persécuteurs diminue également. On s'approche alors de la position dépressive, c'est-à-dire de l'intégration des objets et du moi, ainsi que de la synthèse de l'amour et de la haine dans l'ambivalence, l'objet étant ressenti comme total. Je rappelle cependant que pour M. Klein, la position dépressive n'est jamais acquise définitivement, et qu'il y a fluctuations constantes entre l'angoisse de persécution, lorsque la haine est plus forte que l'amour, et l'angoisse dépressive, lorsque l'amour l'emporte sur la haine (Segal, 1979, p. 74).

Si l'on reprend après coup les idées de Freud sur la genèse de l'amour et la haine, compte tenu des contributions postfreudiennes (F. Delaite, D. Nicollier, B. de Senarclens, 1990), on observe que le clivage primordial décrit par M. Klein correspond de près à la description qu'en fait Freud (« Pulsions et destins des pulsions », 1915c). Il considère que les objets suscitant du déplaisir provoquent la haine, de sorte que le bon on le prend en soi (« moi-plaisir purifié », p. 38), et le haï on le met dehors : cela explique, selon lui, que « la haine, en tant que relation à l'objet, est plus ancienne que l'amour ; elle provient du refus originaire que le moi narcissique oppose au monde extérieur, prodiguant les excitations » (p. 43). « Ce n'est qu'avec l'établissement de l'organisation génitale que l'amour devient l'opposé de la haine » (p. 42). Quant à l'ambivalence amour-haine, Freud utilise ce terme au cours de son œuvre dans deux sens différents, sans avoir expliqué ce qui les distingue, comme l'a observé D. Quinodoz. En effet, d'après elle, à la lumière des apports de M. Klein nous pouvons actuellement faire la distinction entre deux significations de la notion d'ambivalence : « Je trouve important de distinguer deux sortes d'ambivalence des affects : *une ambivalence prégénitale où aimer et haïr ne peuvent être liés entre eux car ils sont confondus,* et d'autre part *une ambivalence génitale où aimer et haïr sont liés entre eux car ils sont distingués l'un de l'autre,* ce qui rend possible *l'amour du moi-total pour l'objet total* » (« J'ai peur de tuer mon enfant, ou : Œdipe abandonné, Œdipe adopté », 1987b, p. 1591).

Une épreuve pour le contre-transfert

La réactivation de la douleur psychique, de la dépression et du conflit d'ambivalence, qui entraîne l'expression consciente et inconsciente de la haine envers l'analyste, représentant l'objet aimé et haï dans la relation de transfert, constitue une rude épreuve pour le contre-transfert du psychanalyste.

Les sentiments hostiles, de même que l'angoisse de mort qui les accompagne, qu'ils soient projetés sur l'analyste ou retournés sur l'analysant lui-même sous forme d'auto-agressivité et d'auto-destructivité, requièrent de la part de l'analyste une solide capacité de recevoir et de contenir les aspects négatifs, afin de les interpréter en les reliant aux aspects positifs toujours présents. Si l'on qualifie de « transfert négatif » la prédominance des sentiments hostiles de l'analysant envers l'analyste, il s'agit de ne pas en oublier la contrepartie positive, c'est-à-dire l'amour qu'implique la haine, le désir que cache l'envie.

La question de savoir si l'analyste va laisser ou non se développer le transfert négatif dépend en partie de ses références théoriques, en partie de ses résistances contre-transférentielles. Suivant sa conception des relations d'objet, il peut l'interpréter en termes de résistance à l'alliance de travail, comme nous l'avons vu, suivant en cela Greenson (1967). S'il suit une conception kleinienne, il tiendra compte du fait que l'angoisse déclenche la projection sur l'analyste du fantasme du mauvais objet haï et de l'objet idéalisé. Dans ce cas, la capacité de l'analyste de recevoir et interpréter ces projections et de relier les sentiments de haine à l'idéalisation de l'objet permet progressivement de défaire le clivage du moi et des objets, et de favoriser ainsi la synthèse de l'amour et de la haine en une ambivalence envers un même objet ressenti comme total, correspondant à l'ambivalence de niveau génital.

Mais, sans doute, la plus importante des difficultés à interpréter les conflits d'amour et de haine liés à l'angoisse de séparation vient-elle de nos propres résistances contre-transférentielles à accepter les projections hostiles de l'analysant et sa destructivité envers nous, analyste, que l'analysant considère comme responsable et coupable du réveil de la douleur psychique. C'est pourtant la capacité de l'analyste d'accepter ces projections dans le transfert qui va lui permettre de différencier l'agressivité de la destructivité et de la relier aux sentiments positifs, de manière à rétablir la liaison de l'amour et de la haine.

Des notions comme celle de contre-identification projective introduite par L. Grinberg (1962) qui soulignent le danger pour l'analyste de s'identifier inconsciemment aux parties que l'analysant projette en lui, par le moyen de l'identification projective, sont des notions particulièrement précieuses pour empêcher que s'installent des collusions inconscientes entre analyste et analysant. Un analyste qui refoulerait des angoisses à propos de sa propre mort, par exemple, pourrait être sidéré par un analysant qui lui déclarerait que l'absence de l'analyste est pour lui l'équivalent de sa mort, au point d'avoir de la difficulté à l'interpréter à son analysant.

Il est essentiel aussi de distinguer douleur psychique et masochisme, car il arrive parfois qu'un analysant nous dise : « Je ne veux pas souffrir, car je ne suis pas maso... » La douleur psychique n'est pas du masochisme, car elle implique la perception de la réalité externe et interne comme douloureuse, et non comme jouissance. Le masochisme, par contre, implique une jouissance inconsciente de la douleur, basée sur un besoin d'exercer le sadisme sur l'objet, et d'y prendre plaisir, sadisme et jouissance étant retournés contre soi-même sous forme de masochisme, comme l'a montré Freud (1917e [1915], 1924c).

Interpréter le positif caché derrière le négatif

Je voudrais apporter ici un court exemple d'interprétations soulignant l'aspect positif d'un mouvement hostile lié à une interruption due aux vacances chez un analysant, que nous appellerons René.

A mon retour d'une semaine de vacances, j'avais été surpris par le changement de ton de René : il se mit à m'invectiver de manière ordurière, ce qui était inhabituel chez lui, déclarant que je le faisais chier et qu'il en avait « par-dessus la tête » rien qu'à la pensée de venir aux séances. Il s'échauffait de plus en plus, et le ton montait d'un cran chaque fois que je me hasardais à lui demander la raison d'une telle colère. Sans doute, il ne le savait pas lui-même, car il avait souvent une bonne capacité d'introspection, et cette fois-ci il était manifestement submergé d'angoisse. Je n'avais pas non plus d'indices fantasmatiques pour comprendre ce qui était en jeu et me mettre sur une piste quelconque, par ailleurs je ne voulais pas avancer une interprétation trop générale, par exemple en lui disant que sa colère était probablement liée à quelque chose qu'il avait éprouvé à mon sujet durant mes vacances, ce qui à mon avis n'aurait rien ajouté qu'il ne savait déjà. Je voulais être plus précis. L'angoisse de René, loin de diminuer avec le temps, allait s'amplifiant et il me paraissait urgent d'intervenir. Un rêve m'en donna l'occasion. Dans ce rêve, René voyait un couple en voyage dans une voiture blanche, soudain les eaux tumultueuses d'un torrent de montagne en crue se mirent à descendre la vallée, menaçant de noyer le couple. Ces eaux étaient un curieux mélange d'eaux boueuses, jaunâtres, et d'une eau claire et laiteuse qui lui faisaient penser à du lait ou plutôt à du sperme.

René, qui avait plusieurs années d'analyse derrière lui, livra diverses interprétations de son rêve, toutes judicieuses, mais tendancieuses : je remarquais en effet que ses interprétations ne relevaient que des aspects hostiles, envieux ou destructeurs du rêve, c'est-à-dire des aspects pulsionnels négatifs. Je lui interprétais d'abord cela, lui demandant s'il n'avait pas encore des raisons plus secrètes de se sentir aussi anxieux et coupable, pour s'accuser aussi ouvertement de son hostilité envers moi, et seulement de cela.

Ma remarque lui rappela qu'il m'avait récemment vu en compagnie de ma femme, à mon insu, et qu'il en avait été si remué qu'il n'avait pas osé m'en parler. Je complétais alors mon interprétation en lui disant que je comprenais mieux sa rage, car celle-ci me paraissait mêlée d'une intense excitation et d'un véritable état de confusion, dont le rêve nous fournissait une clé. En effet, je pensais que mon absence avait réveillé chez lui un état d'excitation sexuel intense qu'il connaissait bien pour l'avoir souvent éprouvé envers le couple de ses parents lorsqu'il était enfant. Mais que dans son excitation toutes ses sensations se confondaient, et qu'il ne distinguait plus ce qui l'excitait : était-ce le besoin d'uriner, d'aller à la selle ou d'éjaculer ? En effet, urine, selles et sperme étaient confondus comme l'étaient dans le rêve les eaux tumultueuses du torrent (boueuses, jaunâtres et laiteuses) qui menaçaient de submerger le couple (moi et ma femme, représentant ses parents dans son fantasme). La distinction entre urine et sperme, introduite par l'interprétation, lui permit de dégager son désir caché derrière l'envie. La rage destructrice et coupable qu'il avait éprouvée envers moi avait jusque-là submergé son désir de s'identifier à l'aspect créatif du couple et de l'homme que je représentais, couple qui, dans son rêve, avait échappé à la noyade.

Mon hypothèse interprétative s'avéra pertinente et je constatai bientôt un changement en profondeur chez René, consécutif à la différenciation qui s'était peu à peu établie dans son esprit entre sperme, urine et selles, et leurs fonctions correspondantes. Non seulement sa colère tomba rapidement, mais il commença à se sentir habité par des possibilités créatrices nouvelles, et de moins en moins noyé dans des conflits stériles.

La présence de l'objet, source de douleur psychique

Tout comme l'*absence* de l'analyste peut être ressentie par l'analysant avec une douleur plus ou moins tolérable, de même la perception de la *présence* de l'analyste peut être la cause de douleur psychique et d'angoisse plus ou moins tolérable : l'analyste peut être perçu de mille façons qui toutes déclenchent la douleur et la souffrance, par exemple lorsque sa présence est perçue comme celle d'une personne libre — susceptible de partir — et sexuée — susceptible de s'unir sexuellement à une autre personne.

En général, les analysants qui réagissent fortement aux séparations liées à l'absence de l'analyste sont aussi ceux qui tolèrent le moins la présence de celui-ci, qui est pour eux une source inconsciente de frustration, d'excitation et d'envie mal tolérées. Au fur et à mesure de l'évolution de l'analyse, la présence de l'analyste est mieux perçue et mieux supportée, et l'angoisse de séparation fait progressivement place aux angoisses spécifiques de la situation œdipienne, ainsi qu'au désir de connaître l'analyste au lieu de le posséder. Cependant, lorsqu'un analysant tolère mal la présence de l'analyste, cela s'accompagne d'un renforcement de la haine et du conflit d'ambivalence, c'est-à-dire d'une recrudescence du transfert négatif.

La réaction négative devant la perception des qualités positives de l'objet a suscité diverses recherches : si H. Segal (1956) a montré que le psychotique tend à éviter les sentiments douloureux liés à la position dépressive, H. Rosenfeld (1971) a mis en évidence le rôle de l'envie devant la perception des qualités positives de l'objet. De son côté D. Meltzer (1986) a dégagé la notion de « conflit esthétique ». Selon lui l'enfant qui découvre sa mère se trouve face à une personne qui est une énigme pour lui, il peut souffrir de ne pas tout connaître de l'objet ; mais il peut aussi être rassuré quand il découvre que le comportement de l'objet a une signification même s'il découvre qu'il n'aura jamais fini de la découvrir : le plaisir de connaître l'objet aura remplacé celui de le posséder (D. Meltzer, 1986).

On observe fréquemment lors des interruptions de la rencontre analytique des mouvements de régression et de fuite devant les sentiments liés à la position dépressive, devant une recrudescence de l'envie envers l'analyste, ou face au « conflit esthétique ». A mon avis, ces réactions sont à distinguer soigneusement des réactions d'angoisse devant la séparation. Il est en effet essentiel de différencier dans nos interprétations ce qui relève de la douleur psychique créée par l'*absence* et liée à l'angoisse de séparation, de ce qui relève de la douleur psychique liée à la perception aiguë de ce que la *présence* de l'objet représente pour le sujet, au moment où celui-ci vient à manquer.

L'angoisse de séparation, un syndrome ?

Le tableau clinique typique et répétitif présenté par des analysants souffrant d'angoisse de séparation pose la question de savoir s'il s'agit là d'une entité psychopathologique spécifique. Certains auteurs ont cherché à délimiter un tableau clinique, comme G. Guex dans son ouvrage *La névrose d'abandon* (1950), renommé plus tard *Le syndrome d'abandon* (J.-M. Quinodoz, V. Bähler, G. Charbonnier, F. Delaite, M. Grabowska, F. Gusberti, D. Nicollier, A. L. Rodriguez-von Siebenthal, 1989).

J'ai rencontré plusieurs analysants dont les symptômes majeurs étaient liés à l'angoisse de séparation. Ces symptômes avaient envahi le processus analytique à tel point qu'ils paraissaient avoir relégué à l'arrière-plan les autres conflits transférentiels. Bien que l'ensemble des manifestations présentées par ces analysants pouvaient être attribuées à une même origine, je pense que l'on ne saurait en faire une entité psychopathologique définie, tout au plus peut-on parler d'un syndrome.

Chez certains analysants, on observe parfois des manifestations d'angoisse de séparation si fortes que l'analyste peut se demander dans quelle mesure ces symptômes peuvent être contenus et élaborés dans le cadre analytique. Cependant, d'après mon expérience, on ne peut établir une corrélation significative entre l'intensité de ce type d'angoisse et le pronostic de l'évolution de ces analysants. J'ai pu observer que les manifestations les plus bruyantes et les plus spectaculaires ne sont pas nécessairement d'un pronostic moins favorable et ne s'avèrent pas les moins analysables

Réaction thérapeutique négative et angoisse de séparation

Divers facteurs ont été invoqués à l'origine du déclenchement de la réaction thérapeutique négative. Parmi ces facteurs, nombreux sont les auteurs qui mettent actuellement l'angoisse de séparation au premier plan, avec des conceptualisations théoriques différentes.

L'importance de l'angoisse de séparation — dans son acception d'angoisse de différenciation — comme source de la réaction thérapeutique négative a été soulignée par des analystes de tendances variées lors de la Conférence de la Fédération européenne de Psychanalyse qui a eu lieu à Londres en 1979 sur ce thème. Bien que chaque orateur ait invoqué des mécanismes différents à l'origine du besoin de faire un avec l'objet et de ne pas s'en séparer, leurs conclusions cliniques n'ont pas été fondamentalement très différentes les unes des autres. Ainsi, pour J.-B. Pontalis (1981) la réaction thérapeutique négative est une façon de conserver l'union avec l'analyste : « Rompre avec son analyste, c'est le garder, et ce n'est pas la même chose que s'en séparer. » De leur côté J. et F. Bégoin (1979) ont montré qu'on peut différencier plusieurs sortes de réactions thérapeutiques négatives selon la nature de l'angoisse prévalente. A côté de celle où prédomine l'envie, il en existerait une forme basée sur une angoisse de séparation catastrophique liée à l'identification adhésive : « Cette angoisse naîtrait du vécu de séparation du sujet d'avec un objet qui lui apparaîtrait à la fois comme inaccessible et indistinct de lui-même, en raison de la prédominance d'un mode de relation adhésif où physique et psychique ne sont pas vécus comme étant distincts l'un de l'autre. » Quant à U. Grunert (1981) le dénominateur commun de la réaction thérapeutique négative se trouverait dans le processus de séparation-individuation décrit par M. Mahler (1975) auquel elle se réfère. Selon elle, la réaction thérapeutique négative viendrait d'un trouble du détachement de la dyade mère-enfant qui se reproduirait dans le transfert mais n'aurait pas seulement une valeur négative.

Le rôle joué par l'angoisse de séparation comme facteur de la réaction thérapeutique négative a également été souligné à d'autres occasions par E. Gaddini (1981) pour qui la tendance vers l'intégration implique d'affronter l'angoisse de reconnaître qu'on est à jamais séparé. Quant à A. Limentani (1981), il a relevé des réactions catastrophiques observées parfois chez certains analysants en fin d'analyse, qui pouvaient être attribuées à la persistance d'un fantasme de fusion dominant le transfert qui aurait échappé à l'analyse, le patient prenant brusquement conscience qu'il se sent séparé de l'analyste.

Actuellement, le concept de réaction thérapeutique négative a subi un élargissement et il est souvent difficile de le distinguer en clinique d'autres facteurs qui perturbent le déroulement du processus psychanalytique, tels que le transfert négatif, les résistances insurmontables ou l'impasse thérapeutique. L'élargissement de ce concept risque fort d'entraîner des confusions dans l'appréciation des différentes composantes face à une situation transférentielle particulière.

Dans une contribution récente, J.-L. Maldonado (1989) a cherché à distinguer transfert négatif, réaction thérapeutique négative et impasse, en rapport avec l'angoisse de séparation. Pour lui, le transfert négatif n'interrompt pas le dialogue analytique, et la relation avec l'analyste reste positive même si l'analysant manifeste une attitude négative et hostile. Par contre, dans la réaction thérapeutique négative, le négativisme détruit le positif qui a précédé dans la relation, cela d'une manière maligne sous la domination de la compulsion à la répétition. D'après Maldonado, la réaction thérapeutique négative est particulièrement forte chez certains patients qui présentent des difficultés insurmontables face à l'angoisse de séparation surgissant lors des interruptions régulières de la cure analytique. Avec ces analysants, le danger que le négatif ne détruise le positif s'accroît lorsque approche la fin de l'analyse. Selon J.-L. Maldonado, la participation d'une collusion contretransférentielle inconsciente de la part de l'analyste serait plus importante dans l'impasse que dans la réaction thérapeutique négative.

D'après mon expérience, le désir de faire un avec l'objet et de ne pas s'en séparer se trouve fréquemment impliqué dans la réaction thérapeutique négative. Nombre d'analysants m'ont paru reculer de manière répétitive devant les progrès, parce que les progrès représentaient une perte et une séparation intolérables, d'après le matériel des rêves et des associations. Chez certains analysants, le souhait inconscient de ne pas se séparer de l'objet se manifestait par la persistance d'attachements à des objets ou à des substituts d'objets particulièrement résistants aux changements. Chez d'autres analysants, la crainte que le progrès ne signifie la perte irrémédiable de l'objet est liée à un besoin de contrôle omnipotent et de domination sur l'objet qui peut s'exprimer à travers une maladie somatique ou un accident. La lésion somatique signifie alors que l'analysant, dans une partie clivée de son moi, continue inconsciemment à faire un avec l'objet et à ne pas s'en séparer, sous l'emprise de la pulsion de mort et de la désunion pulsionnelle, ainsi que je l'ai montré dans un article consacré à ce sujet (J.-M. Quinodoz, « Implications cliniques du concept psychanalytique de pulsion de mort », 1989).

Problématique du traumatisme psychique infantile

Fréquemment, il arrive qu'un analysant souffrant d'angoisse de séparation excessive rapporte un événement réel — séparation du milieu familial dans sa prime enfance, perte réelle, ou perte de l'amour d'un parent ou d'une personne significative de son entourage — et qu'il attribue à ces faits l'origine de son angoisse. « Depuis son départ, rien ne va plus pour moi... », entend-on dire.

Dans l'analyse, cet événement peut être présenté diversement par l'analysant. Il peut en parler comme d'un choc à l'état brut, dont il ne se remet pas, qui englobe passé, présent et futur, et paralyse sa capacité de penser. Bref, l'analysant se présente comme la victime d'un traumatisme à l'état presque pur, où il est impossible de démêler la part du fantasme et celle de la réalité : « Si je vais mal, c'est parce que mon mari (ma femme, ou une autre personne significative) m'a abandonné(e)... c'est parce que mes parents m'ont abandonné(e) lorsque j'avais cinq ans... ou c'est depuis la mort de celui-ci ou celle-là... » Dans certains cas, l'analysant n'arrive même pas à exprimer son sentiment d'abandon et à le relier avec des mots à la séparation ou à un événement de sa vie, comme la perte d'une personne chère, ou à un moment déterminant de son existence. Il ne peut que l'exprimer en deçà des mots, en l'agissant dans le présent du transfert en reproduisant la situation déjà vécue par le passé : par exemple, l'analysant peut poser des actes inconscients significatifs qui l'amèneront à risquer de se faire abandonner présentement par l'analyste, comme il s'est senti abandonné par ses parents. Dans ces cas, l'analysant fait souvent appel au mécanisme de l'identification projective, en abandonnant l'analyste, ou tout au moins en multipliant des acting-out dans lesquels l'analyste pourra se sentir abandonné, tandis que l'analysant est identifié à la personne qui abandonne (l'analysant arrive en retard, s'absente fréquemment, ou reste silencieux pendant la séance, ce qui peut être aussi une forme d'absence). Dans d'autres cas, l'analysant est davantage capable de contenir son angoisse, il parvient alors à exprimer verbalement sa souffrance face à sa crainte de la séparation, distinguant mieux le présent du passé, l'intérieur de l'extérieur, sans se sentir submergé par l'angoisse. L'événement traumatique peut être aussi oublié en tant que souvenir conscient, agi en silence, et n'être remémoré qu'en cours d'analyse.

Ces traumatismes posent en psychanalyse le problème des rapports entre la réalité externe et la réalité interne ou psychique, et nous confrontent à la difficulté de faire la part de ce qui relève du réel et de ce qui relève du fantasme. On sait que la position de Freud sur ce point central a évolué. Il est d'abord parti d'un modèle de causalité mécaniciste, pensant que l'apparition de symptômes hystériques dans la vie adulte était la conséquence d'un événement réel dans l'enfance, en général une séduction. Par la suite, réalisant que la scène de séduction rapportée par les patients était souvent imaginaire, pas toujours réelle, il a abouti à une conception plus globale et plus complexe des rapports entre réalité externe et réalité psychique, ainsi qu'entre présent et passé. Cette conception psychanalytique tient compte de la « situation traumatique » dans sa totalité, dans laquelle les fantasmes ont une place prépondérante (Freud, 1926*d*).

Pour résumer le point de vue psychanalytique actuel sur la question du traumatisme, on peut dire que ce qui vaut pour la séduction vaut également pour la situation traumatique de la séparation. Tout comme dans la séduction où l'analysant a le souvenir d'une scène qu'il croit réelle, mais qui n'a existé que dans son imagination, il existe des cas dans lesquels l'événement d'abandon rapporté par l'analysant ne correspond pas à une réalité événementielle, mais à une scène imaginaire appartenant à sa propre réalité psychique, ou encore une scène réelle banale mais devenue traumatique après coup à cause des fantasmes effrayants projetés sur elle. Cependant, on peut aussi dire qu'il existe des cas dans lesquels l'abandon réel ne fait aucun doute, mais en définitive même dans une telle éventualité, c'est toujours l'élément fantasmatique qui est déterminant, et qui confère un caractère « traumatique » ou non à l'expérience. La notion de traumatisme psychique infantile élargie, englobant à la fois les expériences réelles vécues *et* les fantasmes, accorde donc un rôle central à la vie psychique et aux fantasmes. Nous pouvons le constater par exemple chez les enfants qui doivent être mis à l'isolement à l'hôpital : certains présentent des régressions plus ou moins graves face à la séparation du milieu familial, d'autres au contraire sont capables de tolérer la séparation, ce qui pose la question de l'influence du facteur phylogénétique, comme l'a relevé

J. Guillaumin (1989). La condition d'orphelin est même parfois un stimulant existentiel (P. Rentschnick, 1975).

Ajoutons qu'il n'existe pas de situation traumatique sans que des objets et des relations d'objet y soient impliqués, et la tendance à répéter le traumatisme implique un rapport d'identification avec l'objet de la perte (A. Andréoli, 1989). Comme l'écrit M. Baranger et coll. (1988) : « L'objet-déterminant-l'angoisse, du fait de son absence, de sa présence interne ou externe, de son hyper-présence, est toujours subjectivement présent, dans la mesure où il est toujours possible d'attribuer le traumatisme à quelqu'un qui n'a pas fait ce qu'il aurait fallu faire, ou qui a fait ce qu'il ne fallait pas faire » (p. 123).

Le concept psychanalytique de situation traumatique insérée dans les relations d'objet, dans laquelle une causalité dialectique entre passé et futur structure le présent, rend possible l'action thérapeutique de la psychanalyse. Si ce retour en arrière dans la reconstitution du traumatisme n'était pas possible, il serait impossible de modifier le cours de notre histoire personnelle.

Un exemple de compulsion à la répétition d'une situation traumatique

L'exemple clinique suivant nous aidera à saisir comment se présente le problème d'une situation de séparation traumatique, telle que la présente un analysant, et comment nous pouvons l'élaborer dans la relation transférentielle.

Je me souviens de Paul, un analysant qui se désespérait parce qu'il se faisait renvoyer systématiquement par ses employeurs dans sa vie professionnelle, et par les femmes dans sa vie sentimentale. Paul racontait ces événements sans avoir conscience qu'il était pour quelque chose dans ces renvois. Il n'avait que peu de souvenirs d'enfance, sinon qu'il en voulait à sa mère, ainsi qu'à son père qui avait été le premier employeur à l'avoir congédié. Pourtant les entreprises de Paul, tant professionnelles que sentimentales, débutaient régulièrement sous de bons auspices, puis soudain tout se gâtait, sans qu'il sache pourquoi. Aussi craignait-il l'avenir ; c'est pourquoi il me demanda une analyse.

Paul s'engagea avec beaucoup d'intérêt dans l'analyse. Mais après une année, il commença à me dire que son emploi l'empêchait de plus en plus souvent de venir aux séances, et qu'il avait des obligations professionnelles impératives qu'il devait faire passer avant son analyse.

Il commença à manquer fréquemment. Paul ne m'avertissait jamais de ses absences, il m'avisait sur le pas de la porte en partant, comme si ses absences ne faisaient pas partie de son analyse. Quand j'évoquais ce sujet pendant la séance, il me répondait qu'il s'agissait là d'obligations professionnelles qui le concernaient lui seulement, mais pas moi. Devant la difficulté, voire l'impossibilité, d'amener ce conflit dans la relation entre nous, je me sentais de plus en plus irrité par les absences de Paul, ou par ses menaces d'interrompre l'analyse qui se multipliaient. Je sentais peu à peu la colère monter en moi, et devant le peu d'intérêt que Paul semblait manifester pour notre travail, je me prenais à penser qu'il ferait mieux de se consacrer à sa profession et qu'il choisisse : ou bien il se décide à venir régulièrement à ses séances, ou bien il renonce à continuer.

Je réalisais alors que j'étais en train de me laisser prendre à son jeu inconscient, et que je risquais de le renvoyer, faisant alors comme ses patrons ou ses amies successifs. Il devint alors clair pour moi que Paul était en train de projeter inconsciemment sur moi l'image d'un patron qui menace de le congédier : le risque de renvoi ne venait pas de moi, mais de lui-même, et qu'il était en train de *faire* quelque chose sans le savoir pour me pousser à le congédier. Je le lui interprétai sous des angles divers, en lui montrant comment il agissait indirectement sur moi sans en avoir conscience, faisant de moi un patron en colère qui risque de le renvoyer, ou une amie qui le rejette, et que cela était la répétition d'une conduite qu'il avait avec chacune de ses nouvelles relations, et déjà dans son enfance. Paul eut la plus grande difficulté à se découvrir concerné dans le choix de l'heure de ses rendez-vous professionnels qui lui faisaient manquer tant de séances. Il était persuadé que son interlocuteur lui imposait « par hasard » les heures qui tombaient sur ses séances, qu'il acceptait sans protester, exerçant là une activité inconsciente qui mettait en actes son souhait secret d'être congédié par moi.

Ce conflit transférentiel fut éprouvant, car il représentait une lutte entre lui (ou du moins une partie de lui, car il continuait à venir) et moi pour savoir qui prendrait le dessus : le fantasme ou la réalité ? Durant cette période, à la fin de presque chaque séance, Paul me disait qu'il ne viendrait plus le lendemain, invoquant un nouvel argument tiré de la « réalité ». J'étais souvent impressionné par le réalisme des motifs qu'il avançait pour ne plus venir, et je me sentais parfois bien impuissant avec mes interprétations, face à la force d'emprise du « réel ». C'est ainsi qu'un jour Paul me déclara avoir accepté un nouveau travail, et qu'il allait déménager dès le lendemain à 300 km de là. Sans céder au découragement qui me saisissait, je lui interprétais une fois encore qu'il mettait en actes son souhait d'être abandonné par moi, et, à la fin de la séance, je lui disais : « Au revoir, à demain », tout en pensant que s'il allait déménager vraiment demain, je ne le reverrai jamais plus. Le lendemain, malgré ses déclarations fracassantes, Paul était à l'heure à sa séance, et il me rapporta un rêve où il était question d'avortement, et je n'entendis par la suite plus parler de déménagement.

Ce rêve significatif lui rappela un souvenir : dans son enfance, il avait plusieurs fois entendu sa mère lui raconter qu'elle avait cherché à interrompre sa grossesse, lorsqu'elle était enceinte de lui, et que le jour de la naissance de Paul, elle avait déclaré qu'elle ne voulait pas de cet enfant. Ce souvenir associé au rêve d'avortement nous faisait comprendre qu'en menaçant d'interrompre son analyste, Paul faisait inconsciemment de moi une mère-analyste qui tentait de se débarrasser de son enfant-analysant. Tout cela réveilla par ailleurs la rage de Paul envers sa mère, qu'il attribua à ce rejet, et il se mit à l'accuser de lui avoir fait rater sa vie, oubliant que si sa mère avait eu des mouvements de rejet envers son fils, elle avait été néanmoins une mère aimante et attentionnée. Paul devint aussi capable d'exprimer sa colère et ses griefs, non seulement envers ses proches, mais aussi envers moi et « l'analyse », de sorte que les menaces d'interrompre réellement l'analyse furent remplacées par des menaces verbales, qui purent être interprétées et élaborées. Paul comprit également qu'il avait une part active dans ces renvois, et en analysant ses relations avec son père, il prit conscience que son père avait fait son possible pour le garder, jusqu'à ce que Paul l'eût contraint à le renvoyer. Il s'aperçut qu'il en était de même avec les femmes, qui finissaient par le quitter, parce qu'il projetait en chacune d'elles, de manière répétitive, l'image d'une mère interrompant sa grossesse.

En devenant de plus en plus conscient de ses fantasmes, et de leur impact sur la réalité, Paul eut une meilleure perception du monde externe et de son monde interne, et des rapports entre réalité et fantasmes. Il distingua mieux ce qui appartenait au passé et au présent, et ce qui relevait de la compulsion à répéter une situation traumatique dont nous ne saurons jamais la part jouée par la réalité. Paul réalisa aussi que la haine envers sa mère, tant qu'elle était liée à une situation ressentie comme traumatisante, l'empêchait de l'imaginer en même temps comme une mère aimante et aimée, et qu'il en était de même pour les sentiments qu'il éprouvait envers son père.

9

Acting-out et angoisse de séparation

> « Les hommes, dit le petit prince, ils
> s'enferment dans des rapides, mais ils ne
> savent plus ce qu'ils cherchent. Alors ils
> s'agitent et tournent en rond... »
>
> Antoine de Saint-Exupéry,
> *Le Petit Prince*, p. 80.

Des rapports étroits

J'aimerais consacrer ce chapitre aux rapports étroits qui existent entre l'angoisse de séparation et la production d'acting-out. Je précise que j'utilise ici le terme d'acting-out dans son sens originel, suivant en cela Laplanche et Pontalis (1967, p. 7), sans opposer acting-in et acting-out comme l'ont fait certains auteurs. Si les travaux psychanalytiques consacrés aux divers aspects de l'acting-out en général sont relativement nombreux, ceux consacrés au phénomène pourtant si courant de l'acting-out comme manifestation de l'angoisse de séparation sont plutôt rares. Cela est surprenant, parce que nous pouvons observer dans notre pratique que les acting-out se déclenchent avec une fréquence spécialement grande lors des interruptions entre les séances, lors des fins de semaine ou des vacances, et surtout lors d'une interruption imprévue comme une séance manquée.

Je pense que le rapport entre séparation, acting-out et transfert est si évident et si familier pour nous, psychanalystes, que la plupart d'entre nous avons l'habitude de l'interpréter dans notre pratique, sans prêter attention à certains aspects techniques et théoriques de ces phénomènes.

Classiquement, les psychanalystes en effet interprètent les acting-out comme marquant l'émergence du refoulé et, lorsqu'ils surviennent en relation avec le transfert, comme « une tentative de méconnaître radicalement celui-ci » (Laplanche et Pontalis, 1967, p. 6), mais sans se préoccuper du moment de leur surgissement. Si l'on tient compte du moment où ils surgissent, on peut alors considérer que, de par leur intensité et leur fréquence, les acting-out sont l'une des manifestations majeures de l'angoisse de séparation dans la cure.

C'est pourquoi les acting-out, dans leur rapport étroit avec les interruptions de la rencontre analytique, contiennent non seulement des éléments propres à tous les acting-out, d'une manière générale, mais aussi des éléments spécifiques liés à la séparation. Nous allons examiner ces derniers du point de vue clinique avant d'en discuter les bases théoriques.

Les acting-out liés à la séparation dans la clinique

En tant que manifestation caractéristique de l'angoisse de séparation, l'acting-out rassemble dans son expression la plupart des éléments qui constituent les manifestations transférentielles de l'angoisse de séparation, tels que nous les avons décrits dans les chapitres précédents. On y trouve réunis : la méconnaissance du lien de relation avec l'analyste, l'action au lieu de la pensée, le mouvement de régression voire de désorganisation psychique, le recours à des formes préverbales de communication, le déplacement des affects (par projection de la haine, de l'attachement, de l'idéalisation, etc.) ou de parties du moi (par identification projective) sur une ou d'autres personnes que l'analyste. Tout cela vise inconsciemment à refouler, et surtout à dénier la séparation d'avec l'analyste et les sentiments qui s'y rapportent. D'une manière générale, nous pouvons dire que les acting-out qui surgissent lors des interruptions de la rencontre analytique ont donc un but surtout défensif, celui de dénier les affects réveillés par les séparations répétées d'avec l'analyste, c'est-à-dire la douleur psychique, l'angoisse et toute la gamme des sentiments correspondants.

Les acting-out en rapport avec la séparation peuvent non seulement prendre les formes les plus diverses, mais surgir à tout moment de la cure et plus particulièrement à l'occasion des discontinuités produites par les interruptions. Ainsi, avant ou après une période de vacances, nous observons fréquemment que l'analysant peut arriver en retard, manquer une ou plusieurs séances. Il peut arriver que l'analysant se trompe de jour de départ ou de jour de retour, revienne avant ou après la reprise des séances, mais pas au rendez-vous le jour dit et à l'heure dite, ayant mal compris, pour des motifs inconscients, la date fixée par l'analyste. Il peut aussi arriver que l'analysant fixe un rendez-vous d'affaires à l'heure de sa séance pour des motifs significatifs de son désir de trouver un substitut autre que l'analyste, manifestant ainsi son mécontentement ou mille autres sentiments dont le sens inconscient est à découvrir. Déplacements sur d'autres personnes que l'analyste, répression des affects, actes manqués ou lapsus sont des manifestations bénignes en rapport avec la séparation. Cependant, les conséquences des acting-out peuvent être plus graves lorsqu'ils sont l'expression de la pulsion de mort et de la désintrication pulsionnelle : il peut alors se produire des clivages et des ruptures dommageables dans la vie de l'analysant. Par exemple, il peut arriver que celui-ci se fasse renvoyer par son partenaire ou par son employeur, parce que inconsciemment il se sent renvoyé par l'analyste ; il peut aussi arriver que l'analysant exprime son attachement et sa haine inconscients envers l'analyste à travers la survenue d'un accident (D. Quinodoz, 1984) ou d'une maladie physique (J.-M. Quinodoz, 1984, 1985), ou d'un délire, qui sont autant de manifestations plus ou moins régressives de sa lutte contre l'angoisse de séparation.

Il n'est pas facile pour l'analyste de repérer s'il s'agit d'un acting-out en rapport avec la séparation, et quelle signification pour le transfert peut prendre la demande d'un analysant. Je me souviens d'une analysante qui, lors de chaque reprise des séances après une période de vacances, me demandait un changement de l'heure pour une ou deux séances, souhaitant, par exemple, venir dorénavant le matin au lieu de l'après-midi, ou l'après-midi lorsque la séance était le matin, changement qui représentait chaque fois un bouleversement presque complet de mon horaire, c'est-à-dire aussi de l'horaire des autres analysants. Cette analysante m'avançait toujours des arguments impératifs et apparemment indiscutables, d'ordre professionnel ou familial, du moins à première analyse. Il m'a fallu du temps et de l'expérience pour ne plus me laisser prendre à sa demande manifeste. Nous avons fini par comprendre qu'au-delà des mots, ce type de demande, survenant après mes vacances, cachait un besoin latent de me faire *faire* quelque chose de particulier pour elle, afin qu'elle retrouve une place prépondérante au milieu de ma famille, d'une manière à la fois affectueuse et agressive, parce qu'elle s'était sentie chassée par moi.

Dans un article intitulé « La séparation : un problème clinique »

E. Brenman (1982) a dressé une liste saisissante des acting-out que peut produire un analysant au cours de la cure, en rapport avec la séparation : « Il peut se livrer à des activités sexuelles sans amour, se bourrer de nourriture, de boisson, de haine, de critiques et de reproches pour se sentir plus fort. Il peut devenir excessivement intrusif ou, de façon projective, se sentir extrêmement envahi par les autres (...) Il peut inventer des menaces qui requièrent une attention constante, s'absorber dans des activités paranoïdes, dans le soin de sa forme physique, dans l'hypocondrie ou dans différentes formes de masturbation. Ainsi la séparation n'est pas ressentie consciemment. Elle n'est pas ressentie grâce à un attachement compulsif à des objets divers : excitants, haineux, idylliques, etc., qui réclament un attachement pathologique constant pour éviter de se rendre compte de ce qui manque » (fr. p. 1160). Dans cette contribution, E. Brenman insiste sur le masochisme et sur l'attachement à des objets basé sur la haine qui prive ces analysants d'une relation « suffisamment bonne ». E. Brenman parle de patients qu'il décrit comme « séparés » par rapport à la relation. Il utilise le terme « séparé » dans un sens qui me paraît inusité : en effet, E. Brenman ne veut pas dire que le sujet est séparé de l'objet, mais qu'il est « séparé d'une relation suffisamment bonne » avec l'objet, c'est-à-dire privé d'une telle relation. E. Brenman met de plus l'accent sur la capacité contre-transférentielle de l'analyste de faire face lui-même à sa propre dépression pour pouvoir interpréter l'angoisse de séparation : cette capacité « dépend de ce que l'analyste entretienne sa propre expérience de l'angoisse de séparation, et supporte la douleur de poursuivre sa route, lorsqu'il est bombardé par le rejet, le mépris et les reproches et de ce qu'il analyse et relie ces attaques aux expériences de la séparation » (fr. p. 1170).

Lorsque nous, psychanalystes, nous interprétons les acting-out en rapport avec la séparation, il est utile que nous pensions le transfert en termes de situation totale. Cela nous permet d'insérer les acting-out dans la trame sans cesse évolutive et toujours en mouvement des relations entre analysant et analyste. Le repérage de la signification de tel acting-out, à tel moment de la cure, nous permet aussi d'évaluer comment l'analysant nous utilise présentement en tant qu'analyste, et d'avoir ainsi une image actuelle et instantanée de la nature de ses angoisses et de ses relations d'objet pour pouvoir l'interpréter dans le transfert.

L'acting-out comme recherche d'un contenant psychique

Les progrès dans la connaissance des mécanismes en jeu dans les relations d'objet et dans le transfert ont permis de préciser, au cours de ces dernières années, pourquoi l'acting-out se déclenche si fréquemment lors des interruptions de la rencontre analytique. En effet, la notion de contenant-contenu de W. R. Bion (1962) ainsi que les développements apportés au concept d'identification projective par H. Rosenfeld (1964) et les travaux de L. Grinberg (1968) sur les acting-out constituent des apports décisifs pour comprendre le mécanisme des acting-out lors des séparations d'avec l'analyste et pour les interpréter.

Lorsque nous appliquons à la relation analytique la notion de contenant-contenu dont nous avons parlé plus haut en décrivant les apports de Bion, nous pouvons concevoir celle-ci sur le même modèle que la relation mère-enfant : l'analysant cherche dans l'analyste un contenant susceptible de recevoir ses projections et de les lui retourner, après les avoir transformées grâce à sa « capacité de rêverie ». Lors des interruptions de fin de séance, de fin de semaine ou des vacances, l'analysant se sépare de l'analyste et en est privé non seulement en tant que personne, mais aussi en tant que contenant de ses projections. Par exemple, lors d'une interruption, l'analysant non seulement souffre de l'angoisse face à la crainte de la séparation et de la perte de l'analyste, mais en plus il ne trouve plus le contenant dont il a besoin pour se débarrasser de sa douleur psychique, car durant l'interruption, il ne peut plus déposer ses projections dans la personne de l'analyste. C'est alors que se déclenche l'acting-out. L. Grinberg, dans son article « On acting out and its role in the psychoanalytic process » (1968) considère l'acting-out comme survenant dans une relation de nature généralement narcissique, sur le modèle de la relation contenant-contenu de Bion, raison pour laquelle les interruptions déclenchent si souvent des acting-out. Il souligne que, lorsque l'analyste n'est pas là, « l'absence de l'analyste est ressentie comme une "présence" persécutoire parce que le patient l'associe à ses fantasmes agressifs et à sa peur de la retaliation ». A d'autres moments, l'analysant ne projette pas les contenus fantasmatiques dans une personne du monde externe qui lui sert de substitut en l'absence du contenant représenté par l'analyste, mais il les projette dans une partie de son propre corps qui lui sert de contenant : c'est ainsi que les symptômes somatiques ou hypocondriaques se constituent comme contenant « la présence » concrète de l'objet qui contrecarre et annule l'absence de l'analyste tout en permettant de conserver les affects douloureux intolérables liés à l'angoisse de séparation. Enfin, toujours selon L. Grinberg, il existerait une réciprocité entre les rêves de week-end et les acting-out : plus on rêve, moins on agit et *vice versa*.

Les réactions des analysants à l'alternance « semaine analytique » - « fin de semaine analytique » ont fait l'objet d'une étude intéressante de J. Zac (1968) qui a également souligné que les séparations de fin de semaine ont la signification de perdre en l'analyste un contenant dans lequel identifier projectivement la douleur. D'après J. Zac le patient, ne pouvant se décharger de l'angoisse dans l'analyste, se voit contraint de la réintrojecter en lui-même. Ce dernier ressent cela de manière persécutoire comme une « réinoculation » forcée des aspects dont il n'a pu se défaire étant donné l'absence de l'analyste. Selon lui, c'est alors que se produit l'acting-out, qui représente la quête d'un objet dépositaire de la douleur psychique. En reprojetant dans un objet externe — ou dans un objet interne, ou dans une partie du corps — les contenus que le moi ne peut réintrojecter, un nouvel équilibre peut se rétablir. Ainsi l'acting-out ne serait pas seulement une technique défensive, selon J. Zac, mais servirait de « soupape de sécurité » permettant parfois, mais pas toujours, aux parties psychotiques de la personnalité d'être reprojetées afin d'éviter la psychose et d'en préserver ainsi la partie non psychotique.

Nous avons également déjà parlé des études de H. Rosenfeld (1964) qui ont montré comment l'identification projective était fréquemment utilisée par les patients borderline ou psychotiques pour lutter contre l'angoisse de séparation, et s'exprimait très fréquemment à travers les acting-out. Dans ce cas, l'acting-out peut être conçu comme se réalisant dans le contexte d'une relation narcissique idéalisée, avec un ou des objets représentant un ou des substituts de l'analyste, entraînant une confusion entre le moi et l'objet.

Dans *Culpa y depresión* (1964) L. Grinberg a apporté une contribution originale au problème de la séparation et de la perte d'objet en montrant que les deuils et les dépressions entraînaient des expériences de pertes non seulement de l'objet mais aussi d'aspects du self. Dans chaque deuil, selon L. Grinberg, il n'y a pas seulement le deuil pour l'objet perdu, mais aussi pour les *parties perdues du self* qui sont déposées par projection dans les objets, comme on peut le constater lors des acting-out, par exemple. Le caractère normal ou pathologique de ce processus dépend de la prédominance de la culpabilité dépressive ou de la culpabilité persécutoire. C'est pourquoi l'élaboration des deuils des aspects du self ainsi perdus et dispersés est la condition préalable à l'élaboration du deuil de la perte de l'objet, car de sa réussite dépend la restauration du sentiment d'identité. Ces contributions précieuses de L. Grinberg montrent comment nos interprétations de l'angoisse de séparation ont à rendre compte non seulement de la perte de l'objet, mais aussi de la perte de l'identité étroitement liée aux pertes des aspects du self : nous pouvons ainsi montrer de manière détaillée et éclairante à notre analysant quels aspects du moi sont ressentis comme perdus à tel moment de la séance, ou quel lien avec l'objet est éprouvé comme manquant dans tel contexte transférentiel « ici et maintenant ».

Séparations, horaires et honoraires

Je voudrais ajouter un élément technique à la discussion sur ce sujet, en relevant que les acting-out liés à l'angoisse de séparation se traduisent très fréquemment par des perturbations dans le respect de l'horaire convenu, tels des retards ou des oublis de séance, ainsi que par les actes manqués les plus divers, comme par exemple des erreurs dans le décompte du nombre de séances lors du payement des honoraires. Tout cela est très chargé de sens pour le transfert inconscient.

Dans ma pratique je préfère prendre des dispositions pour nous permettre d'analyser séance tenante les risques possibles d'acting-out, par exemple en choisissant de faire en début de séance les diverses communications ou annonces et si possible en m'y prenant suffisamment à l'avance. De même je préfère demander que l'analysant règle les honoraires au début d'une séance, afin de pouvoir le cas échéant élaborer *in statu nascendi* la signification inconsciente des fantasmes transférentiels concernant la séparation contenue dans ce type de mise en actes, qui s'expriment si fréquemment par des modifications dans le décompte du nombre de séances ou de la somme due. Chacun a pu faire l'expérience que les communications faites en fin de séance ou les absences annoncées au dernier moment tendent à accroître le risque d'acting-out et nous priver du temps nécessaire à leur élaboration.

10

Cadre psychanalytique
et fonction contenante

Le lendemain revint le petit prince.

« Il eût mieux valu revenir à la même heure, dit le renard. Si tu viens, par exemple, à quatre heures de l'après-midi, dès trois heures je commencerai d'être heureux. Plus l'heure avancera, plus je me sentirai heureux. A quatre heures, déjà, je m'agiterai et m'inquiéterai ; je découvrirai le prix du bonheur. Mais si tu viens n'importe quand, je ne saurai jamais à quelle heure m'habiller le cœur... Il faut des rites...

— Qu'est-ce qu'un rite ? dit le petit prince.

— C'est aussi quelque chose de trop oublié, dit le renard. C'est ce qui fait qu'un jour est différent des autres jours, une heure des autres heures. »

Antoine de Saint-Exupéry,
Le Petit Prince, p. 70.

Les conditions de l'expérience psychanalytique

L'apparition de l'angoisse de séparation lors des discontinuités de la rencontre analytique souligne le fait qu'il ne suffit pas de l'interpréter pour la résoudre, mais qu'il est également essentiel de procurer à l'analysant une situation dans laquelle le cadre instauré permette le déroulement optimal du processus psychanalytique. L'expérience transférentielle a besoin pour bien se dérouler de conditions particulières qui sont créées notamment par la mise en place et le maintien actif d'un certain nombre de constantes.

Pour J. Zac (1968, 1971) il existe des constantes qu'il nomme absolues — parce qu'elles appartiennent à toute cure analytique et sont en rapport avec les hypothèses fondamentales de la psychanalyse — et des constantes relatives. Parmi les constantes absolues les unes relèvent de la spécificité de la relation transférentielle et de son déroulement, les autres ressortissent du cadre analytique qui la rend possible. C'est ainsi que J. Zac considère la régularité et la fréquence des séances hebdomadaires, leur durée fixe, la permanence du lieu de la séance, le payement d'honoraires comme étant autant de facteurs qui déterminent la stabilité indispensable au bon déroulement de la communication entre analysant et analyste. Quant aux constantes relatives elles sont de deux sortes, selon lui : certaines tiennent à l'analyste lui-même et sont liées à sa propre personnalité, à sa situation personnelle et sociale, à son appartenance à tel courant psychanalytique, tandis que d'autres sont le résultat d'un accord particulier entre l'analysant et l'analyste, portant par exemple sur le montant des honoraires ou la durée des vacances.

C'est de manière empirique que Freud avait établi la forme la mieux appropriée au déroulement de la cure psychanalytique dans le but de favoriser son développement et d'assurer le moins d'interférences possible. Durant des décennies les psychanalystes ont appliqué dans leur pratique le cadre proposé par Freud comme une donnée allant de soi et qui n'avait pas besoin d'être fondée sur des arguments théoriques explicites. Dans son ensemble la situation analytique et son cadre ont été maintenus, même si individuellement un analyste pouvait ne pas être d'accord avec l'un ou l'autre des aspects du setting et n'en tenait pas compte dans sa pratique tout en respectant les autres. Les conditions du setting concernant le lieu de la séance, le temps ou l'argent ont été longtemps considérées comme faisant partie de la technique, et l'on s'est davantage intéressé au contenu du processus qu'à la signification des conditions qui le contiennent et contribuent à lui donner sa spécificité.

Récemment l'idée a commencé à faire son chemin de spécifier de mieux en mieux notre identité d'analyste pour pouvoir mieux nous définir, et nous nous sommes aperçus que notre identité passe par une explicitation du setting spécifique de l'analyse et du rôle joué par les différentes dispositions du cadre dans le déroulement du processus. Du fait que tout changement dans le setting entraîne inévitablement un changement dans la nature du processus, « il s'agit de savoir à quel setting correspond le mieux ce que nous appelons, nous, analyse », a souligné D. Quinodoz (1987*a*) en mettant l'accent sur le rôle du setting psychanalytique comme « organe de la fonction contenante ». En d'autres termes, comme le rappelait J. Laplanche dans sa conférence à Genève en 1987, il s'agit de savoir ce que nous voulons faire de l'énergie

formidable que nous déclenchons en instaurant la situation analytique :
voulons-nous la laisser exploser dans une réaction en chaîne
incontrôlable, ou voulons-nous la canaliser dans un cyclotron,
c'est-à-dire dans le cadre analytique classique ? C'est pourquoi
récemment, dans son souci de conserver et de transmettre de génération
en génération l'essence de l'identité du psychanalyste, l'Association
psychanalytique internationale a publié les normes minimales de
qualification qu'elle estime indispensables pour les futurs psychanalystes, précisant entre autres la fréquence (4-5 par semaine) et la
durée (45-50 mn) des séances (« Lettres d'information de l'API »,
1983, 1985, « Brochure API », 1987). Dans son avant-propos,
R. S. Wallerstein (1987), alors président de l'API, a souligné que l'analyse
a jusqu'à présent progressé « selon le modèle de la tradition orale »,
mais que la nécessité se fait actuellement sentir d'apporter une plus
grande précision quant au consensus qui est le nôtre et de transcrire
dans des directives l'engagement que nous partageons. J. de Saussure
(1986) a commenté en son nom personnel les motifs qui ont animé le
groupe de travail qui a eu la tâche difficile de préciser ces normes
minimales. En effet, pour ceux qui deviendront éventuellement
analystes, une analyse personnelle a les meilleures chances possible de se
dérouler dans le cadre précis d'une psychanalyse classique, selon elle,
car celui-ci assure des contacts entre analysant et analyste qui se
poursuivent durant plus de la moitié des jours de la semaine et
permettent que se développe le type d'expérience transférentielle que
J. de Saussure décrit avec finesse et sensibilité.

Cadre psychanalytique et relation contenant-contenu

L'étude du rôle joué par l'angoisse de séparation dans la situation
analytique me semble apporter des éléments scientifiques valables à
l'appui du cadre psychanalytique classique, étant donné le rapport
étroit qui existe entre ce type d'angoisse d'une part, et cadre et processus
d'autre part. Une fréquence minimale de quatre ou cinq séances par
semaine, d'une durée de quarante-cinq ou cinquante minutes, à heure
fixe et réparties de manière régulière au long de la semaine et durant une
grande partie de l'année, réduit d'autant les intervalles déjà nombreux
et les réactions consécutives aux séparations, tout en assurant
simultanément une meilleure contention du travail analytique. Une
réduction de la fréquence des séances ou de leur durée constitue une

source permanente d'angoisse de séparation chez nombre d'analysants qui, n'ayant pas acquis suffisamment le sentiment de continuité qu'éprouvent les analysants névrotiques capables de symboliser l'absence, ont davantage que d'autres besoin de se sentir contenus. Une semaine analytique qui comprend davantage de jours sans séance que de jours avec séance entraîne une discontinuité qui rend très difficile pour l'analyste la tâche de repérer et d'interpréter l'angoisse de séparation et pour l'analysant celle d'élaborer les processus affectifs transférentiels complexes qui s'y rattachent.

Personnellement je pratique l'analyse à raison d'au moins quatre séances par semaine. D'une part cette condition m'est nécessaire pour me sentir en mesure de faire face à la richesse du déploiement des conflits transférentiels, afin de les repérer et les interpréter ; d'autre part je pense que l'approfondissement de l'expérience émotionnelle et affective spécifique de la cure psychanalytique passe par une fréquence suffisante de la rencontre entre analysant et analyste. A plusieurs reprises H. Segal a exprimé sa conviction que seule une fréquence de quatre ou cinq séances hebdomadaires permet d'accéder aux conflits d'affects transférentiels les plus cachés et les plus fondamentaux, grâce en particulier à la possibilité que donne un contact suffisant pour permettre l'élaboration détaillée des angoisses paranoïdes-schizoïdes et des angoisses dépressives qui surgissent à l'occasion des séparations. De plus, si le cadre n'est pas préservé comme un lieu dédié à la compréhension analytique, la réalité actuelle à laquelle se heurte le patient devient alors trop chaotique et troublée (H. Segal, 1962).

C'est sans doute la capacité de l'analysant de faire face à ses propres angoisses, ainsi que la mobilité acquise dans le passage des angoisses paranoïdes-schizoïdes vers la position dépressive qui conditionnent la capacité de l'analysant de se confronter à la séparation définitive de l'analyste, c'est-à-dire à la fin de l'analyse. Je crois, comme l'a montré H. Segal (1988), que le problème de la fin de l'analyse n'est pas seulement celui de la disparition des symptômes et des défenses régressives, mais plutôt celui de la capacité suffisante de l'analysant de se mouvoir de la position paranoïde-schizoïde à la position dépressive, cette dernière n'étant jamais définitivement acquise. Cette mobilité rend l'analysant en mesure de faire face à la douleur, à l'angoisse, à la perte et à la séparation, de manière à intérioriser une bonne expérience affective.

Quatrième Partie

LA SOLITUDE APPRIVOISÉE

11

Terminaison de l'analyse
et angoisse de séparation

> « Ainsi le petit prince apprivoisa le renard. » Et quand l'heure du départ fut proche :
> « Ah ! dit le renard... Je pleurerai.
> — C'est ta faute, dit le petit prince, je ne te souhaitais point de mal, mais tu as voulu que je t'apprivoise...
> — Bien sûr, dit le renard.
> — Mais, tu vas pleurer ! dit le petit prince.
> — Bien sûr, dit le renard.
> — Alors tu n'y gagnes rien !
> — J'y gagne, dit le renard, à cause de la couleur des blés. »
>
> Antoine de Saint-Exupéry,
> *Le Petit Prince*, p. 70.

La question de la terminaison de la cure psychanalytique soulève de nombreux problèmes aussi bien cliniques, techniques que théoriques. Ceux-ci ont fait l'objet de débats et de tables rondes dont on trouvera ailleurs le résumé (S. K. Firestein, 1980). Par souci de concision, je me limiterai à aborder dans ce chapitre les rapports entre la fin de l'analyse et l'angoisse de séparation. La place que les psychanalystes accordent à l'angoisse de séparation dans le processus de terminaison de l'analyse varie suivant le « modèle » de terminaison auquel on se réfère. Dans la mesure où l'on considère la fin de l'analyse comme une séparation intervenant entre analysant et analyste, on aura tendance à considérer le travail du deuil comme une composante importante du lien transférentiel et contre-transférentiel.

Personnellement je pense que la capacité de l'analysant de faire face au travail du deuil qui précède, accompagne et suit la terminaison de l'analyse, constitue l'une des dimensions majeures non seulement de la fin d'analyse, mais du processus psychanalytique lui-même. Je crois aussi que le travail du deuil joue un grand rôle dans la phase terminale de la cure, et que de sa réussite ou de son échec va dépendre pour une bonne part que l'analyse soit considérée comme terminée ou, au contraire, interminable.

La fin de l'analyse chez Freud

Freud a successivement avancé plusieurs critères de terminaison, affirmant d'abord que le patient devait être capable de travailler et d'aimer. Par la suite, il donna comme objectif de la cure de rendre conscient ce qui était auparavant inconscient, conformément à la première topique. Puis, avec l'avènement de la seconde topique, il considéra comme un but de l'analyse de permettre au moi un meilleur fonctionnement en relation avec le surmoi, le ça et la réalité : « Wo Es war, soll Ich werden » [là où était du ça, là doit advenir le moi] (1933a, fr. p. 110). En 1937, dans « L'analyse sans fin et l'analyse avec fin » Freud discutera du problème posé par les diverses causes de résistance insurmontable qui s'opposent à la terminaison de la cure, en particulier l'angoisse de castration chez l'homme, et l'envie du pénis chez la femme. Dans sa conception de la fin de l'analyse, la notion de travail du deuil transférentiel tient peu de place par rapport à celle d'élaboration psychique, qui lui est proche. Freud ne disposait sans doute pas encore d'une théorie des affects suffisante pour rendre compte des divers mouvements d'intégration de l'amour et de la haine, par exemple, tels qu'ils seront développés ultérieurement par K. Abraham et M. Klein. Par ailleurs, Freud considérait que le deuil s'effectuait avant tout par rapport à la réalité, c'est-à-dire comme une capacité du moi de se détacher de l'objet perdu en acceptant la réalité de la perte, de manière à permettre de nouveaux investissements d'objets.

Si, au début de son histoire, la psychanalyse visait principalement à rendre conscient par l'interprétation les aspects inconscients du psychisme, par la suite, les psychanalystes ont mis davantage l'accent sur la relation analysant-analyste et sur ses avatars, ce qui a entraîné des changements dans la manière de considérer la terminaison de l'analyse.

Principaux modèles de terminaison

Il existe actuellement parmi les psychanalystes différentes façons de concevoir les processus qui se déroulent dans la phase terminale de l'analyse. On peut distinguer schématiquement deux conceptions opposées : l'une s'intéresse presque exclusivement à la personnalité de l'analysant, l'autre s'intéresse principalement à la relation entre analysant et analyste. A l'intérieur de chacune de ces conceptions, divers « modèles » de terminaison ont été décrits, mais qui se rattachent tous à l'une ou l'autre de ces deux catégories fondamentales.

Les psychanalystes qui s'intéressent surtout à la *personnalité de l'analysant* cherchent à déterminer chez ce dernier quelles sont les modifications psychologiques susceptibles d'être prises comme indicateurs de fin d'analyse. La plupart des auteurs considèrent que l'amélioration symptomatique est un critère insuffisant, et que l'accroissement de l'*insight* et la levée de l'amnésie infantile sont de meilleurs indicateurs. D'autres analystes, en particulier ceux appartenant à l'école américaine, insistent sur les changements « structuraux » de la personnalité, sur la résolution des conflits intrapsychiques et l'équilibre psychique correspondant à un degré égal d'adaptation harmonieuse à la réalité et à l'environnement, selon les conceptions de H. Hartmann et A. Freud. O. Rank (1924) considérait que pour chaque patient, la terminaison de l'analyse symbolisait la naissance. Plus tard, M. Balint (1952) décrivit la fin de l'analyse comme un « nouveau commencement » : l'analysant qui approche du terme sent qu'il naît à une nouvelle vie, et il éprouve des sentiments mêlés de tristesse et d'espoir face à ce nouveau départ dans l'existence. Pour d'autres psychanalystes encore, l'analyse se termine de manière naturelle, comme par épuisement des conflits. C'est ainsi que S. Ferenczi (1927) conçoit la terminaison comme graduelle, et quasi spontanée : « L'analyse doit pour ainsi dire mourir d'épuisement... un patient vraiment guéri se détache de l'analyse, lentement mais sûrement » (p. 51). A la fin de l'analyse, d'après O. Flournoy (1979), l'analyste, le faisant en son nom et au nom du parent phallique absent, exprime « son refus de jouer la relation transférentielle. L'interprétation terminale peut dès lors être appréhendée sous ce seul aspect, manifestation par le parent phallique absent de son refus de l'être » (p. 232) [...] « Ainsi, le moment de la fin du temps secondaire correspond-il à la renonciation de la visée œdipienne. Analyste et analysé ne sont plus que deux personnes réunies dans une même pièce, et qui n'ont rien de psychanalytiquement commun » (p. 233). Relevons enfin la position extrême de quelques analystes pour qui, à la fin de l'analyse, *l'analyste n'est plus personne* pour son analysant, car le lien de transfert se dissout par disparition de la personne de l'analyste : « Et alors l'analysant s'aperçoit que le ciel est vide... et que si quelqu'un a à en savoir et à en savoir plus, c'est lui et personne d'autre » (F. Roustang, 1976). S. Lebovici (1980) a exprimé son désaccord envers cette élimination de l'analyste. Comme beaucoup de psychanalystes, il pense au contraire qu'à la fin de l'analyse « le psychanalyste, loin de n'être plus personne, devient une personne », et que, dans cette authentique relation qu'est devenue la relation analytique, ni le patient, ni l'analyste n'ont besoin de la névrose de transfert (p. 244). Personnellement, je pense que si la rencontre s'interrompt, la relation entre analysant et analyste subsiste, mais elle est intériorisée. Quant à l'affirmation selon laquelle l'analyste n'est plus personne en fin d'analyse, je crois qu'elle implique une part contre-transférentielle de déni de la réalité de la séparation et de déni des sentiments dépressifs non seulement de l'analysant, mais aussi de l'analyste.

A l'opposé de la conception précédente, de nombreux psychanalystes insistent sur *la relation entre analysant et analyste* dans la terminaison de l'analyse, et pas seulement sur les changements dans la personnalité de l'analysant. Dans cette perspective, on considère que la séparation définitive de l'analyste déclenche un processus de deuil dont l'élaboration joue un rôle déterminant. L'interruption définitive de la relation entre les deux membres du couple analytique constitue en effet une perte qui, lorsqu'elle est surmontée, favorise l'approfondissement de l'*insight* et de la capacité d'auto-analyse. Ce processus est en tous points comparable au travail du deuil normal, et implique que l'analysant soit devenu capable de tolérer la solitude sans angoisse excessive, de renoncer à l'omnipotence et au sentiment d'immortalité, de faire face à la réalité de la durée limitée de la vie, de supporter d'envisager la séparation entre analysant et analyste, et d'intérioriser la fonction de ce dernier. Le savoir acquis grâce à l'*insight* contribuera à la diminution des angoisses et permettra à l'analysant d'appliquer à toutes les expériences ultérieures la compréhension qu'il aura acquise sur lui-même. Comme le relève L. Grinberg (1980) :

« L'analyse ne se termine pas avec la séparation de l'analyste et de l'analysant. La seule chose qui prenne fin est la relation entre eux deux, après quoi on accède à une nouvelle phase dans le déroulement du processus grâce à l'auto-analyse » (p. 301).

Les problèmes de transfert et de contre-transfert sont profondément intriqués à l'approche de la fin de l'analyse, et la terminaison confronte non seulement l'analysant mais aussi l'analyste à ses propres deuils. Parfois, il arrive que les défenses pathologiques et les projections excessives de l'analysant puissent conduire l'analyste à répondre par des réactions contre-transférentielles de colère ou de rejet, mais aussi à se déprimer jusqu'à lui faire prendre en charge les deuils que l'analysant ne peut pas supporter, sous l'influence d'une contre-identification projective (Grinberg, 1980). Des motivations inconscientes peuvent alors pousser l'analyste à prolonger une analyse, ou, au contraire, à l'interrompre prématurément.

Terminaison de l'analyse et deuil

Divers aspects du travail du deuil par rapport à la fin de l'analyse ont été successivement relevés. Ainsi, Annie Reich (1950) notait que la terminaison de l'analyse comportait pour l'analysant une double perte : une perte par rapport aux objets transférentiels infantiles, et une perte de l'analyste en tant que personne réelle, du fait de la nature même de la relation analytique, de sa durée et de son caractère intime. De là découle l'importance de fixer une date de la terminaison de l'analyse plusieurs mois à l'avance, afin d'élaborer ces deuils.

La capacité de tolérer la solitude est un autre aspect essentiel de la fin de l'analyse. André Green (1974) l'a exprimé dans l'une de ses formules saisissantes : « L'analyse ne vise peut-être qu'à la capacité d'être seul du patient (en présence de l'analyste) », reprenant d'une manière originale l'idée de D. W. Winnicott pour l'appliquer aux buts de l'analyse.

Pour M. Klein il existe une relation directe entre la position dépressive infantile, qui détermine l'organisation psychique, et la terminaison de l'analyse. Selon elle, la position dépressive infantile s'organise essentiellement autour de l'expérience de la perte du sein lors du sevrage, et l'expérience de terminer l'analyse est la reproduction du sevrage. Dans son article « Sur les critères de terminaison de l'analyse » (1950), M. Klein dit qu'une analyse qui évolue de manière satisfaisante va déclencher une situation de deuil par rapport à l'analyste, deuil qui réactive tous les autres deuils de l'existence, à partir du deuil primordial représenté par le sevrage.

Dans un article consacré à la terminaison, H. Segal (1988) relève que la proximité de la fin de l'analyse a très souvent pour effet de réveiller les anciennes angoisses et les anciennes défenses, sans nécessairement faire réapparaître les symptômes. Elle donne l'exemple d'un patient spécialement sensible aux séparations durant la cure. Au cours de la phase finale, celui-ci dut faire face avec beaucoup de souffrance aussi bien à l'élaboration de la différenciation *(separateness)* et de la séparation d'avec l'analyste *(separation*, p. 167), qu'aux angoisses et à la dépression qui les accompagnent. A quelques semaines de la fin de l'analyse, les angoisses de séparation les plus primitives sont réapparues, et le patient est devenu terriblement préoccupé par la pensée de la mort, au point de penser que si la mort existe, la vie ne vaut pas d'être vécue. H. Segal pose la question de savoir si un analysant qui résiste avec de telles angoisses à l'approche de la fin de l'analyse est prêt à terminer. Elle pense dans ce cas que la décision était adéquate, car elle considère comme critère de terminaison non pas la résurgence des angoisses ou des symptômes, mais la mobilité psychique qui permet que les défenses et les angoisses, si primitives qu'elles soient, puissent être contenues dans les rêves, dans les fantasmes et dans les séances. « D'une manière très générale, je peux dire que mes critères sont une mobilité suffisante de la position paranoïde-schizoïde avec prédominance du clivage, de l'identification projective et de la fragmentation, à la position dépressive, qui est accompagnée par une meilleure capacité de relation avec les objets internes et externes » (p. 173). Dans la position dépressive l'analysant devra faire face à la différenciation, aux conflits et à l'intégration de la haine. Il aura à supporter la perte et l'angoisse, à intérioriser une bonne expérience pour rétablir de bons objets internes et à internaliser la fonction psychanalytique de prise de conscience *(self-awareness)*, de telle sorte qu'il puisse apprendre à travers l'expérience. Une partie de l'élaboration consiste également à accepter l'éventualité de sa propre mort. La résolution complète de la position dépressive n'est jamais acquise, et les fluctuations persistent durant toute la durée de l'existence ; ce qui compte pour H. Segal dans l'évaluation, c'est avant tout le degré de mobilité et la sévérité des perturbations psychiques qui en découlent.

Un critère de terminaison

Les modifications subies par l'angoisse de séparation au cours de la cure sont considérées par beaucoup de psychanalystes comme l'un des critères cliniques significatifs de l'évolution de l'analysant par rapport à la fin de l'analyse. Il est en effet difficile d'évaluer le moment où l'on peut considérer que les objectifs ont été atteints, et que l'analyse est proche de son terme. Plusieurs débats importants ont été consacrés à ce sujet et les divers travaux ont montré la difficulté de déterminer quels sont les critères de fin d'analyse (on peut se référer à la bibliographie publiée par S. K. Firestein, 1980). Rappelons aussi le résultat obtenu en 1955 par l'enquête d'E. Glover auprès des membres de la Société britannique leur demandant de désigner quels étaient leurs critères personnels de terminaison. Glover avait conclu qu'aucun critère ne se dégageait véritablement par rapport aux autres, sauf celui de l'*intuition clinique* du psychanalyste qui permettrait de sentir à quel moment la cure pourrait être terminée.

Pour J. Rickman (1950) on ne saurait définir isolément des critères de fin d'analyse, mais plutôt tenir compte d'un ensemble de critères, dont la synthèse permettrait de déterminer un « point d'irréversibilité » au-delà duquel l'analysant serait capable de tolérer les frustrations sans régresser ni se désintégrer psychiquement. Parmi les facteurs composants, Rickman retient les suivants : 1 / capacité de se remémorer passé et présent, de lever l'amnésie infantile et d'élaborer le complexe d'Œdipe ; 2 / capacité de satisfaction génitale hétérosexuelle ; 3 / capacité de tolérer les frustrations libidinales et les privations sans défenses régressives ni angoisse ; 4 / capacité de travailler et de supporter l'inaction ; 5 / capacité de tolérer les pulsions agressives provenant de soi ou d'autrui sans perdre l'objet d'amour, et sans culpabilité ; 6 / capacité d'élaborer le deuil.

Pour Rickman, les indications les plus valables sur l'état d'intégration acquis par l'analysant au cours de la cure sont données par les interruptions des week-ends et des vacances. Les interruptions forcent l'émergence des fantasmes de transfert, et les changements dans la nature de ces fantasmes sont un reflet fidèle des changements dans les relations d'objet de l'analysant. Selon lui, la détermination d'un tel « point d'irréversibilité » n'exclut pas l'intuition clinique du psychanalyste dans la fixation du terme de l'analyse.

Le travail de J. Rickman soulignant l'importance des réactions de l'analysant aux interruptions dans l'évaluation des transformations au cours de la cure a été à l'origine de recherches approfondissant les rapports entre angoisse de séparation et processus psychanalytique. C'est ainsi que Libermann (1967) s'est intéressé aux modifications dans le contenu des fantasmes de fin de semaine comme indicateur significatif de l'évolution de l'analysant ou, au contraire, comme indicateur du manque d'évolution. Nous avons déjà évoqué l'étude de L. Grinberg (1981) sur les rapports entre le contenu des rêves durant les interruptions de séance et les fantasmes transférentiels. Quant à S. K. Firestein (1980) il insiste sur l'importance de l'évaluation de la névrose de transfert durant les interruptions de l'analyse, surtout durant les vacances, de manière à apprécier la capacité d'autonomie de l'analysant en l'absence de l'analyste.

En ce qui concerne l'appréciation de la terminaison, comme d'ailleurs de toute appréciation en ce qui concerne la rencontre analytique, je partage l'avis de R. Diatkine (1988) qui souligne le caractère complexe du transfert, qui ne saurait se résoudre dans une sorte de normalité : « Pour évaluer ce que représente l'arrêt de la psychanalyse, au-delà de l'expérience de perte d'objet que peut provoquer la décision de ne plus se rencontrer régulièrement, il vaut mieux ne pas être aveuglé par un modèle trop absolu d'autonomie psychique répondant à l'idée qu'on pourrait se faire de l'insaisissable normalité » (p. 811).

Angoisse de séparation et analyse interminable

Si l'on conçoit qu'une psychanalyse peut être terminée pour le patient *et* pour le psychanalyste, il arrive que des obstacles psychologiques la rendent interminable, et qu'une autre analyse soit nécessaire pour aboutir à une terminaison satisfaisante, comme l'a montré Freud dans « L'analyse avec fin et l'analyse sans fin » (1937c). Parmi les divers obstacles à la terminaison, je pense que l'angoisse de séparation excessive face à la séparation définitive d'avec l'analyste est un facteur important d'interminabilité.

L'approche de la fin de l'analyse peut réveiller toutes sortes d'angoisses, comme nous l'avons vu, liées à la crainte devant la douleur dépressive et le sentiment de solitude, au point que le travail du deuil transférentiel se trouve entravé, empêchant l'accès à la nouvelle phase de l'analyse qui consiste à « continuer seul ». La souffrance psychique

— que J. Bégoin (1989) distingue de l'angoisse parce que masquant une souffrance plus cachée — serait aussi une source d'interminabilité, selon lui, en raison du risque de révélation de noyaux de terreur correspondant à une menace de mort psychique. La fin de l'analyse peut aussi réveiller l'angoisse devant la découverte de la vérité sur soi-même (L. Grinberg, 1980) ou faire reculer l'analysant devant le progrès, d'une manière analogue à la réaction thérapeutique négative qui, elle aussi, est une cause d'interruption prématurée de l'analyse.

Le psychanalyste doit être prêt à rencontrer les réactions les plus inattendues en face de la fin de l'analyse, et, pour les repérer et les interpréter, il devra recourir à son expérience et se référer à sa propre conception des relations d'objets et du transfert.

Je me souviens d'un analysant qui dénia presque jusqu'au dernier jour le fait que nous ayions fixé un terme définitif à nos rencontres, et que nous allions nous quitter. Il parvint cependant à en prendre conscience, juste assez tôt pour amorcer un authentique travail du deuil transférentiel. Exemple typique de déni de la réalité et de clivage du moi tel que l'a décrit Freud (1927*e*, 1940*e*, [1938]), cet analysant s'est trouvé confronté à une réalité insupportable, celle de notre séparation, et son moi s'est divisé en deux, une partie acceptant la réalité, l'autre la niant. Au terme d'une analyse satisfaisante, je voyais cet analysant approcher de la fin en acceptant apparemment d'y faire face, mais pas vraiment. Ce n'est que quelques jours avant la date de fin d'analyse que le déni surgit dans toute son ampleur : « Jusqu'à aujourd'hui, j'ai toujours pensé que vous aviez fixé une date de fin d'analyse uniquement pour me mettre à l'épreuve, sans y croire vous-même, et que c'était une mauvaise plaisanterie de votre part, et j'imaginais qu'au dernier moment vous repousseriez cette date... aujourd'hui seulement je m'aperçois que vous allez tenir parole. » Nous nous sommes quittés quelques jours plus tard, mais en avoir parlé nous a permis *in extremis* de lever ce déni et ce clivage, qui avaient été utilisés comme reprise d'anciens mécanismes de défense réactivés en fin d'analyse.

Notons cependant que la crainte de la fin de l'analyse n'agit pas seulement durant la phase terminale de l'analyse, mais qu'elle est présente dès le début. Dès le premier contact, le futur analysant peut exprimer son inquiétude quant à la fin de l'analyse : « Si je commence avec vous, j'ai peur de ne jamais pouvoir vous quitter. » Quant à l'analyste, il ne peut éviter de s'interroger dès les entretiens préliminaires sur la capacité du futur analysant d'affronter la terminaison. Parfois l'angoisse de la fin de l'analyse est si forte qu'après un premier contact la personne qui demande l'analyse renonce à s'engager dans une relation analytique destinée à se terminer, comme si elle exprimait l'idée que ce n'est pas la peine de vivre, puisqu'il faudra mourir un jour.

A l'opposé, il arrive qu'un futur analysant demande une analyse dans le but déclaré de parvenir à élaborer la séparation de la fin de l'analyse. J'ai rencontré plus d'un analysant qui, conscient de sa difficulté d'établir des liens durables dans sa vie de relation, avait exprimé l'espoir que la relation qui allait s'établir avec moi lui permettrait de se préparer à surmonter la séparation de la fin de l'analyse, et à élucider ses problèmes relationnels.

Mais que signifie « surmonter la séparation » ? C'est ce que nous allons discuter dans le dernier chapitre.

12

Capacité d'être seul, portance et intégration de la vie psychique

> « Adieu, dit le renard. Voici mon secret. Il est très simple : on ne voit bien qu'avec le cœur. L'essentiel est invisible pour les yeux.
> — L'essentiel est invisible pour les yeux, répéta le petit prince, afin de se souvenir. »
>
> Antoine de Saint-Exupéry,
> *Le Petit Prince*, p. 72.

Apprivoiser la solitude

L'un des buts de l'analyse consiste en ce que l'analysant découvre ou redécouvre en lui des sentiments que l'angoisse excessive de séparation et de perte d'objet a pu l'empêcher d'acquérir ou lui faire perdre : sentiment d'autonomie et de liberté psychique, force et continuité intérieures, confiance en soi et envers autrui, capacité d'aimer et d'être aimé, bref, un ensemble complexe de sentiments qui caractérisent ce qu'on appelle maturité psychique, que D. W. Winnicott (1958) a résumé si bien lorsqu'il parle d'acquérir une capacité d' « être seul en présence de quelqu'un » (p. 209). Pour D. W. Winnicott, il existe deux formes de solitude au cours du développement, une forme primitive à un stade d'immaturité et une forme plus élaborée : « Etre seul en présence de quelqu'un est un fait qui peut intervenir à un stade très primitif, au moment où *l'immaturité du moi est compensée de façon naturelle par le support du moi offert par la mère*. Puis vient le temps où l'individu intériorise cette mère, support du moi, et devient ainsi capable d'être seul sans recourir à tout moment à la mère ou au symbole maternel » (1958, p. 209).

Contrastant avec les vécus d'angoisse, cette capacité de vivre la solitude comme un ressourcement, en relation avec soi-même et avec autrui, apparaît lorsque la présence de l'objet absent est intériorisée. Ce processus progressif d'intériorisation constitue le résultat spécifique de l'élaboration des expériences répétées de séparations suivies de retrouvailles. Au cours du développement infantile, de même qu'au cours du processus psychanalytique, les séparations successives d'avec la personne importante entraînent la crainte renouvelée que la perte du bon objet dans la réalité extérieure n'entraîne la perte des bons objets internes. La menace de cette perte réveille les angoisses caractéristiques de la position dépressive infantile, selon M. Klein, avec les affects de tristesse et de deuil pour les objets externes et internes qui les accompagnent. Seules des expériences positives sont susceptibles de contrebalancer ces croyances internes que l'objet est perdu, à cause des fantasmes de destruction. Au cours du processus psychanalytique, la succession des expériences de séparation suivies de retrouvailles entraîne un travail du deuil qui sera surmonté grâce à l'épreuve de la réalité, qui confirme que les fantasmes de destruction ne sont pas réalisés et renforce la confiance dans les bons objets internes et externes. L'établissement d'un bon objet à l'intérieur du moi marque alors l'acquisition d'une « force du moi » devenue suffisante pour tolérer l'absence de l'objet, sans angoisse excessive, ce qui permettra ultérieurement de surmonter la tristesse face aux inévitables pertes rencontrées dans la réalité extérieure.

L'apparition de ce sentiment intérieur a été décrite par Freud, par exemple chez le petit garçon qui avait peur dans l'obscurité et se dit soulagé d'entendre la voix de sa tante : « du moment que quelqu'un parle, il fait clair » (1905*d*, p. 168). Plus tard, lorsque Freud examinera les conditions d'apaisement de l'angoisse en 1926, il notera que les expériences répétées de satisfaction rassurent l'enfant, apaisent son angoisse et développent chez lui un investissement « nostalgique » de la mère, gage d'un sentiment interne de sécurité. Selon lui, c'est de la capacité à faire le deuil des objets perdus que dépend la capacité d'investir de nouveaux objets et de leur accorder toute leur valeur : « La valeur de la passagèreté, dit Freud (1916*a* [1915]), est une valeur de rareté dans le temps. La limitation dans la possibilité de la jouissance en augmente le prix » (p. 322).

Dans la cure psychanalytique, une évolution analogue s'installe peu à peu, et nous pouvons observer chez l'analysant les effets de l'intériorisation progressive de la présence de l'analyste sur la structure du moi et des relations d'objet. Ces changements correspondent à l'installation de l'objet bon — ce qui ne veut pas dire idéalisé — dans le monde interne sous une forme symbolique et d'une identification à celui-ci, qui s'accompagne d'une véritable réorganisation de la vie psychique dans ses rapports avec la réalité interne et externe. Suivant les terminologies, on parle d'acquisition de la constance de l'objet (A. Freud, M. Mahler), d'internalisation précoce (W. W. Meissner, *in* R. Lax et coll., 1986), de capacité d' « être seul en présence de quelqu'un » (D. W. Winnicott, 1958) ou d'intégration de la vie psychique (M. Klein, 1959).

L'introjection du bon objet, fondement de l'intégration

De multiples facteurs contribuent à l'intégration et à rendre tolérable le sentiment de solitude. L'analyse des défenses et des relations d'objet dans les fantasmes et dans la réalité permet à l'analysant de mieux différencier la réalité externe et la réalité interne de l'objet, et entraîne une diminution de la tendance à projeter de manière à ce qu'il soit davantage en contact avec la réalité psychique. Parmi les facteurs d'intégration, les facteurs affectifs comme la synthèse de l'amour et de la haine jouent un rôle décisif. C'est ce qui fait la différence entre « une solitude qui ressource » et une « solitude qui détruit », pour reprendre une expression de F. Dolto (1985).

M. Klein considère en effet que l'intégration s'installe avec la résolution de l'ambivalence amour-haine qui apparaît dans la position dépressive, et qu'elle est entièrement fondée sur l'introjection du bon objet. *Une intégration satisfaisante a pour effet d'atténuer la haine par l'amour et de réduire la violence des pulsions destructrices.* Dans son essai « Se sentir seul », M. Klein (1959) considère que le sentiment de solitude dérive de la nostalgie d'avoir souffert d'une perte irréparable, celle d'avoir perdu irrémédiablement le bonheur de la relation primitive avec sa mère. Ce sentiment de solitude, basé sur la position paranoïde-schizoïde, s'atténue au fur et à mesure que la position dépressive s'installe et que l'intégration psychique se renforce. Mais il est impossible d'atteindre une intégration complète et permanente, et un sentiment de solitude douloureux peut à tout moment ressurgir, lorsqu'on perd confiance dans la bonne partie du soi (p. 124). Parmi les facteurs internes et externes qui rendent tolérable le sentiment de solitude, M. Klein pense que la force du moi vient de la sécurité consécutive à l'intériorisation du bon objet : « Un moi fort résiste mieux au morcellement, peut atteindre plus facilement un degré d'intégration et établir une bonne relation avec l'objet originel » (p. 133). L'identification au bon objet atténue également la sévérité du surmoi, et, lorsque s'installe une relation heureuse avec l'objet originel, les conditions sont remplies pour donner et recevoir de l'amour. Pour M. Klein, *la solitude, si elle est véritablement vécue, stimule l'instauration des relations d'objet* (p. 135).

Transfert, partie psychotique et partie non psychotique de la personnalité

Tout au long de ce travail, j'ai tenté de souligner que les conflits spécifiques liés à la séparation et à la perte d'objet sont d'une nature différente des conflits névrotiques qui sont d'ordre symbolique. C'est l'importance du rôle joué par les défenses primitives face à ce type d'angoisse qui donne à la notion d'intégration de la vie psychique toute sa valeur et permet de rendre compte du degré de cohésion du moi qui peut être plus ou moins perturbé, suivant la psychopathologie. En effet, les conflits liés à la séparation et à la perte d'objet opposent le moi à la réalité aussi bien externe qu'interne vécue comme intolérable, et le moi se défend contre ce type de conflit non seulement par le refoulement, mais aussi par le déni. Le déni de la réalité interne et externe entraîne, comme l'a montré Freud, un clivage au sein même du moi : celui-ci se divise en une partie qui nie la réalité et une partie qui l'accepte. Du fait que ce type de conflit affecte la structure même du moi, sa résolution passe par des voies autres que la levée du refoulement qui caractérise la résolution des conflits névrotiques. C'est également ce que souligne M. Klein (1959) lorsqu'elle insiste sur le rôle du clivage nécessaire à la sécurité du nourrisson, mais qui peut devenir par la suite un facteur de fragmentation du moi et d'insécurité, si la tendance à l'intégration est insuffisante (p. 122).

Si nous revenons au processus psychanalytique, d'une manière très schématique et pour simplifier, nous pouvons dire que la résolution des conflits impliquant un déni et un clivage du moi entraîne deux démarches : dans l'une, à travers l'analyse du transfert, il s'agit de diminuer les clivages, de lever le déni et d'analyser l'ambivalence amour-haine de manière à diminuer le morcellement psychique et à améliorer la cohésion du moi ; dans l'autre démarche, une fois que les clivages ont été réduits et que le moi a acquis une meilleure communication entre ses diverses parties, nous pouvons aborder l'analyse de ces conflits sous l'angle du refoulement et de leur signification symbolique.

Cependant, dans la clinique, la situation est infiniment plus complexe et d'autant plus difficile à appréhender que les deux modes de fonctionnement psychique se juxtaposent dans des proportions qui varient sans cesse l'une par rapport à l'autre : en effet, déni et clivage prédominent dans une partie du moi plus ou moins importante, tandis que le refoulement prédomine dans l'autre partie du moi. Cette structure psychique particulière de la personnalité, qui répond au conflit par un clivage du moi (Freud, 1940*e* [1938]), a donné lieu au développement du concept de partie psychotique et de partie non psychotique de la personnalité (W. R. Bion, 1957). Ce concept permet de comprendre ce type de conflit intrapsychique et de l'interpréter lorsqu'il se reproduit dans la relation de transfert avec l'analyste.

Au cours du processus psychanalytique, la partie psychotique ainsi que la partie non psychotique deviennent l'enjeu des projections et des introjections incessantes qui marquent les mouvements du transfert. Les interprétations symboliques des fantasmes transférentiels permettent de toucher simultanément les deux niveaux du fonctionnement psychique, et de réduire aussi bien le déni et le clivage que de lever le refoulement.

La notion de « double transfert » impliquant la coexistence d'un transfert « narcissique » et d'un transfert « névrotique » et celle d'un processus psychanalytique vu sous l'angle de la diminution de la forteresse de la défense maniaque apportent un éclairage valable qui nous permet de prendre en compte dans le transfert le clivage et le déni d'une part, et le refoulement d'autre part, de manière à développer les tendances intégratives du moi et un « retour du dénié » (J. Manzano, 1989). A mon avis, ces changements structuraux sont à repérer et à interpréter aussi bien par rapport à l'évolution du processus psychanalytique dans son ensemble que par rapport aux modifications rapides et instantanées que nous observons au cours de la séance.

Un exemple de sentiment d'intégration

J'aimerais faire sentir ce mouvement d'intégration en laissant parler une analysante en fin d'analyse, qui l'exprime fort bien avec des mots très simples [*mes réflexions intérieures personnelles sont entre crochets*] :

« Longtemps, me dit-elle, j'ai pensé que mes difficultés étaient la faute de ma mère ou de mon père. Maintenant, lorsque j'en prends conscience et que j'accepte d'y être pour quelque chose, c'est plus dur, mais je peux porter un autre regard sur les événements et sur moi-même, et je peux mieux me connaître, mieux interpréter, mieux comprendre... » [*La diminution de la projection au profit d'un retour sur soi amène un sentiment de responsabilité personnel certes douloureux, mais qui améliore les relations avec la réalité interne et externe*]. « ... Je vais essayer de trouver des forces qui sont en moi, poursuit-elle, et si j'ai des défaillances, je vais dire que c'est moi et que ce n'est pas la faute des autres, parce qu'on ne peut pas changer comme on voudrait son environnement. Jusqu'à présent j'ai toujours voulu que mon environnement soit autre, en me disant que là était la clé. Mais je découvre que ma façon de comprendre la réalité, c'est le résultat de ma perception, mes perceptions m'appartiennent, je suis le résultat de ces conflits intérieurs, je ne suis pas manipulée, mes luttes m'appartiennent et ce n'est pas l'environnement qui l'induit en moi. Comme cela, c'est plus facile aussi, c'est comme si j'étais mieux armée... [*le renoncement à l'omnipotence, paradoxalement, augmente l'efficacité : en effet, on ne règle plus les conflits en s'imaginant que tout est possible, mais en se fondant sur une discrimination entre ce qui est possible et ce qui ne l'est pas, discrimination qui vient avec la conscience accrue de nos propres limites*]. « ... Ce qui m'étonne, dit l'analysante, c'est que vous puissiez me donner une image positive de moi, alors que je suis impitoyable envers moi-même : c'est comme si vous me protégiez de moi-même, et vous m'amenez lentement à me percevoir autrement, ça se fait parce que vous le faites graduellement, quand j'y arrive, je suis prête à l'accepter, vos interprétations me renvoient une image bonne de moi qui me surprend. J'estime que j'ai de la chance, ça pourrait se passer différemment, la personne avec qui l'on jette un autre regard sur soi-même est importante. Du travail que nous faisons ici va dépendre tout le reste : qui je serai plus tard, ma façon de réagir, d'interpréter. Je vais garder tout ça à l'intérieur de moi. Quand vous me donnez une image bonne de moi-même, je me sens plus pleine, je me sens apte à assumer de prendre des responsabilités pour ce qui se passe, de mieux me gérer, et de ne pas toujours projeter à l'extérieur ce qui ne va pas, je peux grandir et mieux gérer mon monde intérieur... » [*on voit comment l'intégration est liée à l'introjection d'un objet bon, non idéalisé, auquel on s'identifie, ce qui renforce la confiance en soi et autrui, en atténuant la violence des pulsions destructrices et autodestructrices*]. « ... Mes craintes n'ont cependant pas disparu, ajoute-t-elle : quand il y a une interruption, j'ai encore peur de ne plus être capable d'y faire face, de dégringoler, de ne plus trouver suffisamment de force en moi et de lucidité, ce n'est pas facile d'être lucide... » [*rappelons-le, le but de l'analyse n'est pas de faire disparaître complètement l'angoisse, ce qui serait la réalisation d'un souhait tout-puissant et maniaque, mais d'acquérir une capacité accrue de contenir l'angoisse, la douleur psychique et le sentiment de solitude*]. « ... Quand j'ai un vide intérieur, continue l'analysante, j'ai aussi réalisé que j'ai un comportement qu'on a peut-être induit dans mon enfance, mais maintenant c'est moi-même qui l'induis : je sens alors que je m'identifie à ma mère de mon enfance... » [*une meilleure distinction commence à s'établir entre passé et présent : le passé n'est plus la répétition agie d'événements inconscients vécus dans l'enfance, le passé devient souvenir et le présent nous appartient*]. « ... Je m'aperçois que je m'étais identifiée à mon insu à ma mère, dit-elle encore, je croyais l'avoir expulsée et m'en être débarrassée, et voilà que je découvre que je m'étais identifiée à elle, que les angoisses que j'avais étaient aussi les siennes, que ma peur de la solitude était aussi la sienne, elle se sen- tait exclue et moi aussi je me sentais exclue... » [*l' « identification » dont l'analysante parle correspond plutôt à une introjection, c'est-à- dire à l'intériorisation d'un objet avec lequel elle s'était confondue, dans une partie clivée du moi, (ici, elle s'était confondue avec sa mère : « j'étais ma mère ») ; la diminution des projections en faveur d'une intériorisation accrue va amener progressivement une meilleure différenciation entre le moi et l'objet, ce qui va permettre l'établissement d'identifications introjectives postœdipiennes, caractéristiques de l'élaboration du conflit œdipien*]. Et l'analysante de conclure cette séance, après un silence : « ... J'aimerais vraiment redevenir moi-même... »

Pour rendre compte de la qualité des changements qui marquent les mouvements d'intégration de la vie psychique, tels qu'on peut en percevoir des aspects chez cette analysante, et dans le but de mettre en évidence le nouvel équilibre qui s'installe dans les relations entre le moi et les objets, j'ai introduit la notion de « portance » que je vais discuter à présent.

De l'angoisse de séparation à la portance

Avec les progrès de l'analyse, comme nous l'avons vu, les manifestations de l'angoisse de séparation diminuent en intensité et en fréquence parce que la qualité de la relation transférentielle évolue et se modifie. Parmi les multiples facettes des sentiments nouveaux qui naissent de ces transformations, j'aimerais mettre en évidence une qualité de portance de l'objet intériorisé, qu'on peut observer chez les analysants qui parviennent à ce stade d'intégration et d'équilibre psychique que tous, cependant, n'atteignent pas. Cette sensation de portance est perçue aussi bien par l'analysant que par l'analyste comme un gain d'autonomie par rapport à la dépendance, et comme une affirmation de l'identité de l'analysant qui se sent devenir vraiment lui-même, ce qui augure favorablement de la perspective de terminaison de l'analyse.

Par cette qualité de portance de l'objet intériorisé, j'aimerais désigner le sentiment de l'analysant éprouvant la sensation agréable qu'il parvient à « voler de ses propres ailes » parce qu'il ressent qu'il a acquis une capacité d'autosustentation le rendant indépendant de l'objet dont il avait jusque-là besoin pour « être porté ». C'est une sensation nouvelle et complexe, où se mêlent de la joie et un peu de frayeur, accompagnée du sentiment d'être enfin soi-même, de savoir qu'on peut se diriger tout en connaissant ses limites dans le temps et l'espace, et d'y percevoir les allées et venues de l'objet sans angoisse excessive. Une certaine jubilation découle du caractère nouveau et agréable de cette impression de pouvoir « se porter soi-même » au lieu de dépendre de l'objet, sensation qui apparaît également dans des rêves particuliers d'envol ou de vol, de qualité intégrative, comme nous le verrons plus loin. Cependant cette jubilation n'est pas sans ombre, elle est associée à de la tristesse, car elle implique la prise de conscience que notre vie et celle de l'objet ont un début et une fin, la perception de notre propre mort ainsi que du caractère éphémère de l'objet, et que la relation avec l'analyste aura également une fin. La portance, à mon sens, n'a donc rien d'omnipotent, ni de maniaque.

Ce sentiment de parvenir à « voler de ses propres ailes » paraît simple et, lorsqu'il est perçu par l'analysant ou par l'analyste, il tend à être ressenti comme allant de soi. Cependant, comme tous les processus vitaux qui mènent à un fonctionnement satisfaisant, on le perçoit au moment où on le découvre, puis on n'y prend plus garde. La portance marque l'aboutissement de processus lents, infiniment complexes et difficilement saisissables, et fait partie de cette catégorie d'émois si familiers et pourtant si peu connus, ce dont témoignait Freud en parlant de « l'affect, cet inconnu » (1926*d*, p. 58). Décrire un affect est aussi difficile que décrire une impression sensorielle musicale ou visuelle.

Cette hypothèse concernant l'acquisition progressive en cours d'analyse d'un sentiment de portance m'est venue à la suite d'observations diverses.

J'ai pu constater, comme chaque psychanalyste, que les interruptions de la rencontre analysant-analyste qui se répètent jour après jour, semaine après semaine ou durant les vacances, tout comme la fin de l'analyse, sont ressenties comme autant de « lâchers » de l'analysant par l'analyste, avec une double signification. D'un côté ces lâchers peuvent être éprouvés avec angoisse et ressentis comme autant d'abandons — et représentés sous forme de rêves de chute vertigineuse — d'un autre côté ces lâchers peuvent être ressentis comme des expériences signifiant que l'analyste compte sur l'autonomie de l'analysant, et attend que l'analysant trouve en lui-même les ressources dont il pense que seul l'analyste dispose. J'avais une analysante qui réagissait très vivement aux séparations par des manifestations de désespoir, de rage ou par des symptômes somatiques bruyants. Mais fréquemment au cours de la séance précédant une interruption il lui arrivait d'interrompre ses protestations pour m'exprimer le sentiment qu'elle savait aussi qu'elle pouvait compter sur elle-même et ses propres moyens pour faire face à l'angoisse durant mon absence. Cette analysante exprimait là toute une gamme d'affects liés à la position dépressive, élaborant sa culpabilité inconsciente et éprouvant de la gratitude et un souhait de me réparer après ses attaques envers moi. Cependant je pense que mon analysante ressentait quelque chose de plus : la quitter ne signifiait pas seulement la laisser tomber, mais aussi lui faire confiance et la laisser « voler de ses propres ailes ». Il est important de le souligner dans les interprétations, car on a souvent trop tendance à interpréter dans le sens de la défense — la crainte que l'analyste ne laisse choir l'analysant — et pas assez dans le sens du sentiment positif qui est acquis à travers l'expérience. Lorsque l'analysant perçoit la possibilité de prendre son indépendance, il est parfois retenu par la crainte que son élan ne soit ressenti comme s'il abandonnait l'analyste. Il risque alors éventuellement de *faire une confusion entre l'indépendance par rapport à l'objet et l'indifférence envers lui.* Il est précieux que l'analyste lui fasse sentir que prendre son envol ne veut pas dire se passer de l'objet. L'analysant garde bien une relation avec l'objet, mais d'une autre qualité : la liberté qu'il accorde à l'autre devient gage de confiance et condition de l'amour d'objet. L'analyste de son côté peut éprouver des résistances à accepter l'autonomie de son analysant, pourtant il est souvent nécessaire qu'il exprime à travers ses interprétations le caractère positif de ce mouvement vers l'indépendance.

Une seconde voie m'a conduit à postuler une qualité de portance. En effet, j'ai observé son insuffisance dans de nombreuses conditions psychopathologiques ainsi que son effondrement dans les états dépressifs lorsque l'individu semble avoir perdu cette faculté d'autosustentation et éprouve un besoin de dépendance accru envers les objets externes aussi bien qu'envers les objets internes. Je pense qu'un certain nombre de symptômes décrits comme effondrement du moi caractéristiques de la dépression relèvent de l'effondrement de la portance, elle-même liée à la perte des qualités portantes de l'objet intériorisé : c'est ainsi que je comprends le symptôme d'inhibition, le manque dit « de volonté », c'est-à-dire l'incapacité du dépressif de se mettre en mouvement et de prendre une direction, faute de savoir qui il est et ce qu'il souhaite pour lui, sentiment que l'expression « je suis à ramasser à la petite cuiller » rend si bien. A côté du morcellement psychique lié au clivage et au démantèlement du ciment liant les pensées, le sentiment de perte du moi entraîné par la perte de l'objet a pour conséquence la disparition du sentiment d'être maintenu, porté au-dessus des crêtes et des creux, et l'apparition du sentiment d'être repris par la vague. En décrivant l'inhibition du mélancolique en 1917, Freud avait exprimé cet affaissement du moi caractéristique de la dépression, utilisant différents qualificatifs : les uns soulignent le rabaissement moral correspondant à l'autodévalorisation et à l'autocritique (*er erniedrigt sich*, traduit actuellement par « autorabaissement », 1988, p. 265), tandis que d'autres mettent à mon avis davantage en évidence l'effondrement du moi, sa « chute » de haut en bas et son appauvrissement (*eine ausserordentliche Herabsetzung seines Ichgefühls, eine grossartige Ichverarmung* [GW 10, 431], traduit actuellement plus précisément par « un abaissement extraordinaire de son sentiment du moi » [p. 264]). Les termes choisis par Freud dans sa propre langue rendent avec éloquence le mouvement d'affaissement du moi si difficile à traduire en français. Je pense quant à moi qu'on peut différencier à juste titre des nuances dans le rabaissement du moi, l'une correspondant à la perte de la portance, telle que j'essaye de la dégager, l'autre au rabaissement moral correspondant au sadisme du surmoi retourné contre le moi. Chez le dépressif, l'attaque envers l'objet aussi bien externe qu'interne a pour effet de détruire les qualités portantes de l'objet bon, qui se trouve dénié et désinvesti de cette fonction appartenant à la qualité bienveillante du surmoi postœdipien. Le manque d'autosustentation consécutif à la perte de la portance entraîne une régression à une dépendance infantile envers des objets substitutifs. Dans la cure analytique, le dépressif éprouve plus que tout autre la nécessité de vivre l'expérience de la portance de l'analyste afin de récupérer sa propre capacité d'autosustentation et de l'intérioriser.

Quel que soit le degré d'évolution ou la psychopathologie de l'analysant, celui-ci se trouve confronté au va-et-vient des séparations et des rencontres qui se reproduisent avec régularité et constance au cours de la cure psychanalytique. C'est ainsi que l'analysant peut intérioriser peu à peu la présence de l'analyste, sur le modèle de l'expérience de l'enfant qui intériorise la fiabilité de la présence maternelle à travers la répétition de sa disparition suivie de sa réapparition (Freud, 1926*d*) ou dans le jeu de la bobine ou du miroir représentant la mère (Freud, 1920*g*). La qualité de portance s'acquiert à travers un processus analogue d'intériorisation lié à la capacité portante de l'analyste, à sa fiabilité exprimée entre autres par la fiabilité du cadre analytique. Les interruptions de fin de séance, de fin de semaine ou des vacances — à condition qu'elles interviennent à l'intérieur d'un cadre stable et continu — sont fréquemment l'occasion pour l'analysant de vivre ces expériences de pouvoir « se porter » par lui-même et de partager le plaisir de cette découverte avec l'analyste.

Je vais maintenant tenter de préciser ce qu'est pour moi l'affect de portance, tel qu'il peut apparaître dans la relation avec l'analysant, lorsque celui-ci parvient à ce stade d'intégration — ce qui n'est pas toujours le cas, — et examiner ses significations à partir de divers points de vue.

Le résultat d'un équilibre dynamique

A mon sens, la portance est le résultat d'un équilibre dynamique, sans cesse remanié, jamais définitivement trouvé. Je ne conçois pas la portance comme un équilibre statique, tel le support d'une fondation, par exemple.

On pourrait penser que la personne qui parvient à acquérir une capacité de tolérer les angoisses de séparation se sente sûre d'elle, parce qu'elle est devenue stable et solide. Tout au contraire, je conçois qu'une personne acquiert dans la portance un équilibre psychique dynamique, et non seulement domine le mouvement, mais joue avec le mouvement, comme le surfer tire son élan de la vague. Nous pouvons nous interroger sur les facteurs qui procurent ce sens de l'équilibre dynamique qui crée ce sentiment de portance. Je crois que pour une grande part c'est la désidéalisation de l'objet et le renoncement à l'omnipotence qui créent les conditions favorables à une mobilité de la vie psychique qui permet à l'analysant de trouver sa portance : ce dernier prend alors conscience de son instabilité dans un monde interne et externe foncièrement mouvant, et réalise sa vulnérabilité et la nécessité de compter sur sa propre fiabilité, et pas uniquement sur celle d'autrui. Comme nous l'avons vu dans l'exemple clinique précédent, l'analysante ne trouve sa portance qu'à partir du moment où elle renonce à l'omnipotence parce qu'elle reconnaît ses limites, ce qui lui permet de mieux discerner ce qui est possible de ce qui ne l'est pas, et de devenir ainsi plus efficiente.

Dans son travail *Le vertige et la relation d'objet*, D. Quinodoz (1990) a bien montré comment chaque forme de vertige et l'équilibre qui lui correspond se situent à l'intersection de l'immuable et du changeant : la personne qui n'a plus le vertige trouve sa sécurité, non dans le statique ou l'immuable, mais dans la capacité de jouer avec le mouvement qui résulte de la désidéalisation et du renoncement à l'omnipotence. Le symptôme de vertige, par contre, apparaît dans l'immobilité et l'instantané figé par le fantasme d'omnipotence.

La recherche d'un équilibre dynamique dure tant que dure la vie, car cet équilibre n'est jamais définitivement acquis, il demande une attention de tous les instants pour « sentir » le mouvement, de manière à effectuer aussitôt les « corrections d'assiette » nécessaires et rattraper au fur et à mesure un équilibre dont nous avons conscience qu'il est sans cesse menacé, parce que toujours changeant. L'omnipotence, c'est l'antiportance, car elle est source d'arrêt-sur-l'image et non de mouvement, tirant sa fixité de l'idéalisation. De ce point de vue, je pense que l'omnipotence — qui appartient à la défense maniaque — va dans le sens de la pulsion de mort, tandis que la portance va dans le sens de la pulsion de vie.

Devenir soi-même et responsable de soi

A mon sens, la portance est aussi l'expression d'une prise de conscience de la responsabilité personnelle : « Je me sens apte à assumer de prendre des responsabilités, de mieux me gérer... de ne pas toujours projeter à l'extérieur ce qui ne va pas », me disait l'analysante citée précédemment. Ce sentiment de responsabilité personnelle vient en premier lieu du sentiment de devenir propriétaire de soi-même, impression d'unité correspondant au retour dans le moi des parties jusque-là dispersées « hors du moi » dans des objets, et confondues avec ceux-ci. La projection des parties du moi — exacerbée dans la lutte contre l'angoisse de séparation et de perte d'objet — entraîne non seulement un appauvrissement du moi, mais aussi une dépendance inconsciente envers les objets externes qui donne l'impression au sujet d'être « manipulé » par autrui, alors qu'il l'est par lui-même dans une relation narcissique inconsciente, à travers le fantasme d'identification projective.

Le renversement de la tendance à projeter au profit de la tendance inverse à intérioriser — très perceptible dans l'exemple ci-dessus — correspond à un véritable « renversement de la vapeur » dans le fonctionnement de la vie psychique : « Longtemps j'ai pensé que mes difficultés étaient la faute de ma mère ou de mon père, ou d'une autre personne, disait l'analysante. Maintenant, lorsque j'en prends conscience et que j'accepte d'y être pour quelque chose, c'est plus dur, mais je peux porter un autre regard sur les événements et sur moi-même ». La récupération par le moi des parties jusque-là clivées et projetées renforce le sentiment d'intégration et d'appartenance à soi-même, et nous verrons plus loin comment ce mouvement de rassemblement du moi s'exprime dans des rêves significatifs.

Se sentir responsable de soi modifie également la nature de la dépendance envers autrui, et, selon moi, la portance implique un lien de dépendance « mature », pour reprendre la terminologie de W. R. D. Fairbairn (1941), qui, je le rappelle, oppose dépendance « mature » et dépendance « infantile », cette dernière étant basée sur l'incorporation, l'identification primaire et le narcissisme. Il n'est pas inutile de redire ici que l'autonomie ou l'indépendance caractérisant la dépendance « mature » et la portance ne signifient pas que l'on se passe de l'objet — ce qui serait rester dans la dualité paranoïde-schizoïde du coller/fuir l'objet — mais qu'on reconnaît à soi-même et à l'objet une liberté d'aller et venir.

G. Bayle (1989), dans sa communication « Discontinuité et portance », part de la notion de portance au sens œdipien, telle que je l'ai définie, mais distingue des formes élémentaires de dépendances envers l'objet qu'il nomme aussi portance. Il avance l'idée que le dépressif ne manque pas de portance et que « le dépressif ne manque pas » et que « l'objet narcissique de l'hypocondrie offre un partenaire tout à fait stable » (p. 89). Je suis d'accord de distinguer divers niveaux de dépendance, mais je réserve le terme de portance pour qualifier ce mouvement d'intégration qui permet une liberté dans l'interdépendance à un niveau élaboré de relation, et garder le terme de dépendance pour des formes moins évoluées. Cette discussion sur les niveaux de dépendance nous force à reconnaître que notre vocabulaire psychanalytique est bien pauvre sur ce point, puisque nous ne disposons que d'un seul terme — celui de dépendance — pour décrire des formes si diverses de liens avec les objets.

L'identification introjective à un objet bon et contenant

La portance, c'est également ressentir que notre appareil psychique est identifié à un objet bon et à sa capacité contenante. Je rappelle ici, pour éviter un malentendu, qu'un objet « bon » n'est pas un objet « idéalisé » et qu'en particulier un objet bon supporte les critiques.

L'identification à un objet bon n'est possible qu'à travers le relâchement des défenses contre la séparation et la perte d'objet, or l'une des plus importantes de ces défenses est précisément l'identification à un objet idéalisé et tout-puissant. Lorsque, avec l'évolution et la synthèse de l'amour et la haine dans l'ambivalence envers l'objet ressenti comme total, un objet bon peut être instauré dans le moi, un sentiment de sécurité s'installe, qui devient par la suite le noyau d'un moi ayant acquis unité et force, grâce à la confiance investie dans les bonnes parties de soi. Cette identification introjective à un objet bon n'a donc rien d'omnipotent, ce n'est pas se sentir dieu, mais au contraire de parvenir à quelque chose de bon en soi, qui donne un soutien.

On peut en plus considérer que, dans la portance, une identification introjective à un objet contenant, au sens de Bion, s'ajoute à l'identification introjective à un objet bon. La notion de relation contenant-contenu a apporté une extension importante à la notion de holding de D. W. Winnicott. Nous avons vu que le concept de holding avait été introduit par lui pour rendre compte du rôle de la mère et des « soins maternels » dans le développement de la première année de la vie, et qui correspond à une sorte de soutien. A. Brousselle (1989), qui s'est intéressé au problème de l'assise spatio-temporelle de l'identité, a bien perçu que la portance s'inscrivait dans une « continuité évolutive du "porter" dans l'*après-holding*, mais sans se situer précisément à un niveau génétique » (p. 93). Il la placerait à un carrefour, c'est-à-dire à un lieu privilégié de condensation.

Je pense ici que la notion de relation contenant-contenu développée par W. R. Bion apporte à la fois l'idée d'une continuité évolutive (l'idée d'un développement diachronique dans la durée) et celle d'un fonctionnement psychique à un moment donné (fonctionnement synchronique). Cette notion nous permet aussi d'élargir la compréhension des phénomènes relationnels avec une théorie qui englobe non seulement les premières relations mère-enfant mais également les relations d'objet, et qu'en plus elle englobe aussi une théorie de la pensée. W. R. Bion utilise pour cela la notion de « capacité de rêverie », de préférence à la notion winnicottienne de soins maternels ou d'aire d'illusion, parce qu'il cherche à atteindre d'autres niveaux et d'autres interactions, comme la préconception et la conception, l'inné et l'expérience, le fantasme et la réalité, la frustration et la satisfaction, le passage du processus primaire au processus secondaire, tout cela prenant racine dans le plus primitif pour aller au plus évolué. Il cherche à comprendre comment se constitue l'autonomie de la pensée.

De même que pour les identifications introjectives, le bon fonctionnement de la relation contenant-contenu entre la mère et l'enfant permet à ce dernier d'intérioriser les bonnes expériences et d'établir des identifications introjectives à un « couple heureux » formé par une mère dont la fonction contenante constitue le réceptacle dynamique des émotions de l'enfant (contenu).

J'ai trouvé dans l'article « Déni et connaissance » de Cl. Athanassiou (1986) une application intéressante des idées de Bion sur l'attention qui se rapproche de mon idée de portance. L'auteur souligne le rôle joué par « l'attention que "porte" la mère au bébé qui est très concrètement vécue par lui comme un "porter" qui, le tenant physiquement à travers cet acte psychique, lui assure son existence et la confirme ». Selon cet auteur « tout lâcher de la mère est vécu par le bébé comme une chute qui supprime son existence ». La perte de l'attention de la mère envers le bébé peut avoir pour conséquence que le bébé se détourne de sa mère et lui retire son attention dans le but omnipotent de dénier l'existence de celle-ci. Selon Cl. Athanassiou, le bébé laisse alors tomber l' « objet vrai » — sa mère — de sorte que celle-ci reste méconnue de l'enfant. Le bébé peut alors chercher un « faux objet » qui joue le rôle de fétiche et de substitut de la mère. « Ainsi les liens de connaissance peuvent être démantelés au profit d'autres liens : ceux d'une « anti-connaissance » (-C, selon Bion), dont la présence, tel un fétiche, n'est là que pour détourner l'attention et dénier enfin que derrière une absence se cache une autre présence » (p. 1136).

Les vues développées par Cl. Athanassiou à partir de W. R. Bion sur le rôle de l'attention dans la relation précoce mère-enfant contribuent à mon avis à éclairer le fait que ce sont les analysants qui réagissent le plus vivement aux discontinuités de la rencontre analytique qui sont en même temps ceux qui opposent le déni le plus massif à l'existence de l'angoisse de séparation, car cela revient à reconnaître l'existence de l'analyste et de la relation avec lui. On peut en effet penser que ces analysants vivent les interruptions comme autant de pertes de l'attention de l'analyste, à laquelle ils répondent par un retrait de leur attention vis-à-vis de celui-ci, tentant ainsi de supprimer l'existence de l'analyste par un déni omnipotent. La discontinuité est vécue par eux comme une menace directe dans leur propre existence et leur survie. A l'opposé les analysants qui ont acquis une confiance en la fiabilité de l'analyste ont intégré un sentiment de continuité intérieure et reconnaissent l'importance de l'analyste. On observe alors ce qui peut paraître un paradoxe : *c'est lorsque l'analysant éprouve la sensation agréable d'être lui-même qu'il sent davantage l'importance de l'objet et accepte mieux de dépendre dans une certaine mesure de l'analyste.*

En résumé, si l'on applique les vues de Bion à la portance, on peut dire que ce qui permet à l'analysant de tolérer l'angoisse — en particulier l'angoisse de séparation — c'est qu'il parvient grâce à l'expérience vécue dans la relation analytique non seulement à réintrojecter l'angoisse modifiée par la « capacité de rêverie » de l'analyste (contenu), mais aussi à introjecter le contenant, c'est-à-dire la fonction contenante de l'analyste qui peut *contenir* et *penser,* de telle sorte que par identification *l'analysant puisse à son tour contenir et penser.* C'est là un pas essentiel pour supporter l'angoisse, et devenir capable de la supporter seul en devenant autonome par rapport à l'analyste.

La portance, l'espace et le temps

C'est la combinaison de la perception du temps, lorsqu'elle s'ajoute à celle de l'espace, qui permet l'émergence du sentiment de portance : la notion du temps donne à l'individu le moyen de composer non seulement avec l'espace, mais avec la durée afin de créer un équilibre dynamique dans les relations objectales. Freud a souligné le rôle joué par l'apparition de la notion de temps — attribut du sens de la réalité — comme un progrès dans le développement de la capacité du moi de faire face à l'angoisse : si la situation traumatique peut se transformer en situation de danger moins menaçante, c'est que le moi devient capable d' « anticiper », de « prévoir », d' « attendre », de « se remémorer » (Freud, 1926*d*).

Je voudrais préciser que le sentiment de portance n'est pas dans mon esprit l'opposé direct de l'angoisse de séparation, et qu'on ne peut considérer simplement la portance comme le positif et l'angoisse de séparation comme sa contrepartie négative. Ce serait une vue réductrice. Pour moi la de portance est la synthèse et l'aboutissement de processus complexes d'intégration, qui ont concouru à créer un espace psychique temporo-spatial de relation, espace de nature fondamentalement différente de l'espace où règne l'angoisse de séparation. C'est la création de cet espace radicalement différent qui permet à la portance d'apparaître et de fonctionner de manière satisfaisante, à mon avis. Les forces pulsionnelles qui prévalent au niveau de l'angoisse de séparation entraînent l'analysant à « coller » concrètement au creux et aux crêtes des vagues de l'absence et de la présence de l'analyste. Par contre, les forces pulsionnelles qui prévalent au niveau de la portance permettent à l'analysant de « décoller » des creux et des crêtes de la relation transférentielle, et de vivre la rencontre analytique dans un autre espace, obéissant à d'autres forces de sustentation. Retrouverait-on ici, sous cette forme, l'opposition entre pulsion de mort et pulsion de vie ?

En physique, on définit la portance comme une force qui s'exerce perpendiculairement à la direction de la vitesse et permet à une masse d'être soutenue. Je rappelle que la vitesse introduit la notion de déplacement (espace) dans le temps (m/s), et que la vitesse acquise sur la surface de l'eau, par exemple, permet au surf de glisser, au bateau de déjauger, modifiant radicalement son rapport avec l'élément liquide. C'est une sensation analogue que connaît l'enfant qui lâche la main pour marcher seul, ou lâche le bord de l'eau pour se mettre à nager. En utilisant ce terme de portance par analogie, je voudrais souligner la possibilité pour l'analysant d'acquérir une stabilité propre par rapport à l'objet, prenant appui mais sans peser sur lui : que l'objet s'éloigne ou se rapproche, le sujet a acquis un sentiment d'exister dans un lieu et dans un temps, et une sensation d'autosustentation qui le rend à la fois partenaire et autonome, sans éprouver des angoisses de chute ou d'effondrement caractéristiques des états de dépendance précoces. Le sujet ne perd pas sa relation à l'objet, pas plus que le surf ne quitte l'eau, mais le rapport change de qualité et obéit à de nouveaux jeux de forces.

M. Tomassini (1989) a fait remarquer que le terme de portance, qui vient du latin *portare,* a deux acceptions. C'est d'abord un terme propre à la technique de construction qui indique la capacité maximale pour une structure (voûte, fondation, etc.) de supporter une charge. Dans sa seconde acception, celle à laquelle je me suis référé plus haut, la portance correspond à la force verticale sustentatrice propre à l'aérodynamique et à l'hydrodynamique[1].

Si j'ai souhaité définir la portance en termes dynamiques plutôt que statiques, la remarque de M. Tomassini n'en est pas moins utile parce qu'elle met en relief deux aspects complémentaires de la notion de portance, lorsqu'on l'applique par analogie à la psychanalyse : un aspect dynamique qui soulignerait la capacité du moi de se soutenir lui-même indépendamment de l'objet, et un aspect structural qui marquerait la capacité du moi de tolérer l'angoisse de séparation sans se cliver.

Comme je l'ai mentionné plus haut, cette notion de portance me paraît s'inscrire naturellement dans une vision psychanalytique de l'espace et du temps. Cet espace n'est pas l'espace réel, mais celui de la représentation intériorisée de l'espace temporo-spatial. C'est aussi celui de la quadri-dimensionnalité de l'espace psychique décrit par D. Meltzer (1975), notion qui apparaît dans le psychisme après les stades de bi-dimensionnalité — liée à l'identification adhésive — et de tri-dimensionnalité — liée à l'identification projective qui a besoin de concevoir un « dedans » de l'objet pour y pénétrer. Meltzer souligne également que la quadri-dimensionnalité permet l'avènement d'un nouveau type d'identification, décrit par Freud (1923*b*) et désigné

---

1. Le terme français de portance, riche de correspondances entre le sens propre et le sens figuré, n'a pas son équivalent dans d'autres langues, sauf en italien *(portanza)* : on peut le traduire en anglais par *buoyancy* et en espagnol par *auto-sustentación*.

ultérieurement (bien que Freud n'ait pas créé ce terme) sous le terme d'identification introjective. Dans ce mode d'identification, le sujet laisse libre l'objet dans le temps en reconnaissant la différence des générations, et le laisse libre d'aller et venir dans l'espace, car il renonce à le posséder et à faire un avec lui. Dans un contexte de situation œdipienne, le sujet peut alors devenir lui-même et considérer l'objet tel qu'il est.

Dimensionnalité et triangulation œdipienne

Il existe à mon avis un rapport étroit entre d'une part l'intériorisation de la portance, l'acquisition du sentiment d'identité et celui d'autonomie, et d'autre part la formation d'un espace psychique de relations d'objet qui s'installe avec le complexe d'Œdipe en permettant sa résolution.

En effet, il me semble que la résolution du complexe d'Œdipe peut s'effectuer à condition que la situation dans sa totalité et les objets qui y sont impliqués apparaissent avec netteté et précision dans l'espace temporo-spatial, de la même manière que s'effectue à partir d'une image floue la mise au point de la netteté : la perception des objets distincts du moi ainsi que celle de la différence des sexes et des générations permettent le déclenchement et la mise en route des processus de deuil qui conditionnent notre identité et la constitution des identifications introjectives postœdipiennes. Cela fait partie de l'acquisition du « sens de la réalité ». La portance apparaît à mon avis au moment où l'objet est intériorisé de manière symbolique et me semble un attribut de la confiance envers les bons objets. C'est pourquoi la portance appartient, selon moi, aux niveaux évolués d'intégration.

Pour préciser ma pensée, je crois important de distinguer la portance d'autres concepts approchants que leurs auteurs situent dans une relation dyadique. C'est en particulier le cas des concepts de « holding » de D. W. Winnicott, ou de « défaut fondamental » de M. Balint, que leurs auteurs ont conçu explicitement dans une relation entre deux personnes, l'enfant et sa mère, à l'exclusion du père. Tout en souscrivant à bien des hypothèses winnicottiennes, A. Green affirme cependant et répète avec netteté la précocité de l'espace de la triangulation. Il soulignait en 1979, par exemple, que l'objet interne, « dans la mesure où il est un bon objet, peut être utilisé comme objet consolateur, apaisant, "objet porteur" au sens du *holding* de Winnicott » dans l'unité mère-enfant. Mais le père est déjà présent avant même que l'enfant ne prenne conscience du tiers qu'est le père : « L'enfant devient l'objet de l'objet dans la relation d'illusion de l'unité mère-enfant. Jusqu'au jour où cette illusion fait place à la désillusion créée par la prise de conscience du tiers qu'est le père. Celui-ci a, depuis toujours, déjà été. Mais il n'a été présent qu'*in absentia*, dans le psychisme de la mère » (p. 57).

Personnellement je conçois la portance comme fonctionnant dans un contexte de relation à trois personnes ou triangulaire, que celle-ci soit déjà esquissée dans l'Œdipe précoce avec des objets partiels ou pleinement développée dans l'Œdipe avec des objets totaux. Je pense que la qualité de portance s'établit dès les premières relations d'objet et dépend très tôt, et même dès le départ, de la relation que la mère entretient dans son fantasme avec le père, car le rôle du père apparaît à mon avis beaucoup plus tôt par ce biais qu'on ne l'a admis pendant longtemps. De nombreux analystes ont souligné — et soulignent actuellement — le besoin de la mère de se sentir elle-même dans une relation contenant-contenu avec le père pour accomplir sa fonction maternelle, les deux parents et l'enfant formant la base sur laquelle pourront se développer les fantasmes d'une scène primitive avec de bons objets.

Rêve, portance et contre-transfert

Freud parle de rêves typiques où l'on vole, plane, tombe ou nage dans *L'interprétation des rêves* (1900*a*). Les rêves où l'on vole, plane ou nage sont le plus souvent agréables, dit-il, tandis que les rêves de chute sont plutôt angoissants. Tous ces rêves ont trait à des impressions d'enfance. « Quel est l'oncle qui n'a pas fait voler un enfant, le transportant à bras tendus et courant à travers la pièce. » Freud relève que les enfants poussent des cris de joie et demandent inlassablement qu'on recommence. « Des années après, ils répéteront cela dans le rêve, mais ils oublient les mains qui les ont portés, de sorte qu'ils voleront et tomberont librement. » Freud déclare manquer de matériel pour expliquer ces rêves, mais il remarque que ces rêves renfermant des sensations tactiles et de mouvement « sont évoqués dès qu'il y a nécessité psychologique de les utiliser. » Ces rêves de vol ou d'envol sont à interpréter en fonction du contexte, car ils peuvent avoir des significations très diverses. Ils renferment fréquemment des fantasmes sexuels de caractère omnipotent ou maniaque, mais ils peuvent aussi prendre une signification de portance et exprimer le plaisir mêlé d'effroi qui accompagne le sentiment de pouvoir voler de ses propres ailes.

Dans ce cas, je pense très important que l'analyste puisse formuler une interprétation positive de l'intériorisation de la portance. En effet, l'effroi qui accompagne le plaisir correspond à l'inquiétude légitime de l'analysant de lâcher l'agrippement à l'objet pour se lancer dans une expérience nouvelle. Dans la mesure où prendre son envol serait assimilé à se désintéresser de l'objet, l'analysant pourrait se sentir coupable vis-à-vis de l'analyste. Cette culpabilité inconsciente de l'analysant pourrait entraver l'essor de sa fonction portante et le maintiendrait dans sa situation de dépendance et de fusion avec l'objet.

J'ai personnellement fréquemment observé l'apparition de ces rêves typiques de vol ou d'envol dans les moments particuliers de l'analyse qui correspondent à des phases d'intégration de la sensation de portance et à la prise de conscience agréable du sentiment d'être soi-même et de ressentir qu'on peut « voler de ses propres ailes ».

J'aimerais illustrer cela par une séquence clinique qui se situe au cours d'une période où une analysante, jusque-là très dépendante, découvre ses possibilités de penser par elle-même, processus dont les différentes étapes sont apparues successivement dans des rêves. Il s'agit d'une analysante qui ne parvenait pas à savoir ce qu'elle souhaitait pour elle-même et faisait tout son possible pour savoir ce que les autres feraient ou penseraient à sa place. Dans le transfert, elle cherchait avant tout à coller à moi et à mes pensées plutôt qu'à communiquer : elle utilisait dans ce but toutes les ruses et me tendait des pièges pour savoir ce que je penserais, dirais ou ferais si j'étais elle. Les interruptions, surtout au début de l'analyse, étaient ressenties comme autant d'arrachements et ce mode de dépendance entravait considérablement son existence.

Après un long travail analytique, cette analysante amorça un tournant important et je constatai qu'elle se mettait à penser par elle-même et que sa capacité créatrice se mettait en route. J'eus le sentiment qu'elle était en train d'acquérir un sentiment d'identité et qu'elle pouvait mieux compter sur elle, ce que je désigne comme une intériorisation de la qualité portante de l'objet. Dans un premier rêve elle était agrippée à la paroi d'un immeuble élevé qui était ancien et qu'on allait démolir. Elle devait se décider à lâcher prise, car elle ne pouvait plus ni rester collée au mur, ni pénétrer à l'intérieur. Elle s'aperçut soudain qu'un gardien résidait à l'intérieur qu'elle avait cru vide, celui-ci l'aida à descendre sans dommage. Après ce rêve qui illustrait sa tendance transférentielle à coller dans un espace à deux dimensions (identification adhésive), puis sa découverte d'un espace comportant un dedans et un dehors ou à trois dimensions (identification projective), l'analysante fit un nouveau rêve dans lequel elle avait blessé un oiseau qui ne pouvait s'envoler. Pour des raisons que je ne peux développer, ce rêve était en relation avec sa haine pour son frère et la culpabilité qui en découlait, retournée contre elle-même sous forme d'autopunition l'empêchant de « voler de ses propres ailes », constituait l'élément agressif entravant la création d'un espace symbolique. L'interprétation de ses pulsions libidinales et agressives amena un changement dans ses sentiments envers ses objets et l'installation d'une confiance qui se traduisit également en rêve : cette fois-ci elle était assise sur un télésiège, un homme était à côté d'elle, chacun avait sa place. Malgré la hauteur elle n'avait pas le vertige et se sentait confortable. Une carte de géographie était posée sur ses genoux et elle pouvait savoir où elle se trouvait et dans quelle direction se diriger. A mon sens ce rêve n'était pas un rêve de toute-puissance car, dans ses associations, la présence du câble soulignait l'aspect de dépendance reconnue et acceptée, utilisé pour une plus grande liberté.

Je pense que parmi les rêves typiques de ces moments d'intégration de la portance on peut aussi considérer les rêves de départ, de vol ou d'envol dans lesquels il est question d'emporter des bagages avec soi. A mon sens *le sentiment d'identité né de l'intégration et celui de portance qui l'accompagne résultent du rassemblement des aspects essentiels du moi et de leur réorganisation continuelle dans un moi unifié, ou plutôt en recherche incessante d'unification.* Tant que des éléments essentiels au moi restent clivés et confondus avec des objets dans lesquels ils sont projetés, un déséquilibre du moi persiste. Au cours de l'analyse nous pouvons sentir qu'un équilibre du moi s'établit lorsque l'analysant retrouve des aspects cruciaux de lui-même, les emporte avec lui et les fait siens, en même temps qu'il devient capable de se détacher d'aspects importants de lui-même restés liés aux objets (L. Grinberg, 1964). Il y a donc à la fois *récupération* d'aspects essentiels du moi auparavant « perdus », en particulier par clivage et projection (dans des objets externes, des objets internes ou des parties du corps prises comme objet), *réorganisation* incessante de ces aspects retrouvés du moi en un moi unifié, et acceptation de *renoncer* à tout emmener avec soi.

Ce travail d'élaboration et de deuil apparaît souvent dans des rêves où il est question de prendre un train ou un avion et de faire un tri entre les bagages indispensables qu'on emmène et ceux auxquels on renonce.

Dans ces cas le train ou l'avion peuvent représenter un moi capable de contenir (contenant), tandis que les bagages représentent les parties dispersées du moi qui doivent être triées : les unes sont abandonnées (deuil des parties perdues du self), les autres — estimées indispensables — sont emmenées avec soi (contenu). Le matériel fantasmatique de ce type de rêves nous donne des indications précieuses sur la signification inconsciente de ce qui est indispensable au moi et de ce qui le lie à ses objets. Quant au contexte du rêve (associations, moment de la cure, etc.), il nous permet d'apprécier la qualité du rêve (omnipotence, intégration, etc.) et d'orienter nos interprétations : en effet, lorsque par exemple un analysant rêve qu'il n'arrive pas à emmener certains bagages, cela peut vouloir dire qu'il ne parvient pas à renoncer à certaines parties de lui-même restées attachées à ses objets et que, dans ce cas, les sentiments d'intégration, d'identité et de portance manquent. Ce type de rêve nous donne souvent des indications sur les aspects cachés du moi restés attachés aux objets, constituant des « soudures narcissiques » inconscientes difficiles à détecter autrement, empêchant l'intégration et la portance (Cl. Athanassiou, 1989).

Je voudrais terminer en signalant un type de rêve particulier, dont le contenu souvent effrayant peut être ressenti par l'analysant — et aussi par l'analyste — comme l'expression d'un retour en arrière, et non d'un pas en avant qui signe un mouvement d'intégration. J'ai appelé ce type de rêve « des rêves qui tournent la page » (J.-M. Quinodoz, 1987) pour marquer que l'interprétation devrait en souligner le côté positif. En effet, lorsqu'on tient compte de la totalité de la situation de transfert, on comprend que le contenu effrayant correspond à des fantasmes jusque-là agis et non représentables, qui deviennent représentés dans le rêve à partir du moment où l'analysant en a pris conscience, ne les agit plus et les intègre dans sa vie psychique. Par exemple, un analysant peut rêver qu'il va partir en train ou en avion, et qu'il se trouve dans la situation extrêmement angoissante de ne pas arriver à emporter ses bagages avec lui. L'analysant peut être très effrayé par le contenu régressif du rêve (l'impression qu'il ne peut pas partir), et être surpris de faire un rêve aussi angoissant au moment où il manifeste dans son existence des preuves d'autonomie : « Je n'arrive pas à partir, se demande-t-il avec inquiétude, en suis-je encore là ? » L'analysant peut transmettre son angoisse, et si l'analyste n'est pas suffisamment attentif au contexte de la cure, il risque de croire à une régression et d'interpréter uniquement l'aspect régressif du rêve, en cédant au danger de la contre-identification projective (L. Grinberg, 1962). C'est la totalité de la situation analytique — rêve, associations, moment du transfert, mouvement dans la séance, etc. — qui permet à l'analyste de situer le rêve, et de savoir s'il s'agit d'un mouvement de régression ou d'intégration. Il me semble essentiel que, lorsqu'un analysant apporte un rêve à contenu régressif angoissant au moment d'un progrès, l'analyste le repère et l'interprète dans le sens positif, non seulement pour éviter une régression, mais pour souligner le mouvement d'intégration psychique en cours, le rêveur parvenant à se représenter des aspects de lui-même jusque-là non intégrés, parce qu'irreprésentables.

Bien que l'acquisition d'un sentiment de portance ne soit jamais définitive, elle n'en est pas moins l'indice que l'analysant, ayant apprivoisé la solitude, est devenu capable de se séparer de l'analyste avec un sentiment d'unité et d'identité personnelle retrouvée.

13

Vue d'ensemble et conclusions

En guise de conclusion, j'aimerais dire pourquoi j'ai écrit ce livre, en résumer les grandes lignes et souligner mes intentions.

Pourquoi j'ai écrit ce livre

J'ai pensé utile d'écrire ce livre pour plusieurs raisons. L'une a été mon désir de communiquer l'expérience que j'ai vécue et que je vis, en tant que psychanalyste confronté chaque jour à un registre de sentiments auxquels la relation analytique est susceptible d'apporter un sens. Une autre a été de penser qu'un tel ouvrage pouvait répondre à une attente, car, à ma connaissance, il n'existe encore aucun ouvrage d'ensemble présentant les différents points de vue psychanalytiques sur cette question cruciale du processus psychanalytique.

Je crois qu'un tel ouvrage peut aussi intéresser tous ceux qui se réfèrent à la pensée psychanalytique dans leur pratique, comme par exemple les psychothérapeutes, qui sont également confrontés aux phénomènes liés à l'angoisse de séparation, tant dans les thérapies individuelles que dans les groupes. Enfin, je m'adresse également à toutes les personnes que l'angoisse devant la solitude et le deuil interroge, afin de faire connaître ce que l'expérience psychanalytique vécue dans la cure peut apporter. Par les exemples cliniques, j'ai voulu m'adresser aux psychanalystes en montrant comment se combinent pour moi théorie et technique, mais j'ai également désiré sensibiliser les personnes peu ou pas familiarisées avec les concepts psychanalytiques, de manière à leur fournir un aperçu vivant des échanges entre analysant et analyste permettant cette évolution affective.

Il est très difficile d'exprimer avec des mots le résultat des transformations que nous observons dans la cure psychanalytique et qui conduisent un jour l'analysant à envisager de terminer son analyse parce qu'il se sent capable de quitter son analyste et de continuer seul. D. W. Winnicott a réussi à faire sentir cela lorsqu'il a écrit que « la capacité d'être seul, en présence de quelqu'un » constitue un élément essentiel de la maturité psychique (1958). Les changements dans le vécu de solitude constituent en effet un moyen valable pour apprécier l'évolution affective et le niveau d'intégration psychique qu'on peut atteindre, aussi bien au cours du développement psychique de chaque individu qu'au cours du processus psychanalytique, comme l'a montré M. Klein (« Se sentir seul », 1959). Cependant, nous devons tenir compte de nombreux autres facteurs, lorsque nous voulons comprendre les mécanismes complexes qui sous-tendent les transformations que nous observons dans la cure, de manière à avoir une action sur eux.

Dans la situation analytique, en effet, l'analysant redécouvre les expériences émotionnelles vécues avec les personnes importantes de son enfance, en les reproduisant et en se les remémorant dans le cadre de la relation de transfert qui s'établit avec la personne du psychanalyste. Dans le transfert, l'analysant revit l'angoisse d'être séparé et seul, tout spécialement à l'occasion des interruptions de fin de séance, de fin de semaine ou des vacances, ainsi qu'à la perspective de la terminaison de l'analyse. Mais en même temps, grâce aux interprétations trans-férentielles fournies par le psychanalyste, l'analysant va être stimulé à élaborer ces expériences de manière à pouvoir en tirer parti. L'alter-nance des rencontres et des séparations marque donc profondément le lien de transfert. C'est pourquoi de nombreux psychanalystes consi-dèrent actuellement que le processus psychanalytique, vu sous l'angle de l'élaboration transférentielle des angoisses de séparation et de perte d'objet, crée des conditions susceptibles d'amener l'analysant à devenir capable d'éprouver un sentiment de solitude structurant. La capacité de faire face à la terminaison de l'analyse exprime alors la capacité de mener seul sa vie, tout en créant des liens de communication avec autrui et avec soi-même.

Si nous voulons aller plus loin, au-delà d'une approche uniquement descriptive des phénomènes psychiques que nous observons, nous devons recourir à d'authentiques modèles psychanalytiques de compréhension, de manière à ce que nos interprétations soient efficaces et conduisent à des changements en profondeur dans la vie de relation de nos analysants. Du fait qu'une grande partie de ces transformations échappent à la perception consciente de la personne concernée, seule une méthode d'investigation de l'inconscient comme la psychanalyse permet d'aborder ces phénomènes inconscients de manière à les modifier.

Le peu de publications consacrées précisément aux manifestations cliniques de l'angoisse de séparation pourrait nous étonner. Il est paradoxal de constater qu'un phénomène aussi courant fasse relativement peu parler de lui. Cela correspond, je pense, à une tendance générale à banaliser ce qui est familier : de ce point de vue, les manifestations de l'angoisse de séparation et de perte d'objet sont si fréquentes qu'elles peuvent aisément passer inaperçues, tant elles font partie de notre travail de tous les jours. Pourtant, de nombreux travaux psychanalytiques ont été publiés sur diverses composantes ponctuelles en relation avec les séparations, qui conduisent aux changements observés dans la cure psychanalytique. J'ai réalisé qu'il est difficile de rendre compte de ces nombreux travaux sans risquer de tomber dans une fastidieuse énumération encyclopédique. Pour ces motifs, j'ai limité ma présentation critique aux théories qui servent de modèles de compréhension des angoisses de séparation et de perte d'objet dans les principaux courants psychanalytiques actuels. Quant aux autres contributions, je les ai intégrées dans la discussion, sans recourir à une présentation systématique. Le lecteur pourra s'y référer en consultant l'index et la bibliographie.

Les grandes lignes de l'ouvrage

J'ai divisé l'ouvrage en trois parties : 1 / une introduction centrée autour d'un exemple clinique ; 2 / une présentation critique des principaux modèles psychanalytiques de compréhension des phénomènes observés en clinique ; 3 / un exposé sur la manière dont j'interprète les phénomènes d'angoisse de séparation dans la relation de transfert, suivie d'une discussion de mes hypothèses personnelles.

Après avoir rappelé que l'angoisse d'être séparé et seul est un sentiment universel lié à notre condition d'être humain, j'ai montré que ces affects pouvaient accompagner de nombreuses conditions psycho-pathologiques, et devenir une source de symptômes et de troubles psychiques plus ou moins grands. Il existe une opinion selon laquelle les problèmes de séparation, de perte d'objet et de deuil seraient uniquement des conflits en rapport avec la réalité et donc exclus du champ analysable. Je pense avec beaucoup de psychanalystes aujourd'hui que ces conflits constituent des conflits psychiques accessibles à l'analyse. En effet, les affects d'angoisse de séparation, de deuil et de solitude n'ont pas qu'un rapport avec la réalité extérieure : ils se situent au cœur de la vie psychique, à l'articulation entre fantasme et réalité, entre passé et présent, entre inconscient et conscient, et possèdent par conséquent tous les éléments qui les rendent susceptibles d'être transférés et élaborés dans la relation analytique. Pour illustrer mon propos, j'ai relaté le déroulement de la cure d'une analysante qui souffrait depuis son enfance d'angoisses de séparation excessives, afin d'en montrer l'évolution jusqu'à leur élaboration dans la résolution du complexe d'Œdipe.

J'ai pensé important de commencer par un exemple clinique, parce que l'expérience des rencontres entre psychanalystes m'a convaincu que c'est en partant de nos observations avec les analysants que nous pouvons trouver un langage psychanalytique commun, et que les divergences apparaissent dans les discussions théoriques, à partir du moment où l'on s'éloigne de la clinique.

Cet exemple m'a permis ensuite de poser un certain nombre de questions qui viennent à l'esprit du psychanalyste sur le rôle joué par les modifications subies par l'angoisse de séparation et de perte d'objet, non seulement au cours du processus psychanalytique lui-même, mais aussi dans le développement psychique normal de l'individu, avec lequel le processus psychanalytique présente de nombreuses similitudes. C'est ainsi qu'en observant les modifications dans les relations d'objet nous pouvons constater qu'un élément de progrès consiste à passer d'états dans lesquels l'autre est perçu comme peu ou pas différent de soi (narcissisme), vers une perception d'autrui comme différent de soi, séparé et auquel on reconnaît une identité sexuelle bien définie (relation objectale). Dans ce passage du narcissisme à la relation objectale mieux établie, nous constatons que l'élaboration des angoisses de différenciation et de séparation joue un rôle central : comment expliquer ce passage, et comment favoriser ces transformations à travers nos interprétations ? Telle est la question centrale qui se pose à nous, et dont j'ai présenté les tentatives de réponses qui ont été apportées par les divers courants psychanalytiques depuis les débuts. Ces transformations sont observables tout particulièrement dans les conditions du cadre psychanalytique classique qui, à la suite de Freud, sont celles recommandées par l'Association psychanalytique internationale (1983), de manière à fonder sur une pratique psychanalytique commune les hypothèses théoriques qui sous-tendent nos interprétations.

Dans la deuxième partie de l'ouvrage, j'ai exposé la place faite à l'angoisse de séparation et de perte d'objet dans les principales théories psychanalytiques, en commençant par les apports de Freud. A ce sujet, je voudrais souligner que cette étude montre l'évolution considérable des idées psychanalytiques dans ce domaine, notamment depuis les vingt ou trente dernières années. Depuis Freud, aucune idée révolutionnaire n'a rendu caduque ni « démodée » — comme on l'entend dire parfois — la cure psychanalytique qui reste la même dans ses fondements (notion d'inconscient, rôle central de la sexualité infantile et du complexe d'Œdipe, répétition de vécus infantiles dans le transfert). Cependant, la théorie psychanalytique aussi bien que la technique et la pratique se sont enrichies au cours des années, bénéficiant de nombreux acquis qui en ont étendu le champ d'application et notablement approfondi l'expérience de la cure dans sa dimension affective.

Dans la troisième et dernière partie, j'ai développé divers aspects des manifestations transférentielles de l'angoisse de séparation et de perte d'objet, notamment leurs rapports avec la douleur psychique, la réaction thérapeutique négative et les acting-out, en exposant de façon détaillée la manière dont je les interprète, compte tenu de l'influence qu'ont eue sur moi non seulement la pensée de Freud, mais aussi celle de M. Klein et de ses continuateurs. J'ai terminé en développant mon hypothèse concernant le sentiment de portance qui marque le processus d'intégration de la vie psychique et de la relation.

A l'heure actuelle, la multiplication des contacts confronte le psychanalyste aux multiples courants de la pensée psychanalytique contemporaine et à des conceptions autres que la sienne, variant d'une région à l'autre, d'une école à l'autre. Il me semble important, pour respecter la pensée d'autrui et rendre les confrontations fructueuses, de ne pas perdre de vue que les divers modèles théoriques en vigueur sont souvent difficilement superposables les uns aux autres, et que l'on ne saurait en faire un tout sans courir le risque de confusion.

Enfin, devant la richesse et la diversité des idées psychanalytiques actuelles, il est plus que jamais essentiel que chaque psychanalyste trouve sa voie personnelle au milieu de courants de pensée pour la plupart originaux, de manière à parvenir à sa propre synthèse. C'est une démarche passionnante, qui demande un apprentissage jamais achevé et une capacité renouvelée de se remettre en question.

De l'angoisse de séparation à la solitude apprivoisée

Quelle issue peut apporter la psychanalyse à une personne pour qui la solitude est un cauchemar ? Cette question est primordiale lorsque nous réalisons que notre vie est tissée de continuelles séparations, chaque séparation pouvant réactiver notre sentiment de solitude. Si la solitude est vécue comme un cauchemar, c'est toute la vie alors qui s'en trouve effondrée.

J'ai voulu montrer dans ce livre que, pour le psychanalyste, le sentiment de solitude vécu par certaines personnes comme un effondrement peut changer de qualité et être apprivoisé. L'expérience vécue dans la relation analytique peut non seulement permettre à l'analysant de mieux tolérer la conscience douloureuse d'être un individu séparé et seul, mais aussi d'en développer les potentialités et les richesses. Le sentiment de solitude peut alors être éprouvé par lui comme un élan de vie, devenir une source de créativité personnelle et un stimulant pour les relations affectives.

La solitude peut devenir élan de vie lorsque la méfiance et l'angoisse devant l'inéluctable passagèreté de notre existence et des êtres qui nous sont chers peuvent être dépassées au profit de liens de confiance, lorsque l'amour devient plus fort que la haine. C'est paradoxalement cette prise de conscience et la connaissance de nos limites qui nous permettent d'en tirer véritablement parti : nous pouvons estimer d'autant plus la valeur infiniment précieuse de chaque être parce qu'il est éphémère, et goûter la saveur de chaque instant de la vie parce qu'il ne se reproduira plus. A tous ceux qui pensent, au contraire, que la vie ne vaut pas la peine d'être vécue parce qu'elle a une fin, c'est donc un véritable défi que leur lance la rencontre analytique : le défi lancé par la vie à la non-vie.

D'un autre point de vue, la solitude apprivoisée peut devenir source de créativité personnelle lorsque nous parvenons à garder le contact avec ce qu'il y a de plus vrai et de plus secret en nous-même, ce qui demande une écoute de tous les instants, car nous sommes en perpétuelle évolution. Une mouvance indissociable réunit donc solitude, créativité et sentiment d'identité, l'un conditionnant l'autre : la solitude est gage de ressourcement, le ressourcement fonde le caractère unique de toute création, et notre créativité exprime notre identité, c'est-à-dire la véritable nature de notre moi. Toute vie créative, avec son mouvement toujours renouvelé et jamais définitivement acquis, reflète bien ce qu'est le *moi*, tel que je le conçois : un être en devenir, sans cesse à la recherche de son identité. Certains peuvent se lasser de cette quête incessante, mais d'autres peuvent y trouver la passion de vivre, car on n'a jamais fini de « devenir qui l'on est ».

Aussi longtemps qu'elle reste fondée sur la méfiance et l'hostilité, la solitude conduit à l'isolement et au repli sur soi, c'est la solitude de la tour d'ivoire. Lorsqu'elle devient apprivoisée, la solitude devient un stimulant pour la connaissance de soi et d'autrui, et un appel à communiquer avec les autres au niveau le plus authentique. C'est pourquoi, dans ce livre, j'ai tenu à accorder une grande place aux points de vue d'autres psychanalystes, dans l'idée que l'originalité de chacun met en valeur la pensée des autres et contribue à la richesse de la psychanalyse. C'est ainsi que je ressens ma solitude de psychanalyste en relation avec la présence des autres.

La solitude n'est pas renoncement à la relation aux autres. Elle permet au contraire à chacun de se définir, et la confrontation avec l'originalité de l'autre fait ressortir le caractère précieux et irremplaçable de ce que chacun est seul à apporter. Le caractère précieux de l'objet et du sujet vient de ce que chacun est unique, il naît de sa solitude.

Bibliographie

Abraham K. (1919), « Les névroses du dimanche » : Remarques sur la communication de Ferenczi, in *Œuvres complètes*, t. 2, Paris, Payot, 1966, p. 90-91.

— (1924), Esquisse d'une histoire du développement de la libido basée sur la psychanalyse des troubles mentaux, in *Œuvres complètes*, t. 2, Paris, Payot, 1966, p. 255-313.

Abraham N. et Torok M. (1975), L'objet perdu - moi, *Rev. franç. de Psychanal.*, 39, 409-426.

Andréoli A. (1989), « Le Moi et son objet narcissique », Rapport au XLVIIIᵉ Congrès des Psychanalystes de Langue française des Pays romans (Genève, 1988), *Rev. franç. de Psychanal.*, LIII, 151-196.

Anzieu D. (1974), Le moi-peau, *NRP*, 9, 195-208.

Association psychanalytique internationale (1983), Normes et critères d'admission et de qualification au titre de membre de l'API, *Lettre d'information de l'API*, vol. XV, 3, p. 3 ; *Brochure de l'API*, Londres, Publications de l'API, 1987, 13-14.

— (1985), Les qualifications minima requises par l'API pour acquérir le statut d'analyste de formation et pour conserver cette fonction, *Lettre d'information de l'API*, vol. XVII, 3, 4 ; *Brochure de l'API*, Londres, Publications de l'API, 1987, 15-16.

Athanassiou C. (1986), Déni et connaissance, *Rev. franç. de Psychanal.*, 4, 1125-1144.

Balint M. (1952), Le renouveau et les syndromes paranoïde et dépressif, in *Amour primaire et technique psychanalytique*, Paris, Payot, 1972, p. 260-271.

— (1968), *Le défaut fondamental*, Paris, Payot, 1971.

— et E. (1959), *Les voies de la régression*, Paris, Payot, 1972.

Baranger W. (1980), Validez del concepto de objeto en la obra de Melanie Klein, *in* W. Baranger et coll., *Aportaciones al concepto de objeto en psicoanalisis*, Buenos Aires, Ed. Amorrortu.

Baranger M., Baranger W. et Mom M. (1988), The infantile psychic trauma from us to Freud : pure trauma, retroactivity and reconstruction, *Int. J. of Psycho-Anal.*, 69, 113-128.

Bayle G. (1989), Discontinuités et portances, *Rev. franç. de Psychanal.*, LIII, 87-91.

Bégoin J. (1984), Présentation : quelques repères sur l'évolution du concept d'identification, *Rev. franç. de Psychanal.*, 2, 483-490.

Bégoin J. (1989), « Introduction à la notion de souffrance psychique : le désespoir d'être », Rapport au XLVIIIe Congrès des Psychanalystes de Langue française des Pays romans (Genève, 1988), *Rev. franç. de Psychanal.*, LIII, 457-469.

— et F. (1981), Réaction thérapeutique négative, envie et angoisse catastrophique, *Bulletin FEP*, 16, 2-16.

Bick E. (1968), The experience of the skin in early object-relations, *Int. J. of Psycho-Anal.*, 49, 484-486.

Bion W. R. (1957), Différenciation des personnalités psychotiques et non psychotiques, in *Réflexion faite*, Paris, PUF, 1983, p. 51-73.

— (1962*b*), *Aux sources de l'expérience*, Paris, PUF, 1979.

— (1963), *Eléments de psychanalyse*, Paris, PUF, 1979.

— (1967), *Réflexion faite*, Paris, PUF, 1983.

Bleger J. (1967), *Symbiose et ambiguïté*, Paris, PUF, 1981.

Bowlby J. (1969, 1973, 1980), *Attachement et perte*, 3 vol., Paris, PUF, 1978, 1978, 1984.

Brenman E. (1982), La séparation : un problème clinique, *Rev. franç. de Psychanal.*, 1986, 4, 1159-1171.

Brousselle A. (1989), Portance et assise de l'identité, *Rev. franç. de Psychanal.*, LIII, 93-97.

Chasseguet-Smirgel J. (1988), Autres commentaires (questions de Cléopâtre Athanassiou), *Rev. franç. de Psychanal.*, LII, 1167-1179.

Cramer B. (1985), Les psychoses infantiles et les étapes du développement de la séparation et de l'individuation chez Margaret Mahler, *in* S. Lebovici, R. Diatkine, M. Soulé, *Traité de psychiatrie de l'enfant et de l'adolescent*, PUF, 1985.

Delaite F., Nicollier D., de Senarclens B. (1990), Brève étude sur l'amour et la haine chez Freud, *Bull. Société suisse de Psychanal.*, 30.

Diatkine R. (1988), Destins du transfert, *Rev. franç. de Psychanal.*, LII, 803-813.

Dolto F. (1985), *Solitude*, Paris, Vertiges du Nord/Carrère.

Ellonen-Jéquier M. (1986), A propos de la signification de certains mécanismes psychotiques, in *Psychanalyse, adolescence et psychose*, Baranes et coll., Paris, Payot.

Eskelinen de Folch T. (1983), We - versus I and You, *Int. J. of Psycho-Anal.*, 64, 309-320.

Etchegoyen H. R. (1984), Les destins de l'identification, *Rev. franç. de Psychanal.*, 2, 873-901.

— (1986), *Los fundamentos de la técnica psicoanalítica*, Buenos Aires, Amorrortu Editores.

Faimberg H. (1987), Le télescopage des générations, *Psa. Univ.*, 1987, 46, 181-200.

Fairbairn W. R. D. (1940), Les facteurs schizoïdes de la personnalité, *RFP* (1974), 10, 35-55.

— (1941), A revised psychopathology of the psychoses and psychoneuroses, in *Psychoanalytic Studies of the Personality*, London, Henley and Boston, Routledge & Kegan Paul, 1952.

— (1952), *Psychoanalytic Studies of the Personality*, London, Henley and Boston, Routledge & Kegan Paul, 1952.

Ferenczi S. (1919), Névroses du dimanche, in *Œuvres complètes*, t. 2, Paris, Payot, 1970, p. 314-318.

— (1927), Le problème de la fin de l'analyse, in *Œuvres complètes*, t. 4, Paris, Payot, 1982, p. 43-53.

Firestein S. K. (1980), Terminaison de l'analyse (Revue générale de la littérature), *Rev. franç. de Psychanal.*, 44, 319-328.

Flournoy O. (1979), *Le temps d'une psychanalyse*, Paris, Belfond.

Freud A. (1936), *Le moi et les mécanismes de défense*, Paris, PUF, 1949.

— (1960), Discussion of Dr. John's Bowlby's paper, *The Psychoanalytical Study of the Child*, 15, 53-62.

— (1965), *Le normal et le pathologique chez l'enfant*, Paris, Gallimard, 1968.

— et Burlingham D. (1943), *War and Children*, NY, Intern. Univ. Press, 1943.

Freud S. (1950a [1892-1899]), Extraits des lettres à Fliess, in *La naissance de la psychanalyse,* Paris, PUF, 1969 ; *SE* 1.

— (1950a [1895]), Esquisse d'une psychologie scientifique, in *La naissance de la psychanalyse,* Paris, PUF, 1969 ; *SE* 1.

— (1900a), *L'interprétation des rêves*, Paris, PUF, 1967 ; *SE* 4-5, *GW* 2-3.

— (1905d), *Trois essais sur la théorie de la sexualité*, Paris, Gallimard, 1968 ; *SE* 7, *GW* 5.

— (1909b), Analyse d'une phobie d'un petit garçon de cinq ans (le petit Hans), in *Cinq psychanalyses,* Paris, PUF, 1970, p. 93-197 ; *SE* 10, *GW* 8.

— (1913c), Le début du traitement, in *La technique psychanalytique*, Paris, PUF, 1970 ; *SE* 12, *GW* 8.

— (1914c), Pour introduire le narcissisme, in *La vie sexuelle,* Paris, PUF, 1970, p. 81 ; *SE* 14, *GW* 10.

— (1914g), Remémoration, répétition, élaboration, in *La technique psychanalytique*, Paris, PUF, 1953 ; *SE* 12, *GW* 8.

— (1915c), Pulsions et destins de pulsions, in *Œuvres complètes*, vol. XIII, Paris, PUF, 1988, p. 161 ; *SE* 14, *GW* 10.

— (1915d), Le refoulement, in *Œuvres complètes*, vol. XIII, Paris, PUF, 1988, p. 187 ; *SE* 14, *GW* 10.

— (1915e), L'inconscient, in *Œuvres complètes*, vol. XIII, Paris, PUF, 1988, p. 203 ; *SE* 14, *GW* 10.

— (1917e [1915]), Deuil et mélancolie, in *Œuvres complètes*, vol. XIII, Paris, PUF, 1988, p. 259 ; *SE* 14, *GW* 10.

— (1916a), Passagèreté, in *Œuvres complètes*, vol. XIII, Paris, PUF, 1988, p. 319 ; *SE* 14, *GW* 10.

— (1916-1917), *Leçons d'introduction à la psychanalyse*, Paris, Payot, 1973 ; *SE* 15-16, *GW* 11.

— (1920g), Au-delà du principe de plaisir, in *Essais de psychanalyse,* Paris, Gallimard, 1981, p. 43-115 ; *SE* 18, *GW* 13.

— (1921c), Psychologie des foules et analyse du moi, in *Essais de psychanalyse,* Paris, Gallimard, 1981, p. 123-217 ; *SE* 12, *GW* 13.

— (1923b), Le moi et le ça, in *Essais de psychanalyse*, Paris, Gallimard, 1981, p. 221-275 ; *SE* 12, *GW* 13.

— (1924b [1923]), Névrose et psychose, in *Névrose, psychose et perversion*, Paris, PUF, 1973, p. 283 ; *SE* 19, *GW* 13.

— (1924c), Le problème économique du masochisme, in *Névrose, psychose et perversion*, Paris, PUF, 1973 ; *SE* 19, *GW* 19.

— (1925h), La négation, in *Névrose, psychose et perversion*, Paris, PUF, 1973 ; *SE* 19, *GW* 19.

— (1926d), *Inhibition, symptôme et angoisse*, Paris, PUF, 1968 ; *SE* 20, *GW* 14.

— (1927e), Le fétichisme, in *La vie sexuelle*, Paris, PUF, 1970, p. 133 ; *SE* 21, *GW* 14.

Freud S. (1930a), *Malaise dans la civilisation*, Paris, PUF, 1971 ; *SE* 21, *GW* 14.

— (1933a), *Nouvelles conférences d'introduction à la psychanalyse*, Paris, Gallimard, 1984 ; *SE* 22, *GW* 15.

— (1937c), L'analyse avec fin et l'analyse sans fin, in *Résultats, idées, problèmes II*, Paris, PUF, 1985, p. 231 ; *SE* 23, *GW* 16.

— (1940a [1938]), *Abrégé de psychanalyse*, Paris, PUF, 1967 ; *SE* 23, *GW* 17.

— (1940e [1938]), Le clivage du moi dans le processus de défense, in *Résultats, idées, problèmes II*, Paris, PUF, 1985, p. 287 ; *SE* 23, *GW* 17.

Gaddini E. (1981), Fantasmes défensifs précoces et processus psychanalytique, *Bull. FEP*, 17, 69-83.

Gibeault A. (1989), Destins de la symbolisation, *Rev. franç. de Psychanal.*, LIII, à paraître.

Glover E. (1955), Termination, in *Technique of Psychoanalysis*, New York, International Universities Press, 1971, 627-640.

Green A. (1974), L'analyste, la symbolisation et l'absence dans le cadre analytique, *NRP*, 10, 225-258.

— (1979), L'angoisse et le narcissisme, *Rev. franç. de Psychanal.*, 43, 45-87.

— (1983), *Narcissisme de vie et narcissisme de mort*, Paris, Ed. de Minuit.

Greenson R. R. (1967), *Technique et pratique de la psychanalyse*, Paris, PUF, 1977.

Gressot M. (1979), *Le royaume intermédiaire*, Paris, PUF.

Grinberg L. (1962), On a specific aspect of countertransference due to the patient's projective identification, *Int. J. Psychoanal.*, 43, 2.

— (1964), *Culpa y depresión*, Madrid, Alianza Universidad Textos, 1983.

— (1968), On acting out and its role in the psychoanalytical process, *Int. J. Psycho-Anal.*, 49, 172-178.

— (1980), A la recherche de la vérité sur soi-même, *Rev. franç. de Psychanal.*, 44, 297-317.

— (1981), Los suenuos del dia lunes, in *Psicoanálisis : aspectos teóricos y clinícos*, Barcelona, Paidos.

Grunberger B. (1971), *Le narcissisme*, Paris, Payot.

Grunert U. (1981), La réaction thérapeutique négative pour redonner vie à un processus de détachement dans le transfert, *Bulletin FEP*, 16, 17-32.

Guex G. (1950), *La névrose d'abandon*, Paris, PUF.

Guillaumin J. (1989), « L'objet de la perte dans la pensée de Freud », Rapport au XLVIIIe Congrès des Psychanalystes de Langue française des Pays romans (Genève, 1988), *Rev. franç. de Psychanal.*, LIII, 162-185.

Haynal A. (1977), « Le sens du désespoir », Rapport au XXXVIe Congrès des Psychanalystes de Langues romanes (Genève, 1976), *Rev. franç. de Psychanal.*, XLI, 17-186.

— (1987), *Dépression et créativité*, Lyon, Ed. Césura Lyon.

— (1989), L'affect, cet inconnu, et son intrication dans la cure, *Rev. franç. de Psychanal.*, LIII, 491-493.

Joseph B. (1985), Transference : the total situation, *Int. J. Psycho-Anal.*, 66, 447-454.

Kernberg O. (1975), *La personnalité narcissique*, trad. Daniel Marcelli, Toulouse, Privat, 1980 (*Borderline conditions and pathological narcissism*, New York, Jason Aronson Ed., 1975).

— (1984), *Les troubles graves de la personnalité : stratégies psycho-thérapeutiques*, Paris, PUF, 1989.

Klein M. (1935), Contribution à l'étude de la psychogenèse des états maniaco-dépressifs, in *Essais de psychanalyse,* Paris, Payot, 1967.

— (1940), Le deuil et ses rapports avec les états maniaco-dépressifs, in *Essais de psychanalyse,* Paris, Payot, 1967.

Klein M. (1946), Notes sur quelques mécanismes schizoïdes, in *Développements de la psychanalyse,* Paris, PUF, 1966.

— (1950), On the criteria for the termination of a psychoanalysis, *Int. J. Psycho-Anal.,* 31.

— (1952), Les origines du transfert, *Rev. franç. de Psychanal.,* XVI, 204-214.

— (1957), *Envie et gratitude,* Paris, Gallimard, 1968.

— (1959), Se sentir seul, in *Envie et gratitude et autres essais,* Paris, Gallimard, 1968, p. 119-137.

Kohut H. (1971), *Le Soi. La psychanalyse des transferts narcissiques,* Paris, PUF .

Kris E. (1956), The recovery of childhood memories in psycho-analysis, in *Psychoanal. Study of the Child,* 11, 54-88.

Ladame F. (1987), *Les tentatives de suicide chez les adolescents,* Paris, Masson, 2ᵉ éd.

Laplanche J. (1980), *Problématique I : l'angoisse,* Paris, PUF.

— (1987), La séduction généralisée aux fondements de la théorie et à l'horizon de la pratique psychanalytique. Conférence au Centre Raymond de Saussure, Genève, le 9 mai 1987 (compte rendu par J.-M. Quinodoz in *Bulletin Société suisse de Psychanalyse,* 24, 98-99).

Laplanche J. et Pontalis J.-B. (1967), *Vocabulaire de la psychanalyse,* Paris, PUF .

Lax R. F., Bach S. et Burland J. A. (1986), *Self and object constancy,* New York, London, Guilford Press.

Lebovici S. (1980), La fin de la psychanalyse et ses modes de terminaison, *Rev. franç. de Psychanal.,* 44, 236-263.

Liberman D. (1967), Entropía y información en el proceso terapéutico, *Rev. de Psicoanál.,* 24, 1.

Limentani A. (1981), On some positive aspects of the negative therapeutic reaction, *Int. J. Psycho-Anal.,* 62, 379-390.

Luquet P. (1962), « Les identifications précoces dans la structuration et la restructuration du moi », Rapport au XXIIᵉ Congrès des Psychanalystes de Langues romanes (Paris, 1961), *Rev. franç. de Psychanal.,* 26, 117-301.

Mahler M. S., Pine F. et Bergman A. (1975), *La naissance psychologique de l'être humain,* Paris, Payot, 1980.

Maldonado J. L. (1989), On negative and positive therapeutic reaction, *Int. J. Psycho-Anal.,* 70, 327-339.

Manzano J. (1989), « La séparation et la perte d'objet chez l'enfant », Rapport au XLVIIIᵉ Congrès des Psychanalystes de Langues romanes (Genève, 1988), *Rev. franç. de Psychanal.,* LIII, 241-272.

Meltzer D. (1966), The relation of anal masturbation to projective identification, *Int. J. Psycho-Anal.,* 47, 335-342.

— (1967), *Le processus psychanalytique,* Paris, Payot, 1971.

— (1975), Adhesive identification, in *Contemporary psycho-analysis,* vol. 2, p. 289-310.

— (1979), *Le développement kleinien de la psychanalyse,* t. 1 : *L'évolution clinique de Freud,* Toulouse, Privat, 1984.

— (1986), Le conflit esthétique : son rôle dans le développement psychique, *Bulletin GERPEN* , vol. 6, mars 1986.

Meltzer D., Bremmer J., Hoxter S., Weddell D. et Wittemberg L. (1975), *Explorations dans le monde de l'autisme*, Paris, Payot, 1980.

Padel J. (1973), La contribution de W. R. D. Fairbairn (1889-1965) à la théorie et à la pratique psychanalytique, *Bulletin FEP*, 2, 9-21.

Palacio Espasa F. (1988), Considérations sur le narcissisme à la lumière de l'agressivité et de la destructivité de la vie psychique, *Bull. Société suisse de Psychanal.*, 26, 4-9.

Pine F. (1979), On the pathology of the separation-individuation process as manifested in later clinical work : an attempt at delineation, *Int. J. Psycho-Anal.*, 60, 225-242.

Pontalis J.-B. (1974), A propos de Fairbairn : le psychisme comme métaphore du corps, *NRP* , 10, 56-59.

— (1981), Non, deux fois non, *NRP*, 24, 53-73.

Quinodoz D. (1984), « L'accident en tant que révélateur de la pulsion de mort », Symposium FEP sur la pulsion de mort, Marseille, 1984, *Bulletin FEP*, 25, 95-99.

— (1987a), Le setting psychanalytique : organe de la fonction contenante, *Bulletin Société suisse de Psychanal.*, 24, 18-24.

— (1987b), « J'ai peur de tuer mon enfant » ou : Œdipe abandonné, Œdipe adopté, *Rev. franç. de Psychanal.*, 6/1987.

— (1989), Les « interprétations dans la projection », *Rev. franç. de Psychanal.*, LIII, 103-110.

— (1990), Vertigo and object relationship, *Int. J. of Psycho-Anal.*, 71, 53-63. En français : « Le vertige dans la cure », *Rev. franç. de Psychanal.*, LIV, 493-509.

Quinodoz J.-M. (1984), Formes primitives de communication dans le transfert et relation d'objet, *Rev. franç. de Psychanal.*, 48, 571-580.

— (1985), « Manifestations somatiques, relation d'objet mélancolique et pulsion de mort au cours du processus psychanalytique », Symposium FEP sur la pulsion de mort, Marseille, 1984, *Bulletin FEP*, 25, 101-105.

— (1986), Identifizierung und Identität in der weiblichen Homosexualität, *Zeitschrift f. psychoan. Theorie und Praxis*, 1, 82-94.

— (1987), Des « rêves qui tournent la page », *Rev. franç. de Psychanal.*, 51, 837-838.

— (1989), Female homosexual patients in psychoanalysis, *Int. J. of Psycho-Anal.*, 70, 55-63.

— (1989), « Les interprétations de l'angoisse de séparation dans la cure psychanalytique », Rapport au XLVIIIe Congrès des Psychanalystes de Langue française des Pays romans (Genève, 1988), *Rev. franç. de Psychanal.*, LIII, 5-67.

— (1989), Implications cliniques du concept psychanalytique de pulsion de mort, *Rev. franç. de Psychanal.*, LIII, 737-749.

—, Bähler V., Charbonnier G., Delaite F., Grabowska M.-J., Nicollier D., von Siebenthal Rodriguez A. (1989), Contributions des psychanalystes de Suisse romande aux problèmes de l'angoisse de séparation, de la perte de l'objet et de deuil, *Rev. franç. de Psychanal.*, LIII, 111-117.

Rank O. (1924), *Le traumatisme de la naissance*, Paris, Payot, 1968.

Reich A. (1950), On the termination of analysis, in *Psychoanalytic Contributions*, NY, Intern. Univ. Press, 1973, p. 121-135.

Rentschnick P. (1975), *Les orphelins mènent le monde,* Genève, Médecine et Hygiène.

Resnik S. (1967), La experiencia del espacio en el « setting » analitico, *Revista Urugayana de Psicoanalisis*, 9, 293-308.

Rickman J. (1950), On the criteria for the termination of an analysis, *Int. J. Psycho-Anal.*, 31, 200-201.

Rosenfeld H. R. (1947), Analyse d'un état schizophrénique accompagné de dépersonnalisation, in *Etats psychotiques,* Paris, PUF , 1976, p. 19-45.
— (1964), A propos de la psychopathologie du narcissisme, in *Etats psychotiques*, Paris, PUF , 1976, p. 219-232.
— (1964), Recherche sur le besoin des patients névrosés et psychotiques de produire des *acting-out* durant leur analyse, in *Etats psychotiques*, Paris, PUF , 1976, p. 259-279.
— (1971), Les aspects agressifs du narcissisme : un abord clinique de la théorie des instincts de vie et de mort, trad. de l'angl. G. Diatkine, *NRFP*, 1974, 13, 205-221.
— (1983), Primitive object relations and mechanisms, *Int. J. Psycho-Anal.*, 64, 261-267.
Roustang F. (1976), *Un destin si funeste*, Paris, Seuil.
Saint-Exupéry A. de (1946), *Le Petit Prince*, Paris, Gallimard.
Sandler J., Kennedy H., Tyson R. (1965), *Techniques de psychanalyse de l'enfant. Conversation avec Anna Freud*, Paris, Privat.
Saussure J. de (1987), Commentaires sur les normes de l'API relatives à la formation (1983 et 1985), *Bulletin Société suisse de Psychanal.*, 22, 13-18 ; *Bulletin FEP*, 29, 23-28.
Segal H. (1956), La dépression chez le schizophrène, in *Délire et créativité*, Paris, Ed. Des Femmes, 1987, p. 207-222.
— (1957), Notes sur la formation des symboles, in *Délire et créativité*, Paris, Ed. Des Femmes, 1987, p. 93-120.
— (1962), Les facteurs curatifs dans la psychanalyse, in *Délire et créativité*, Paris, Ed. Des Femmes, 1987, p. 123-142.
— (1964), *Introduction à l'œuvre de Melanie Klein*, Paris, PUF, 1969.
— (1967), La technique de Melanie Klein, in *Délire et créativité*, Paris, Ed. Des Femmes, 1987, p. 19-56.
— (1978), On symbolism, *Int. J. Psycho-Anal.*, 59, 315-319.
— (1979), *Melanie Klein : développement d'une pensée*, Paris, PUF, 1982.
— (1983), Some clinical implications of Melanie Klein's work. Emergence from narcissism, *Int. J. Psycho-Anal.*, 64, 269-276.
— (1986), De l'utilité clinique du concept de pulsion de mort, in *La pulsion de mort*, Ier Symposium de la Fédération européenne de Psychanalyse (Marseille, 1984), Paris, PUF , 1986.
— (1988), Sweating it out, *The Psychoanalytic Study of the Child,* vol. 43, 167-175.
—, et Bell D. (1989), *The theory of narcissism in the work of Freud and Klein*, à paraître.
Spira M. (1985), *Créativité et liberté psychique*, Lyon, Ed. Césura Lyon.
Spitz R. A. (1957), *Le non et le oui*, Paris, PUF , 1962.
— (1965), *De la naissance à la parole*, Paris, PUF, 1968.
Strachey J. (1957), Editor's introducton (to « Mourning and Melancholia »), *SE* 14, p. 239-242.
— (1959), Editor's introduction (to « Inhibition, symptom and anxiety »), *SE* 20, p. 77-86.
Tomassini M. (1989), Portance et identification introjective, *Rev. franç. de Psychanal.*, LIII, 119-123.
Tustin F. (1981), *Autistic States in the Children*, London and Boston, Routledge.
Valcarce-Avello M. (1987), Significado y functión del juego infantil : el punto de vista del psicoánalisis, *Psiquis,* vol. 8, 11-23.
Wallerstein R. S. (1985), How does self psychology differ in practice ?, *Int. J. of Psycho-Anal.*, 66, 391-404.

Wallerstein R. S. (1987), Avant-propos. *Brochure de l'Association psychanalytique internationale,* Londres, Publications de l'API.

— (1987), One psychoanalysis or many ?, *Int. J. of Psycho-Anal.,* 69, 5-21.

Wender L. et coll. (1966), Comienzo y final del sesión. Dinámica de ciertos aspectos transferenciales y contratransferenciales, Buenos Aires, *Actas.*

Wiener P. (1985), Attachement et perte, vol. 3 : La perte, de John Bowlby, *Rev. franç. de Psychanal.,* 49, 1598-1600.

Winnicott D. W. (1945), Le développement affectif primaire, in *De la pédiatrie à la psychanalyse,* Paris, Payot, 1969, p. 33.

— (1951), Objets transitionnels et phénomènes transitionnels, in *De la pédiatrie à la psychanalyse,* Paris, Payot, 1969, p. 109.

— (1955), Les aspects métapsychologiques et cliniques de la régression au sein de la situation analytique, in *De la pédiatrie à la psychanalyse,* Paris, Payot, 1969, p. 131.

— (1955-1956). Les formes cliniques du transfert, in *De la pédiatrie à la psychanalyse,* Paris, Payot, 1969, p. 185.

— (1958), La capacité d'être seul, in *De la pédiatrie à la psychanalyse,* Paris, Payot, 1969, p. 205.

— (1960), Distorsion du moi en fonction du vrai et du « faux self », in *Processus de maturation chez l'enfant,* Paris, Payot, 1969, p. 115.

— (1971), *Jeu et réalité,* Paris, Gallimard, 1975.

Zac J. (1968), Encuadre y acting out. Relación semana - fin de semana, *Rev. de Psicoanál.,* 25, 27-64.

— (1971), Un enfoque metodológico del establecimiento del encuadre, *Rev. de Psicoanál.,* 28, 593-610,

Index des auteurs

Index des sujets

Imprimé en France
Imprimerie des Presses Universitaires de France
73, avenue Ronsard, 41100 Vendôme
Juin 2002 — N° 49 290